ITALIAN

BY YOURSELF

The
'BY YOURSELF'
Language Series

GERMAN BY YOURSELF
by G. H. & W. Gretton

RUSSIAN BY YOURSELF
by L. S. Miller

FRENCH BY YOURSELF
by Marc Ceppi

SPANISH BY YOURSELF
by L. B. Walton

ITALIAN BY YOURSELF

A QUICK COURSE IN READING
FOR ADULT BEGINNERS
AND OTHERS

BY

D. M. WHITE

Formerly of the British Institute, Florence

THOMAS Y. CROWELL COMPANY
NEW YORK
1952

First published 1949
Reprinted 1952

Printed in Great Britain by
William Clowes and Sons, Limited, London and Beccles

PREFACE

This book is an attempt to teach adult students, working alone, to read Italian fluently and to know how to pronounce what is read. The grammar rules are set down as simply and briefly as possible, so that a student who has never learnt any other language and is unacquainted with grammatical terms may understand them immediately. This has of course been done at the expense of over-simplification, but with such a comparatively easy language the essential aim is to persuade the student to read, and to learn by reading. No exercises have been provided, but numerous examples illustrate the rules.

Great attention has been paid to the question of pronunciation, because this book is intended primarily for self-teaching. Phonetic symbols have been avoided, as they are sometimes irritating to a beginner, but in the first part of the book and in the Vocabulary heavy type has been used to indicate stress (to prevent such common and natural mistakes as Ta**ran**to, etc.) and dots are used to mark open **o**'s and **e**'s and voiced **s**'s and **z**'s.

A desire to learn Italian usually springs from some curiosity or interest regarding Italian art, history, or literature, and for this reason the passages for reading deal with these subjects. It is impossible to understand the literature of Italy without first acquiring some elementary knowledge of its historical background, just as it is impossible to appreciate her amazing wealth of art treasures without knowing the conditions of the society which reared her artists.

The greatest Italian geniuses, such as Leonardo da Vinci, Michelangelo, and Benvenuto Cellini, were noteworthy in more than one sphere of artistic and intellectual activity, and writers like Dante, Machiavelli, and Manzoni are incomprehensible without frequent references to the political history of their times.

PREFACE

The extracts at the end of the Literature section (H) are long enough to give the reader an adequate idea of the style of some of the greatest writers of Italian prose and of the topics with which they were chiefly concerned.

A vocabulary, which also indicates stress and pronunciation, is given at the end of the book. It covers all the reading material, except for Sections G and H, where it is felt better that a dictionary should be used.

An intelligent reading of the book should leave the student with some general notions of the character and attainments of this highly gifted but unfortunate people, and it is hoped that it will stimulate a desire to know much more.

D. M. W.

CONTENTS

PART I

A. GRAMMAR

Introduction

Stress, Alphabet, Pronunciation, Accents, Division of Syllables, Use of Capitals.

STRESS. The stress is so important that it is necessary to speak of it first in order to give some guidance in pronouncing correctly the words given as examples for the rules.

In the English word ma**jes**tic the stress falls on the last but one syllable, the penultimate. In **ma**jesty it falls on the first syllable, and in **ques**tionable it also falls on the first syllable, which seems difficult to an Italian, for the Italian stress as a general rule falls on the *penultimate* syllable. Whenever this is so it is not marked in this book unless the stress is on the *i* of a final -**i***a* or -**i***o*, or on the *u* of a final **u***e*.

If the stress falls on the *last* syllable it is always marked with an accent (´ or `) in Italian script, so it is not necessary to mark it in a different way here. Therefore, only if the stress falls on any other syllable but the last two is this stressed syllable, *in the first part of this book and in the vocabulary*, printed in heavy type.

EXAMPLES: caricatura, partí, libri, navigante, **sem**plice, sapere, **sil**laba, formi**da**bile, etc.

Note. In most words ending in *-ue*, *-uo*, *-ia*, *-io*, or *-ie*, (except after *r*) these two final vowels make one syllable only. Therefore, in words like *Italia, medaglia, Catania, assiduo, grazia, specchio*, no stress is marked, as it is on the penultimate syllable: Italia, etc.

In words where the *i* or *u* of the final -**i***a*, -**i***o*, -**i***e*, -**u***e*, bears the stress, we have marked it by heavy type (breaking our usual rule of not marking stresses on penultimate syllables) for the sake of greater clarity.

EXAMPLES: **du**e, geogra**fi**a, ma**ni**a, pen**di**o, **zi**o, etc.

When the vowels *ia, io, ie* are preceded by an *r* the *i* usually makes a separate syllable, and bears the stress.

EXAMPLES: macelle**ri**a, droghe**ri**a, giu**ri**a.

Sometimes, of course, the stress lies further back and is indicated according to our rule.

EXAMPLES: **stò**ria, pe**nu**ria.

ALPHABET. The Italian alphabet has 21 letters:

A	called ah	M	called emme
B	,, bee	N	,, enne
C	,, chee	O	,, oh
D	,, dee	P	,, pee
E	,, eh	Q	,, coo
F	,, effe	R	,, erre
G	,, gee	S	,, esse
H	,, acca	T	,, tee
I	,, ee	U	,, oo
L	,, elle	V	,, voo

Z called dzayta

Besides these, there are the imported letters:

K	called cappa	X	called eeks
J	,, eeloongo	W	,, voo-doppio

Y called eegrayco (i greco)

PRONUNCIATION. *The five vowels*. *a, e, i, o, u,* have seven different sounds altogether, because *e* and *o* have each two sounds, an open and a closed. There are certain rules which explain the open or closed *e*'s and *o*'s, but these are based on a knowledge of historical grammar and sound changes and do not come within the scope of the present book. Even educated Italians do not always agree on the use of the closed *e* and *o*, and great variety is still to be noticed, especially in the north of Italy.

1. A vowel is usually *closed* when the syllable is open (i.e. ends in a vowel).

EXAMPLES: do-le-re, sa-po-re, o-do-re.

2. A vowel is usually *open* when the syllable is closed (i.e. ends in a consonant).

EXAMPLES: bèl-lo, cre-dèn-te, fòr-za.

3. An *o* or *e* on which the stress does not fall is *always closed*, while an *o* or *e* on which the stress falls may be either open or closed.

EXAMPLES: (unstressed and closed) po-po-la-re, sco-la-ro, spe-ran-za; (stressed and open) **pȯ**-po-lo, scuȯ-la, spė-so; (stressed and closed) a-mo-**re**-vo-le, pon-**te**-fi-ce.

4. If *o* is preceded by *u*, or *e* by *i*, the sound of *o* and *e* is *always* open.

EXAMPLES: buȯ-no, fuȯ-co, siė-de, **tiė**-pi-do.

In the first part of this book and in the vocabulary open *e* and open *o* are printed with a dot above: ė, ȯ.

A has a long sound, not so long as in "father," but longer than in "fat," very much the same sound that we hear in the North Country pronunciation "faather," "laast," etc.

Ė has a sound like "e" in "get."
EXAMPLES: *bėllo, tėrra.*

E has a sound like "a" in "gate."
EXAMPLES: *pena, catena.*

I has a sound like "ee" in "see."
EXAMPLES: *Dio, chilo.*

Ȯ has a sound like "o" in "more."
EXAMPLES: *tȯro, vȯlta, rȯba.*

O has a sound more like "o" in "dome."
EXAMPLES: *bocca, tondo, pompa.*

U has a sound like "oo" in "fool."
EXAMPLES: *palude, luna, uno.*
(*Never* pronounce it as in French).

The vowels *i* and *u* when unaccented themselves but preceding accented vowels are pronounced almost like "y" in "you" and "w" in "win."

EXAMPLES: piėno (pyaino), piú (pew), piume (pewmay), annuale (annwalay), and nuȯvo (nwovo).

When the Italian vowels are given their full value and not slurred, the beauty of the language becomes evident. In English we slur most of our vowels, and that is why foreigners accuse us of eating our words, while we accuse them of mouthing theirs.

Consonants. Most of these are pronounced as in English, so we shall only mention the exceptions.

C before *e* or *i* is pronounced like "ch" in "church."

EXAMPLES: ci, cinema, cėlla, cera.

Otherwise it is hard, like "k."

EXAMPLES: come, cassa, acuto.

Note. Sometimes an *i* is inserted between *c* and *a, o,* or *u,* simply so as to soften the *c,* and is itself unpronounced.

EXAMPLES: cioccolata (chokolaata), facciamo (fach-chamo).

G before *e* or *i* is pronounced like "g" in "geranium."

EXAMPLES: gėnte, immaginazione, girare.

Otherwise, it is hard like the English hard "g."

EXAMPLES: guardia, gola, laguna, gara.

Note. Sometimes an *i* is used, as after *c,* before *a, o,* or *u* to soften a *g.*

EXAMPLES: giardino (jaardeeno), giú (joo).

H is not aspirated, but is used:

(a) after *c* before *e* or *i* to give the *c* the sound of *k.*

EXAMPLES: chiaro, ȯcchio, chiarezza.

(b) after *g* before *e* or *i* to harden the soft sound of this letter.

EXAMPLES: larghezza (laargaytza), dighe (deegay).

R is always rolled, whether alone, doubled, or followed by another consonant.

EXAMPLES: Roma, errare, fortuna.

S is usually pronounced as in the English "sofa."

EXAMPLES: solo, peso, casa, speranza, sudore.

At the beginning of a word before the consonants *b, d, g, gh, l, m, n, r,* and *v* it is pronounced like the English "z," i.e. voiced.

EXAMPLES: ṡbadato, ṡdegno, ṡgridare, ṡlancio, ṡnėllo, ṡvegliare.

Between two vowels it usually has the voiced sound, but as there are many exceptions to this rule the voiced *s* (pronounced "z") has been marked with a dot, *ṡ*, in the first part of this book and in the vocabulary.

Note. In the pronunciation of *s* between two vowels there is still great variety of opinion in Italy. In the north of Italy this *s* between two vowels is always pronounced like a *z*.

Z has:

(a) a sibilant sound like "ts" (generally in words which in Latin had "t" or "c").

EXAMPLES: nȯzze (nots-say), from the Latin "nuptiae"; piazza (pyats-sa), from the Latin "platea"; calza (caltsa), from the Latin "calceo."

(b) a voiced sound like "dz" (generally in words which in Latin had "d" or "g").

EXAMPLES: pranżo (prandzo), from the Latin "prandio"; ażiėnda (adzeeenda), from the Latin "agenda"; mėżżo (medz-zo), from the Latin "medio."

The question of the voiced *z* is still debated in Italy and it is impossible to give a final rule. In the first part of this book and in the vocabulary the voiced *z* is marked with a dot, *ż*.

Some special combinations. Gl before *i* sounds like "lli" in words like "bullion."

EXAMPLES: egli (elyee), giglio (geelyo), maglia (malyah).

The only exceptions to this rule are: *glicerina, ganglio, anglicano,* and the verb ***negli**gere* with its derivatives. In these words *gl* is pronounced as in English.

Before the vowels *a, e, o, u,* the consonants *gl* are pronounced as in English.

EXAMPLES: glèba, **glòria**.

Gn has a sound like "ni" in "pinion."

EXAMPLES: ogni, ognuno, ignorante, campagna.

Sc before *e* or *i* sounds like *sh.*

EXAMPLES: scemo (shaymo), scimmia (shimmia).

Before *a, o,* and *u* it is pronounced *sk* as in English.

EXAMPLES: riscaldare, scodèlla.

Double consonants must always be pronounced *double,* like the *n*'s in "pen-name."

EXAMPLES: farfalla (far-fal-la), basso (bas-so).

ACCENTS. The only accents used in Italian are the grave (\`) and acute (´), and these are used only:

(a) Over the last syllable, when this bears the stress. Over *e, i,* and *u* (final) an acute accent is used, and over *a* and *o* a grave accent is used.

EXAMPLES: città, poté, cosí, portò, tribú.

Note. The final *e* has a grave accent in the following words: *cioè, tè, cafè, ahimè,* as has the *e* of the third person singular of the Present Tense of the verb "to be," *è,* so as to distinguish this word from *e,* meaning "*and.*"

(b) In certain words of one syllable which, without an accent, have a different meaning.

EXAMPLES

e, and	è, is
se, if	sé, oneself
la, the	là, there
li, them	lí, there
da, from	dà, gives
di, of	dí, day
ne, of it	né, neither

The truncated monosyllable *re* (king) sometimes bears an acute accent.

THE APOSTROPHE. This is used as in English to show the dropping of a letter, usually the final vowel of an article or adjective, and sometimes to show the dropping of a final syllable.

EXAMPLES: l'ora, gl'italiani, un sant'uòmo, un pò' (pòco).

DIVISION OF SYLLABLES. In writing Italian one must never divide a word of one syllable, or groups of consonants or vowels that are obviously combined for reasons of pronunciation. *S* is never separated from the letter that follows it. End a syllable with a vowel if possible, but not if that means putting together at the beginning of the next syllable letters that could not possibly be pronounced together. Double consonants are separated.

EXAMPLES: uò-mo, o-no-re, na-zio-ne, re-gi-na, sèm-pre, fa-mi-glia, ar-ma, af-fèt-to, mo-glie, ni-po-te, at-to, a-bis-so, pri-mor-dia-le, **ma**-sche-ra, tròp-po, scia-ra-da, ma-lat-**ti**a, **scè**-ni-co, tu-tè-la, pe-sca-re, o-scu-ri-tà, mè-glio.

Notice particularly the separation of the two "*l*'s" even before an apostrophe: *dal-l'ora.*

USE OF CAPITAL LETTERS. Capital letters are used much less in Italian than in English. Small letters are used for names of days and months and for nouns and adjectives of nationality. Personal names and names of countries, rivers, towns, etc., are written with capitals, but names of seas (used adjectivally) may sometimes be written with small letters. The pronoun for the first person: **i***o* ("I") is written with a small letter, but the polite indirect pronoun *Lèi* (or *Èlla*) ("you") has a capital letter.

EXAMPLES: un francese, gli inglesi, un gatto siamese, giovedí, maggio, novèmbre, Ma**ri**a, Inghiltèrra, Francia, il Pò, il **Te**vere, Milano, Prato, il mare mediter**ra**neo.

PUNCTUATION

,	**vir**gola	-	tratto d'unione
;	punto e **vir**gola	()	pa**rèn**teṡi
:	**du**e punti	*	asterisco
.	punto fermo	" "	virgolette
?	punto interrogativo	. . . .	puntini
!	punto esclamativo	`	accènto grave
—	lineetta	´	accènto acuto

1. THE DEFINITE ARTICLE

Il soldato, the soldier	*Plural*:	i soldati
lo **zi**o, the uncle		gli **zii**
lo specchio, the mirror		gli specchi
l'uòmo, the man		gli **uò**mini
l'**i**dolo, the idol		gl'**i**doli

The definite article before *masculine* nouns is:

Singular	Plural	
il	i	before words beginning with any consonant, except *s* followed by another consonant, and *z*.
lo	gli	before words beginning with *s* followed by another consonant, and *z*.
l'	gli	before a vowel; before a noun beginning with *i*, *gli* becomes *gl'*.

la dònna, the woman	*Plural*:	le dònne
la **zi**a, the aunt		le **zi**e
la **stò**ria, the story		le **stò**rie
l'ora, the hour		le ore
l'èrba, the herb		l'èrbe

The definite article before *feminine* nouns is:

Singular	Plural	
la	le	before words beginning with a consonant.
l'	le	before words beginning with a vowel; before a word beginning with *e*, *le* becomes *l'*.

The *definite article* is often used where it is not necessary to use it in English, before nouns of colours, qualities, virtues (used in a general sense), and before parts of the body, names of countries, etc.

EXAMPLES: L'onestà è piú preziosa della bellezza. Honesty is more precious than beauty.

Mia sorėlla ha gli òcchi ażżurri. My sister has blue eyes.

2. The Indefinite Article

un soldato, a soldier
uno specchio, a mirror
uno **zi**o, an uncle
un uòmo, a man
un **i**dolo, an idol

una madre, a mother
una **sca**tola, a box
una **zi**a, an aunt
un'òca, a goose

The indefinite article before *masculine* nouns is:

un before any consonant, except *s* followed by another consonant, and *z*, and before any vowel. There is no apostrophe after the masculine article *un* before a vowel.

uno before *s* followed by another consonant, and *z*.

The indefinite article before *feminine* nouns is:

una before any consonant.

un' before nouns beginning with a vowel.

The indefinite article is not used in Italian before names of professions, occupations, titles, etc.

EXAMPLES: Tu sėi poėta. You are a poet.

Egli sarà re. He will be a king.

3. Nouns—Gender

In Italian not only nouns describing male or female creatures but also those describing sexless objects are all either masculine or feminine. All nouns, except for a few foreign importations, end in a vowel.

Nouns ending in *-o* are masculine, except *la mano*, the hand.

Nouns ending in *-a* are feminine, with a few exceptions, such as: *il sofà, il dramma, il pilòta.*

Nouns ending in *-zione, -gione, -udine* are feminine.

Nouns ending in *-u* are feminine except for a few foreign words.

Most names of fruit-trees are masculine, ending in *-o*; while the names of their fruits end in *-a* and are feminine.

EXAMPLES: il melo, apple-tree — la mela, apple
l'arancio, orange-tree — l'arancia, orange

BUT: il dattero, date-tree and date fruit
il fico, fig-tree and fig fruit
il limone, lemon-tree and lemon fruit.

A few nouns *change their gender in the plural*:

il legno, wood, timber	le legna, firewood
il dito, finger	le dita, fingers
il ciglio, eyebrow	le ciglia, eyebrows
il ginòcchio, knee	le ginòcchia, knees
il paio, pair	le paia, pairs
l'uòvo, egg	le uòva, eggs
il miglio, mile	le miglia, miles
un centinaio, a hundred	le centinaia, hundreds

Some nouns *have two plurals*, with a difference of meaning between the masculine and feminine forms:

il muro, wall	le mura, city walls
	i muri, walls of house, etc.
il labbro, lip	le labbra, lips (physical)
	i labbri, edges
il frutto, fruit	le frutta, fruits
	i frutti, results
il membro, member	le membra, limbs
	i membri, members (of a club, etc.)

4. Nouns—Plural

Nouns ending in -o form their plural in *-i*.

EXAMPLES:	il sòldo, penny	*Plural*:	i sòldi
	lo **zi**o, uncle		gli **zi**i
	la mano, hand		le mani

Nouns ending in -e, whether masculine or feminine, form their plural in *-i*.

EXAMPLES:	il mese, month	*Plural*:	i mesi
	la moglie, wife		le mogli
	la cornice, frame		le cornici

Feminine nouns ending in -a form their plural in *-e*.

EXAMPLES:	la dònna, woman	*Plural*:	le dònne
	l'ora, hour		le ore

Masculine nouns ending in -a form their plural in *-i*.

EXAMPLES:	il poèta, poet	*Plural*:	i poèti
	il tèma, theme		i tèmi

Masculine nouns ending in -ca and *-ga* form their plural in *-chi* and *-ghi* respectively, thus preserving the hard sound of the *c* and *g*.

EXAMPLES:	il monarca, monarch	*Plural*:	i monarchi
	il collèga, colleague		i collèghi

Feminine nouns ending in -ca and -ga form their plural in *-che* and *-ghe* for the same reason.

EXAMPLES:	l'òca, goose	*Plural*:	le òche
	la bèga, quarrel		le bèghe

Words ending in -co form their plural in *-chi* if the stress falls on the penultimate syllable.

EXAMPLE: il fico, fig-tree. *Plural*: i fichi

and, as a general rule, form their plural in *-ci* if the stress falls on any other syllable.

EXAMPLES

l'au**stri**aco, Austrian	*Plural*:	gli au**stri**aci
il **pub**blico, public		i **pub**blici
lo **stò**rico, historian		gli **stò**rici

EXCEPTIONS. A few nouns which do not have the stress on the last but one syllable nevertheless form their plural in *-chi*.

EXAMPLES:	il **ca**rico, load	*Plural*:	i **ca**richi
	il **fon**daco, foundation		i **fon**dachi
	lo **stò**maco, stomach		gli **stò**machi
	il **traf**fico, traffic		i **traf**fichi

whereas the following nouns, although stressed on the last but one syllable, form their plural in *-ci*:

l'amico, friend	*Plural*:	gli amici
il nemico, enemy		i nemici
il pòrco, pig		i pòrci

Nouns ending in -go form their plural in *-ghi.*

EXAMPLES:	il chirurgo, surgeon	*Plural*:	i chirurghi
	il lago, lake		i laghi

But nouns of Greek origin ending in **-ò**logo form their plural in *-gi.*

EXAMPLES:	il fiṡi**ò**logo, physiologist	*Plural*:	i fiṡi**ò**logi
	il fil**ò**logo, philologist		i fil**ò**logi
	il te**ò**logo, theologian		i te**ò**logi

Nouns ending in -io, unstressed, form their plurals in *-i*.

EXAMPLES:	l'operaio, workman	*Plural*:	gli operai
	lo specchio, mirror		gli specchi

but where the **-i***a* or **-i***o* is stressed (on the *i*) the plural is **-i***i*.

EXAMPLES:	lo **zi**o, uncle	*Plural*:	gli **zi**i
	il calpe**sti**o, trampling		i calpe**sti**i
	il de**si**o (poet.), desire		i de**si**i

The plural, *-ii*, is also used where necessary to avoid confusion with another noun in the plural.

EXAMPLES:	il **prin**cipe, prince	*Plural*:	i **prin**cipi
	il prin**ci**pio, principle		i prin**ci**pii

Monosyllables and nouns ending in *-i*, *-ie*, and *-u*, and the few imported foreign nouns ending in a consonant, do not change in the plural.

EXAMPLES:		*Plural*:
	il re, king	i re
	la criṡi, crisis	le criṡi
	la **sè**rie, series	le **sè**rie
	la virtú, virtue	le virtú
	il lapis, pencil	i lapis
	l'**om**nibus, bus	gli **om**nibus

The following are irregular

	Plural:
l'uòmo, man	gli **uò**mini
il **di**o, God	gli **dè**i (note the irregular article)
il **bu**e, ox	i buòi

5. Nouns with Prepositions

a (to, at)	*con* (with)
al giardino, ai giardini	col giardino, coi giardini
allo **zi**o, agli **zi**i	collo **zi**o, cogli **zi**i
alla casa, alle case	colla casa, colle case
all'**a**nima, alle **a**nime	coll'**a**nima, colle **a**nime

di (of)	*da* (from)
del giardino, dei giardini	dal giardino, dai giardini
dello **zi**o, degli **zi**i	dallo **zi**o, dagli **zi**i
della casa, delle case	dalla casa, dalle case
dell'**a**nima, delle **a**nime	dall'**a**nima, dalle **a**nime

in (in, into)	*per* (for, through)
nel giardino, nei giardini	per il giardino, per i giardini
nello **zi**o, negli **zi**i	per lo **zi**o, per gli **zi**i
nella casa, nelle case	per la casa, per le case
nell'**a**nima, nelle **a**nime	per l'**a**nima, per le **a**nime

su (on, upon)
sul giardino, sui giardini
sullo **z**io, sugli **z**ii
sulla casa, sulle case
sull'**a**nima, sulle **a**nime

The preposition *per* is seldom contracted, but sometimes, especially in poetry, are found *pel* (for *per lo*) and *pei* (for *per i*). All the other prepositions contract, as above, before the definite article, and make one word with it. *Con* is sometimes used without contraction: *con il permesso* instead of *col permesso*, "with the permission."

A few very common expressions dispense with the article.

EXAMPLES: andare in campagna, to go into the country
ėssere in campagna, to be in the country
andare in chiėṡa (in città), to go to church (to town)
ėssere in chiėṡa (in città), to be in church (in town).

Casa, meaning the home of the person directly concerned, does not need an article.

EXAMPLES: Vado a casa. I am going home.
Vado a casa **su**a. I am going to his (or her) home.
Sȯno a casa. I am at home.
Sȯno a casa **su**a. I am at his (or her) home.

Da is often used before proper names or personal nouns or pronouns in the sense of "to," "to the house of," or "at," "at the house of," like the French *chez*.

EXAMPLES: Stȯ da **mi**o * fratėllo. I am at my brother's.
Vėngo da voi stasera. I am coming to your house this evening.
Sarete dai Rossi ȯggi? Shall you be at the Rossi's to-day?
Lo **żuc**chero si compra dal droghiėre. Sugar is bought at the grocer's.

* The definite article is often omitted before possessive adjectives which precede singular nouns expressing close relationship. EXAMPLES: **Mi**o padre mi dice questo; ditelo a vostro figlio. My father tells me this; tell it to your son.

Di is often used, combined with the definite article, to indicate number, measure or quantity where no exact term is needed, and is translated by "some" or "any."

EXAMPLES: Vedo delle piante nuòve nel giardino. I see some new plants in the garden.

Prendete del burro e del formaggio. Take some butter and cheese.

Avete del tabacco, dei **si**gari o delle sigarette? Have you any tobacco, cigars or cigarettes?

6. Noun Endings

Some endings modify the meaning of nouns and adjectives, *-one, -ona* give a sense of moral or physical greatness, and sometimes this ending changes the gender of a word from feminine to masculine.

EXAMPLES: un libro, a book — un librone, a large (or great) book
una casa, a house — un casone, a large house
una pòrta, a door — un portone, a large (outer) door

-òtto, -òtta indicate youth or inexperience and sometimes give an idea of youthful strength.

EXAMPLES: un giovanòtto, a young (unmarried) man
una contadinòtta, a strong young peasant woman

Sometimes this ending changes a gender from feminine to masculine.

EXAMPLES: un'**a**quila, an eagle — un aquilòtto, an eaglet
un'**i**sola, an island — un isolòtto, an islet

-accio, -accia indicate poor quality or bad character.

EXAMPLES: un libraccio, a bad book
un uomaccio, a bad man
una donnaccia, a bad woman

-ino, -ina, -etto, -etta, -èllo, -èlla, -uòlo (*-òlo*), *-uòla* (*-òla*) are all diminutive endings, giving a sense of smallness or

personal pronouns, nominative when subjects and accusative when objects of the verb. When in the accusative case they all (with the exception of *Loro*) precede the verb.

Tu is used when speaking to an intimate friend or companion, to a member of one's family, and familiarly to a servant. Its plural form, *voi*, is used for relations and intimate friends and companions. In some parts of Italy, however, *voi* is used, as a mark of respect, instead of *Lëi* when speaking to one person only.

Lëi (or *Ėlla*) is used as an indirect polite way of saying "you" when speaking to a stranger or to a superior, male or female. The accusative of *Lëi* is *La* because *Lëi* is a feminine form. The plural of this polite form is *Loro*, which, unlike *La* and all other pronouns, follows the verb of which it is the object.

Conversationally the forms **lu***i*, *lëi*, *loro*, are often used for the third person instead of *egli*, *essa*, *essi*, which are the more literary forms; **lu***i*, *lëi*, *loro* do not change for the accusative case and are written with small "*l*'s."

EXAMPLE: Io vedo **lui**, ma **lui** non mi vede. I see him, but he does not see me.

The English "it" in impersonal expressions is not translated in Italian.

EXAMPLES: Fa freddo. It is cold.
È bène **lèg**gere i giornali. It is well to read the newspapers.

Expressions like "It is I," "It is the soldiers," are translated by a verb that agrees with the following noun or pronoun in person or number.

EXAMPLES: Sòno **i**o. It is I. Siamo noi. It is we.
Sïete voi. It is you. Sòno i soldati. It is the soldiers.

9. Negative and Interrogative

For the sake of convenience in giving examples we here explain the negative and interrogative forms.

The *negative* form is very simple in Italian. Add *non* before the verb:

Io non vedo l'uȯmo.	I do not see the man.
Tu non vedi l'uȯmo.	You do not see the man.
Egli non vede l'uȯmo.	He does not see the man.
L'uȯmo non mi vede.	The man does not see me.
,, ,, ti ,,	,, ,, ,, you.
,, ,, lo ,,	,, ,, ,, him.

The *interrogative* form is even simpler. Show that you are asking a question by the inflection of your voice, and, whenever possible, place the interrogative verb before the subject.

EXAMPLES: Avranno arancie? Will they have oranges?
Non avrà legna? Will he not have firewood?
Ha lo **zi**o un amico? Has the uncle a friend?
È una criṡi? Is it a crisis?
Non è egli un monarca? Is he not a king?

Generally, the order of words is the same as in statements, and only the inflection of the voice shows that it is a question.

EXAMPLES: Il **mė**dico ha un nemico? Has the doctor an enemy?
La dȯnna non vede il pe**ri**colo? Does the woman not see the danger?

10. Personal Pronouns with Prepositions

in (di, a, con, da) me	in (of, to, with, from) me
in (di, a, con, da) te	,, ,, ,, you
in (di, a, con, da) **lui**	,, ,, ,, him
in (di, a, con, da) lėi	,, ,, ,, her
in (di, a, con, da) noi	,, ,, ,, us
in (di, a, con, da) voi in (di, a, con, da), loro	{ ,, ,, ,, you
Polite Form:	
in (di, a, con, da) Lėi	,, ,, ,, you
Plural: polite form:	
in (di, a, con, da) Loro	,, ,, ,, you

Sé is the invariable reflexive pronoun, used as singular and plural, masculine and feminine, *after a preposition.*

EXAMPLES: Egli parla di sé (a sé). He speaks of (to) himself.

Le dònne **pèn**sano a sé. The women think of themselves.

Si is used as subject or object of an impersonal verb or as object (3rd person) of a reflexive verb.

EXAMPLES: Si crede che la guèrra finirà prèsto. It is thought that the war will end soon.

Egli si lòda continuamente. He is always praising himself.

Stesso, -a correspond to the reflexive pronouns "myself, yourself, himself," etc., when these are used to *emphasise* a personal pronoun.

EXAMPLES: Voi stesso l'avete detto? Did you yourself say so?

L'ha fatto per se stesso. He has done it for himself.

*Me***dè***simo, -a* are sometimes used instead of *stesso, -a* in the same sense.

Both *stesso* and *me***dè***simo* can be used as adjectives or as pronouns.

EXAMPLE: È lo stesso.
È la me**dè**sima còsa. It is the same thing.

11. Conjunctive Use of Personal Pronouns

All the personal pronouns can be used conjunctively (that is, without a preposition) in the accusative and dative cases. They then precede the verb; and when there are two of them, a dative and an accusative, the dative precedes the accusative. For convenience of pronunciation the *i* of these dative pronouns, *mi, ti, ci, vi,* and *si,* changes into *e.* *Gliè* is used instead of *gli* (masculine) and *le* (feminine) and attached to the accusative *lo, la, li,* or *le,* that follows.

EXAMPLES

Egli mi dà una mela. He gives me an apple.

Egli me la dà. He gives it to me.

Ti dò **due lèt**tere importanti. I give you two important letters.

Te le dò. I give them to you.

Il prète ci dice questo. The priest tells us this.

Il prète ce lo dice. The priest tells it to us.

Il poèta se lo canta. The poet sings it to himself.

Gliėlo diėdi. I gave it to him (to her).

Gliėla preṡentai. I introduced her to him (to her).

Gliėlo dò. I give it to him (to her).

Gliėli diėdi. I gave them to him (to her).

Personal pronouns in the dative or accusative case are added to the infinitive, the imperative, the gerund and the past participle.

EXAMPLES: Mi piace vedervi felice. I like to see you happy.

Pòrtami quel lapis. Bring me that pencil.

Avèndoli veduti, andò **via**. Having seen them he went away.

Pa**ga**togli il giusto . . . Having paid him the right amount . . .

In the *negative* form of the imperative and in both forms of the polite (3rd person) imperative, positive and negative, the dative pronouns usually precede the verb.

EXAMPLES: Non vi date tròppo lavoro. Don't give yourself too much work.

Mi scriva prèsto. Write to me soon.

BUT:

Datevi il tèmpo neces**sa**rio. Give yourself the necessary time.

Scrivimi prèsto.

Scri**ve**temi prèsto. Write to me soon.

The partitive ne, meaning "of it," "some," "any," is often found in conjunction with the personal pronouns.

EXAMPLES: Me ne darà un pò'. He will give me a little.

Datemene. Give me some.

Gliène hò già dato. I have already given him (or her) some.

Avèndogliène parlato . . . Having spoken to him (or to her) of it . . .

12. Demonstrative Pronouns and Adjectives

questo, -a, this	*Plural*:	questi, -e, these
quel, quello, quella, that		quėi, quegli, quelli, quelle, those
cotesto, -a, this (here)		cotesti, -e, these (here)

Demonstrative pronouns

colui, colėi, that one	*Plural*:	coloro, those
ciò, that		

Before words beginning with a vowel, *questo, quello*, and *cotesto* usually drop their final vowel in the singular:

quest'onore, this honour
cotest'asino, that donkey
quell'anima, that soul

Before words beginning with a vowel, before *s* followed by another consonant, and before *z* the masculine plural *quelli* becomes *quegli*:

quegli abiti, those clothes
quegli scògli, those rocks

Before masculine nouns beginning with any other consonant than *s* followed by another consonant, or *z*, the forms *quel, quėi* are generally used instead of *quello, quelli* :

quel libro. *Plural*: quėi libri

Whereas *questo, quello*, and the less common *cotesto* are used adjectivally as well as pronominally, *colui* (fem. *colėi*), *coloro* and the neuter *ciò* are only used as pronouns.

colui che, he who
colėi che, she who
coloro che, they who, those who
ciò che, what, that which

Ciò has a very general sense: that; *ciò* che=what.

EXAMPLE: Ciò che mi dici è grave. What you tell me is serious.

Questi, quegli, are occasionally used as *singular* pronouns, in the sense of "the latter," "the former."

13. Interrogative Pronouns

Nominative: Chi viène? Who comes?
Che succède? What happens?
Genitive: Di chi sòno questi? Whose are these?
Di chi parlate? Whom are you talking about?
Di che parlate? What are you talking about?
Dative: A chi scrivete? Whom are you writing to?
A che sèrve? What use is it?
(Lit. For what does it serve?)
Accusative: Chi amate? Whom do you love?
Che fate? What are you doing?
Ablative: Da chi venite? Whom do you come from?
Da che sapete ciò? How do you know that?
(Lit. From what do you know that?)

Chi is a pronoun used only for persons, and nearly always interrogative, though it is occasionally used as a correlative pronoun instead of *colui che.*

EXAMPLE: Chi dice ciò t'inganna. He who says that deceives you.

Che as an interrogative pronoun is only used of things.

14. Interrogative Adjectives

Che as an interrogative adjective may be used of persons and of things. It may also be exclamatory. It is invariable.

EXAMPLES: Che razza di uòmo è questo? What kind of man is this?

Di che còsa volete parlarmi? What do you want to speak to me about?

Che tempaccio! What awful weather!

Che dònne! What women!

Quale (plural: *quali*), "which," may be used as a pronoun or as an adjective.

EXAMPLES

(Pronoun) Quale preferite? Which do you prefer?
(Adjective) Quale somma pagate? Which sum do you pay?

15. Possessive Adjectives

Possessive adjectives are usually preceded by the definite article, unless a special sense of "one of," "some of," etc., is indicated, in which case the indefinite article or a pronoun (*molti*, *alcuni*, etc.) is used.

EXAMPLES: Il **mi**o (**tu**o, **su**o, nostro, vostro, loro) cane
My (your, his, our, your, their) dog
I mièi (tuòi, suòi, nostri, vostri, loro) cani
My (your, his, our, your, their) dogs
La **mi**a (**tu**a, **su**a, nostra, vostra, loro) casa
My (your, his, our, your, their) house
Le **mi**e (**tu**e, **su**e, nostre, vostre, loro) case
My (your, his, our, your, their) houses
un **mi**o amico, a friend of mine
una nostra **zi**a, an aunt of ours
alcuni loro amici, some friends of theirs

The *gender* of the possessive adjective is determined by the gender of the thing possessed—not, as in English, by the gender of the possessor. Thus there is no difference between *il* **su***o figlio* (*his* son) and *il* **su***o figlio* (*her* son). If necessary, one distinguishes by saying *il figlio di* **lu***i* or *il figlio di lèi*.

Possessive adjectives preceding a *singular* noun indicating near relationship often dispense with the article, as seen in para. **5**.

All possessive adjectives may be used (with the article) as *pronouns*.

EXAMPLES: Questo non è il **tu**o affare, è il **mi**o. This is not your business, it is mine.

Non vediamo la nostra città, ma vediamo la loro. We do not see our city, but we see theirs.

N.B. *il* **su***o*, *la* **su***a*, *i suöi*, *le* **su***e* may mean "his," "hers," or even "yours" (polite form).

With verbs referring to parts of the body the possessive adjective is not used.

EXAMPLES: Mi sòno lavato le mani. I have washed my hands.

La tèsta mi duòle. My head aches.

Similarly, "my coat," "my hat," etc., are generally translated: *la giacca, il cappèllo,* etc.

16. Relative Pronouns

For relative pronouns corresponding to "who (whom)," "which," "that," *che* is invariable in the nominative and accusative, for persons or for things, singular and plural.

EXAMPLES: l'uòmo che viène, the man who comes
le dònne che **pian**gono, the women who cry
la casa che amo, the house that I love

In the other cases (genitive, dative, and ablative) instead of *che* is used *quale* or **cu***i*.

EXAMPLES: I bambini di **cui** (dei quali) mi scrivi . . . The children of whom you write to me . . .

L'uòmo la di **cui** moglie è qui . . . The man whose wife is here . . .

Le dònne colle quali abitiamo . . . The women with whom we live . . .

Il che means "which" when this refers to a whole preceding phrase, such as is seen in the following:

Mi dice che si sènte male, il che mi dispiace. He tells me that he feels ill, which I regret.

Tale quale or *quale* means "such as."

EXAMPLE: I dettagli sòno tali quali (or quali) vedete. The details are such as you see.

Unlike the English usage, *the relative pronoun* referring to the direct or indirect object *may never be omitted.*

EXAMPLES: La **lèt**tera che mi avete scritta. The letter (that) you have written to me.

Il quadro del quale vi ho parlato. The picture (that) I spoke to you of.

La persona alla quale mi presentò. The person (that) he introduced me to.

17. Indefinite Pronouns and Adjectives

Pronouns only

ognuno, -a	(singular only)	everyone
chiunque chicches**si**a	(singular only, invariable)	whoever
qualcuno, -a qualcheduno, -a	(singular only)	someone
qualchecòsa	(singular only, invariable)	something
niènte	,, ,,	nothing

Adjectives only

ogni	(singular only, invariable)	every
qualunque	,, ,,	any
qualche	,, ,,	some
qual**si**asi	,, ,,	any (whatever)

Adjectives and Pronouns

ciascuno, -a ciascheduno, -a	(singular only)	each, every one
nessuno, -a	(singular only)	no, no one
alcuno, -a	(*plural*: alcuni, -e)	some
altro, -a	(*plural*: altri, -e) (*genitive form*: al**trui**)	other, others
parecchio, -a	(*plural*: parecchi, -e)	some, several

Notice the use of *al***tru***i* in:

Non è **le**cito toccare la ròba al**trui**. It is not permitted to touch the property of other people.

18. Quantitative Pronouns and Adjectives

	Plural:
pòco, -a, little	pòchi, -e, few
molto, -a, much	molti, -e, many
tanto, -a, so much	tanti, -e, so many
tròppo, -a, too much	tròppi, -e, too many
quanto, -a, how much as much	quanti, -e, how many as many
tutto, -a, all	tutti, -e, all

19. Adjectives: Plural

Adjectives agree in number and gender with the nouns they qualify. If two nouns of different gender are qualified by one adjective, this agrees with the masculine noun.

EXAMPLES: Il figlio studioso, the studious son.
La figlia studiosa, the studious daughter.
I figli studiosi, the studious sons.
Il fratèllo e la sorèlla sòno ricchi. The brother and sister are rich.

Adjectives ending in -e are invariable in the singular and have only one plural form, *-i*.

EXAMPLES: il ragazzo diligènte, the diligent boy
le ragazze diligènti, the diligent girls

An adjective may be used as a noun, in the singular or in the plural.

EXAMPLES: la coraggiosa, the brave woman
i coraggiosi, the brave

The adjective *buōno* becomes *buòn* before a singular masculine noun beginning with a *vowel or consonant* (except before *s* followed by another consonant, or *z*).

EXAMPLES

	Plural:
il buòn amico, the good friend	i buòni amici
un buòn soldato, a good soldier	i buòni soldati
un buòno specchio, a good mirror	i buòni specchi

The adjective *grande* becomes *gran* before a *singular masculine* noun beginning with a *consonant* (except before *s* followed by another consonant, or *z*). It contracts to *grand'* before a vowel.

EXAMPLES: un gran re, a great king
un gran libro, a great book
un grande specchio, a big mirror
un grande **z**io, a big uncle
un grand' uòmo, a great man

Santo, "Saint" or "saintly," becomes *San* before *singular masculine names* beginning with a *consonant* (except before *s* followed by another consonant, or *z*). It contracts to *sant'* before a vowel. So does *bravo*, "worthy," "clever."

EXAMPLES: San Francesco
Santo **Ste**fano
un sant'uòmo, a holy man
un brav'uòmo, a worthy man

Bello and *quello* have forms similar to those of the definite article:

EXAMPLES: il bèl bambino, the fine child
quel bambino, that child
i bèi bambini, the fine children
quèi bambini, those children
il bèllo **z**io, the handsome uncle
quello **z**io, that uncle
i bègli **z**ii, the handsome uncles
quegli **z**ii, those uncles
il bèll'amico, the fine friend
quell'amico, that friend
i bègli amici, the fine friends
quegli amici, those friends
la bèlla dònna, the beautiful woman
quella dònna, that woman
le bèlle dònne, the beautiful women
quelle dònne, those women

Bėlli is used when the adjective stands apart from the noun.

EXAMPLE: Questi libri sòno bèlli. These books are fine.

Adjectives with feminine endings in -ca, -ga take an *h* in the plural.

EXAMPLES

la palla bianca, the white ball	*Plural*:	le palle bianche
la strada larga, the wide road		le strade larghe

Adjectives of two syllables with masculine endings -co, -go form their plural in *-chi, -ghi*. So do adjectives of more than two syllables, with the stress on the penultimate syllable.

EXAMPLES

il libro bianco, the white book	*Plural*:	i libri bianchi
il libro tedesco, the German book		i libri tedeschi

When the stress is on the ante-penultimate syllable the plural is usually formed in *-ci* (see para. **4**). The feminine form is always with *h*.

EXAMPLES: momenti **cri**tici, critical moments
volumi **clas**sici, classical volumes
versioni **cri**tiche, critical versions
sculture **clas**siche, classical sculptures

20. Adjectives: Position

Adjectives generally **follow** the noun they qualify. But there are cases where the meaning varies slightly, according to the position of the adjective.

EXAMPLES: una cèrta còsa, a certain thing
una còsa cèrta, a sure thing
un brav'uòmo, a worthy man
un uòmo bravo, a clever man
un grand'uòmo, a great man
un uòmo grande, a tall man
una buòna dònna, a worthy woman
una dònna buòna, a good woman

Adjectives longer than the noun they qualify always follow it: *un uòmo intelligènte*; *una dònna originale.* An adjective qualified by an adverb always follows the noun: *un bèl palazzo* but *un palazzo molto bèllo.*

21. Adjectives: Comparison

Il mio cane è bèllo, ma il vostro è piú bèllo, è il piú bèllo di tutti.	My dog is handsome, but yours is more handsome; it is the finest of all.

Plural: I mièi cani sòno bèlli, ma i vostri sòno piú bèlli; sòno i piú bèlli di tutti.

Here are seen the comparative and superlative forms of adjectives, made with *piú*, more, *il piú*, the most. If the superlative follows the article and noun the article is not repeated before *piú*.

EXAMPLE: I cani piú bèlli sòno quelli di mio **zi**o. The finest dogs are my uncle's.

Some adjectives have two comparatives and superlatives, with a slight difference of meaning.

EXAMPLES

alto, high	piú alto, higher	il piú alto, the highest
	superiore, superior	il suprèmo, the supreme
basso, low	piú basso, lower	il piú basso, the lowest
	inferiore, inferior	l'**in**fimo, the lowest (in moral sense)
buòno, good	piú buòno, better	il piú buòno, the best
	migliore, better	il migliore, the best l'**ò**ttimo, the excellent
cattivo, bad	piú cattivo, worse	il piú cattivo, the worst
	peggiore, worse	il peggiore, the worst il p**ès**simo, very bad
grande, big	piú grande, bigger	il piú grande, the biggest
	maggiore, bigger, elder	il maggiore the biggest, the eldest
		il **mas**simo, the maximum

piccolo, small	piú **pic**colo, smaller	il piú **pic**colo, the smallest
	minore, younger	il minore, the youngest il **mi**nimo, the minimum

Suprèmo, **in***fimo*, **òt***timo*, **pès***simo*, **mas***simo*, **mi***nimo* are not used comparatively. They express quality in an absolute degree (see para. **24**).

Comparisons with "as . . . as," "so . . . as," correspond to the Italian forms: *cosí . . . come*, or *tanto . . . quanto*. "Less" is translated by *mèno*, and "the least" by *il mèno*. After *piú* and *mèno*, *di* is used before the second term of comparison when this refers to a quality shared by more than one subject. *Che* is used in comparisons referring to more than one quality in the same subject, or when a verb is understood, i.e. between adjectives, nouns, verbs, adverbs, and adverbial expressions. "*Than*" preceding a verbal clause may also be translated by *di quel che* or *che non*, and these expressions are very frequently followed by a verb in the Subjunctive Mood.

EXAMPLES: 1. Egli è *cosi* intelligènte *come* suo fratèllo, ma non è *cosi* studioso *come* **lu**i, perché è *mèno* diligènte *di* **lu**i. He is as intelligent as his brother, but he is not so studious as he (is), because he is less diligent than he.

2. Io sòno *piú* giovane *di* voi, perché voi avete tre anni *piú di* me. I am younger than you, because you are three years older than I.
3. Egli è molto *mèno* ricco *di* me. He is much less rich than I.
4. Voi siète *piú* prudènti *che* generosi. You are more prudent than generous.
5. In questa casa ci sòno *piú* tòpi *che* gatti. In this house there are more mice than cats.
6. La dònna canta *piú* allegramente *che* bène. The woman sings more gaily than well.
7. È *piú* interessante viaggiare *che* stare a casa. It is more interesting to travel than to stay at home.

8. Il **pòvero** bambino è *piú* maltrattato *che* accarezzato. The poor little boy is more ill-treated than caressed.
9. Vedo *piú* felicità qui *che* (*non*) in città. I see more happiness here than in town.
10. L'affare è *piú* grave *di quel che non* sembri. The matter is more serious than it seems.

Sometimes, to avoid misunderstanding, *che* must be used where normally *di* is correct.

EXAMPLE: Maria è piú gelosa *che* **su**o fratèllo. Mary is more jealous than her brother.

The use of *di* here might give a wrong meaning, i.e. "more jealous of her brother."

22. Comparative Clauses

"The more . . . the more," "the more . . . the less," "the less . . . the less" are translated by *piú . . . piú, piú . . . mèno, mèno . . . mèno,*" with very often the conjunction *e* before the second term.

EXAMPLES: Piú lèggo (e) piú imparo. The more I read the more I learn.

Piú lèggo (e) mèno imparo. The more I read the less I learn.

Mèno lèggo (e) mèno imparo. The less I read the less I learn.

After a number or a quantitative expression "more," "less," "fewer" are translated by *di piü, di meno.*

EXAMPLES: Cinque anni di piú o di meno. . . . Five years more or less. . . .

Mi avete dato molto di piú. You have given me much more.

23. Adverbs

Apart from simple adverbs like *mai,* "never," *bêne,* "well," etc., there exist many adverbs regularly formed from an adjective or a participle. Adjectives ending in *-e* usually add *-mente, but* when the final *-e* is preceded by *l* or *r* this *e* is dropped.

EXAMPLES: felice, happy — felicemente, happily
nòbile, noble — nobilmente, nobly

Adjectives ending in *-o* add *-mente* to the feminine form: *-a*.

sincèro, sincere — sinceramente, sincerely

Some present participles form adverbs by adding *-mente*.

incessante, incessant — incessantemente, incessantly.

The comparison of regular adverbs is like that of adjectives (see Ex. 6, para. **21**). Simple adverbs have their own irregular comparatives:

bène, well — mèglio, better
male, ill, badly — pèggio, worse
molto, much — più, more
pòco, little — mèno, less

The superlative form is less used in adverbs than in adjectives. Here are two examples:

Io lo vedo il mèno pos**si**bile. I see him as little as possible.
Scrive mèglio di tutti. He writes best of all.

24. The Absolute Superlative

The Absolute Superlative, as we have said (para. **21**), has no idea of comparison, but expresses an extreme degree. The ending **-is***simo*, *-a* (plural **-is***simi*, *-e*) is added to the stem of the adjective.

EXAMPLES

bravo, clever — bra**vis**simo, very clever
agile, agile — agi**lis**simo, very agile
un uòmo di ca**rat**tere **in**fimo, a man of base character
Avete dei parènti pove**ris**simi. You have some very poor relations.

Four adjectives form their absolute superlative in *-èrrimo*:

acre, sharp	a**cè**rimmo
cèlebre, famous	cele**bèr**rimo
misero, miserable	mi**sèr**rimo
salubre, healthy	salu**bèr**rimo

An adverbial form of the absolute superlative is sometimes used: feli**cis**simamente, very happily
ri**chis**simamente, very richly

Irregular adverbs have their absolute form like adjectives:

be**nis**simo, very well ma**lis**simo, very badly
po**chis**simo, very little mol**tis**simi, very many, etc.

Notice that an *h* is added to *pòco* before adding **-is***simo* to keep the hard sound of the *c*.

MORE EXAMPLES: Egli gòde **òt**tima salute, ma la qualità del **su**o lavoro è **pès**sima. He enjoys excellent health, but the quality of his work is very poor.

Avete fatto questo lavoro **òt**timamente. You have done this work excellently.

25. ADVERBS OF TIME

Piú should be translated "longer" in expressions like:

Ti hò aspettato di piú. I have waited for you longer.

Non ti vòglio piú aspettare. I will not wait for you any longer.

Mai alone means "ever." *Non . . . mai* means "never." In Italian a double or even a triple negative may be found.

EXAMPLES: Avete *mai* visto una còsa **si**mile? Have you *ever* seen such a thing?

Non ho *mai* visto una còsa **si**mile. I have *never* seen such a thing.

Non ho *mai* visto *nulla* di **si**mile. I have never seen anything like it.

Non ne vedo nessuno, e non ne sènto niènte. I see none of them, and I hear nothing of them

Già, "already," is often used in the sense of *sí* ("yes").

EXAMPLE: Siète stanchi? Già, stan**chis**simi. Are you tired? Yes, very tired.

Numerous adverbial expressions are formed with *a* followed by a noun or adjective:

a pòsta, on purpose	a pòco a pòco, little by little
ad alta voce, aloud	a pro**pò**șito, by the way
all'improvvișo, suddenly	a voce, by word of mouth
tutt'al piú, at the most	

The adverbial expression *per quanto,* "however," must govern an adjective or adverb, and is followed by the Subjunctive Mood.

EXAMPLE: Per quanto ma**gni**fico egli ci sembri . . . However fine he seems to us . . .

Among the commonest adverbs of time are:

quando? when?	prima, before	ancora, still, yet
sèmpre, always	allora, then	adesso, ora, now
spesso, often	dunque, then	qualchevòlta, sometimes

26. CARDINAL NUMBERS

0 żèro	11 **un**dici	22 venti**du**e
1 uno, -a	12 **dò**dici	23 ventitre
2 **du**e	13 **tre**dici	24 ventiquattro
3 tre	14 quat**tor**dici	25 venticinque
4 quattro	15 **quin**dici	26 ventisèi
5 cinque	16 **se**dici	27 ventisètte
6 sèi	17 diciassètte	28 ventòtto
7 sètte	18 diciòtto	29 ventinòve
8 òtto	19 diciannòve	30 trenta
9 nòve	20 venti	31 trentuno
10 dièci	21 ventuno	32 trenta**du**e, etc.

40 quaranta	60 sessanta	80 ottanta
50 cinquanta	70 settanta	90 novanta

100 cènto (invariable)
1000 mille (*mila* in the plural)
un milione (sometimes spelt *millione*): a million (plural: *milioni*)

Neither the indefinite article before "thousand" and "hundred" nor "and" is translated in Italian.

EXAMPLES: mille cinquecènto venti **uò**mini, a thousand five hundred and twenty men.
cèntocinquanta òche, a hundred and fifty geese.

The English numbers "eleven hundred," "twelve hundred," etc., can only be rendered in Italian as "one thousand one hundred," "one thousand two hundred," etc.

EXAMPLES: 1562, mille cinquecènto sessanta**due**
1946, mille novecènto quarantasèi

In speaking of dates Italians put the definite article before the year, thus:

Nel mille duecènto quarantuno . . . In 1241 . . .

Notice, however, the idiomatic expressions:

il duecènto (or dugènto), the thirteenth century
il trecènto, the fourteenth century, etc.

*Ambe***du***e, entrambi, tutt'e* **du***e* all mean "both."
Tutt'e tre means "all three," *tutt'e quattro*, "all four," etc.
Ne is not translated before numbers and expressions of quantity.

EXAMPLE: Ne avete tutti? No, ne ho soltanto quattro.
Have you all? No, I have only four.

The days of the month, except *il primo*, "the first," and *l'***ul***timo*, "the last," are called by *cardinal* numbers, which are preceded by the article.

EXAMPLES: il sètte marzo, the 7th March
il trentuno dicèmbre, the 31st December
il primo maggio, the 1st May

The months are:

gennaio	febbraio	marzo	aprile
maggio	giugno	luglio	agosto
settèmbre	ottobre	novèmbre	dicèmbre

Un anno bisestile is "a Leap Year."

The days are:

lunedí	martedí	mercoledí
giovedí	venerdí	**sa**bato
do**mė**nica		

Age is expressed in phrases requiring the verb *avere*, "to have."

EXAMPLES: Ho cinquant'anni. I am fifty.
Quanti anni avete? How old are you?

Fa means "ago."

EXAMPLE: cinque mesi fa, five months ago

Fra means "in," "within" in expressions of time.

EXAMPLE: fra un mese, in a month's time
fra pȯco, in a short time, soon

Collective numbers

una diecina	(a number of) ten
una dożżina	a dozen
una ventina	a score
una sessantina	three score
un centinaio	a hundred
un migliaio	a thousand

Una vȯlta, "once"; *due vȯlte*, "twice"; *tre vȯlte*, "thrice," etc.

27. Ordinal Numbers

1st	il primo	(la —a)	11th	l'undi**cė**ṡimo	(l'— a)
2nd	il secondo	(,,)		l'un**dė**cimo	(,,)
3rd	il tėrzo	(,,)		il **dė**cimo primo (la —a —a) *	
4th	il quarto	(,,)			
5th	il quinto	(,,)	12th	il dodi**cė**ṡimo	(la —a)
6th	il sėsto	(,,)		il **dė**cimo secondo (la —a —a) *	
7th	il **sėt**timo	(,,)			
8th	l'ottavo	(l' —a)	13th	il tredi**cė**ṡimo	(la —a)
9th	il nȯno	(la —a)	14th	il quattordi**cė**ṡimo	(,,)
10th	il **dė**cimo	(,,)	15th	il quindi**cė**ṡimo	(,,)

16th il sedic**è**šimo	(la —a)	40th il quarant**è**šimo	(la —a)
17th il diciasett**è**šimo	(,,)	50th il cinquant**è**šimo	(,,)
18th il diciott**è**šimo	(,,)	60th il sessant**è**šimo	(,,)
19th il diciannov**è**šimo	(,,)	70th il settant**è**šimo	(,,)
20th il vent**è**šimo	(,,)	80th l'ottant**è**šimo (l' —a)	
21st il ventun**è**šimo	(,,)	90th il novant**è**šimo (la —a)	
30th il trent**è**šimo	(,,)		

il cent**è**šimo — the 100th
il dugent**è**šimo — the 200th
il mill**è**šimo — the 1000th
l'ultimo — the last
il pe**nul**timo, the last but one
l'antipe**nul**timo, the last but two

* All the ordinal numbers in the "teens" have this second form.

Proper names of sovereigns, etc., take the ordinal number without an article:

Carlo Quinto, Charles Vth
Luigi Quattordic**è**šimo, Louis XIVth

Fractions are described with ordinal numbers, as in English:

un quarto, a quarter   un sėsto, a sixth, etc.

Mèżżo (half) is considered as an adjective and so agrees with the noun it precedes:

una mèżża libbra, un mèżżo chilo, etc.

But when it follows the noun it is always masculine:

un'ora e mèżżo

Notice also:

semplice, single — **dò**ppio, **du**plice, double
triplo, **trip**lice, triple — **quad**ruplo, fourfold, quadruple
quintuplo, fivefold — **dè**cuplo, tenfold
cèntuplo, hundredfold

28. Time, etc.

Che ora è? What time is it?

Sòno le **du**e, le **du**e e un quarto, le **du**e e mèżżo. It is two o'clock, a quarter past two, half-past two.

Sòno le tre mèno un quarto. It is a quarter to three.

È mèżżogiorno, mèżżanòtte, il tocco. It is midday, midnight, one o'clock.

a.m.=ore antimeridiane. p.m.=ore pomeridiane.

The modern custom is to count up to 24 hours. Thus:

Sono le quat**tor**dici. It is two p.m.

29. Prepositions

The following prepositions are *simple,* that is, used immediately before the noun or pronoun, without an intervening *di* or *a*:

a, at, to
di, of
in, in, within
nonostante, notwithstanding
durante, during
mediante, by means of
con, with
da, from, by
secondo, according to
lungo, along
malgrado, in spite of
avanti, before

The following prepositions are *usually simple,* but, especially when preceding a personal pronoun, may be followed by *di*:

contro, vèrso, against, towards
fra, tra, between, among
sopra, su, over, upon, on
prèsso, near, by
dopo, after
senza, without
sotto, under, beneath

EXAMPLES: dopo me, dopo di me, contro di noi, etc.

The following prepositions are followed by *di*:

fuòri di, outside
al di là di, beyond
per mèżżo di, by means of
invece di, instead of

al di qua di, on this side of
a fòrza di, by force of
prima di, before (time)
a seconda di, according to
alla vòlta di, towards
appié di, at the foot of
a dispėtto di, ad onta di — in spite of
a (in) favore di, in favour of

a **ca**uṡa di, a motivo di, a ragione di — because of

The following prepositions are followed by *a*:

fino a, till, as far as
dirimpėtto a, in faccia a — opposite
intorno a, attorno a — around
in mėżżo a, frammėżżo a — amidst
innanzi a, dinanzi a, davanti a — before (place)
in rispėtto a, in riguardo a, in quanto a — concerning
diėtro a, behind
accanto a, beside
dentro a, inside
vicino a, near
addòsso a, upon, astride
conforme a, conformably with

There is an adverbial use of these prepositions, as seen in:

è andato di sotto, he has gone below
venėndo dal di fuòri, coming from outside
stava di diėtro, he stood behind

A is used in some idiomatic expressions, such as:

lavoro a mano, hand work
una nave a vapore, a steam ship
ad uno ad uno, one by one
pòco a pòco, little by little

Da is found in expressions like:

una **ca**mera da lėtto, a bedroom
una sala da pranżo, a dining-room
una **mac**china da **scri**vere, a typewriter

and, as mentioned in para. **5**, in the sense of "chez."

Notice also: Ti parlo da amico.
I speak to you as a friend.

30. Conjunctions

The commonest conjunctions are:

e, ed, and
se, if, whether
che, that
e . . . e
tanto . . . quanto } as well as
quando, when
eppure, and yet
come, as
finché non, until
dopo che, after
(non) appena, hardly, as soon as
anche, also
allorché, then, when
perché, why, because
perché
poiché
giacché } since (causal)
ma, but
sicché, so that
affinché, in order that
prima che, before

quand'anche, even if
di mòdo che
di manièra che
cosí che } so that
però, however
perciò
dunque
quindi } therefore
da quando, since (temporal)
dacché, since, as
mentre, whilst
o, oppure
ossia } or
o . . . o, either . . . or
purché, provided that
benché
sebbène } although
né . . . né, neither . . . nor
anzi, on the contrary, nay
neppure
nemmèno } not even
nondimèno, nevertheless

N.B. *Perché* means both "why" and "because."
Se means both "if" and "whether."

Finché means "as long as, while."

EXAMPLE: *finché* dura la guèrra, as long as the war lasts.

Finché non is followed by a verb in the Subjunctive Mood and means "until."

EXAMPLE: *finché* egli *non* vènga, until he comes.

Né . . . né requires a negative verb.

EXAMPLE: Non ho né denaro né altri mèżżi. I have neither money nor other means.

31. Interjections

Interjections are easily understood.

Ahimè! alas! Viva! Evviva! Long live!
bis! encore! Zitto! hush!
Macché! Nonsense! Benone! Very well!
Bravo! Brava! etc. Well done!

Emphasis is often given by repeating an adjective.

EXAMPLE: Quel bambino è bellino bellino. That child is very pretty.

Che (para. **14**) is used exclamatively before adjectives and nouns and does not need the indefinite article before a singular noun:

Che bėlla casina! What a nice little house!
Che soldati! What soldiers!

32. Ėssere

The most important auxiliary verbs are: **ès***sere*, to be; *avere*, to have.

Ėssere: to be

Indicative Mood—Simple Tenses

Present

Io sòno	I am	noi siamo	we are
tu sèi	you are	voi siète	you are
egli è	he is	essi sòno	they are

Imperfect

Io ėro	I was	noi eravamo	we were
tu ėri	you were	voi eravate	you were
egli ėra	he was	essi ėrano	they were

Past Definite

Io **fui**	I was	noi fummo	we were
tu fosti	you were	voi foste	you were
egli fu	he was	essi **fu**rono	they were

Future

Io sarò	I shall be	noi saremo	we shall be
tu sarai	you will be	voi sarete	you will be
egli sarà	he will be	essi saranno	they will be

Conditional

Io sarėi	I should be	noi saremmo	we should be
tu saresti	you would be	voi sareste	you would be
egli sarėbbe	he would be	essi sa**rėbb**ero	they would be

COMPOUND TENSES

Perfect

Io sòno stato, -a, etc.	noi siamo stati, -e, etc.
I have been, etc.	we have been, etc.

Pluperfect

Io ėro stato, -a, etc.	noi eravamo stati, -e, etc.
I had been, etc.	we had been, etc.

[The second form of the Pluperfect, **Io fui** stato, etc., is less often used.]

Future Perfect

Io sarò stato, -a, etc.	noi saremo stati, -e, etc.
I shall have been, etc.	we shall have been, etc.

Conditional Perfect

Io sarėi stato, a-, etc.	noi saremmo stati, -e, etc.
I should have been, etc.	we should have been, etc.

SUBJUNCTIVE MOOD—SIMPLE TENSES

Present

che **io sia**	that I be	che noi siamo	that we be
che tu **sia** (**si**i)	that you be	che voi siate	that you be
ch'egli **sia**	that he be	che essi **si**ano	that they be

Imperfect

se **io** fossi	if I were	se noi **fos**simo	if we were
se **tu** fossi	if you were	se voi foste	if you were
se egli fosse	if he were	se essi **fos**sero	if they were

COMPOUND TENSES

Perfect

che **io sia** stato, -a, etc.	che noi siamo stati, -e, etc.
that I have been, etc.	that we have been. etc.

Pluperfect

se **io** fossi stato, -a, etc.	se noi **fos**simo stati, -e, etc.
if I had been, etc.	if we had been, etc.

IMPERATIVE MOOD

Singular		*Plural*	
sii	be	siamo	let us be
non **ès**sere	do not be	non siamo	let us not be
sia	be (*polite form*)	siate	be
non **sia**	do not be (*polite form*)	non siate	do not be
		siano	be (*polite form*)
		non **si**ano	do not be (*polite form*)

INFINITIVES

Present: **ès**sere, to be. *Perfect*: **ès**sere stato, to have been.

GERUND

Present: essèndo, being. *Perfect*: essèndo stato, having been.

PARTICIPLES

Present (lacking). *Past*: stato, -a, -i, -e, been.

As is seen above, all the compound parts of this verb are formed with the auxiliary verb **ès***sere*, and therefore the past participle is declined like an adjective.

33. AVERE: TO HAVE

INDICATIVE MOOD—SIMPLE TENSES

Present

Io hò	I have	noi abbiamo	we have
tu hai	you have	voi avete	you have
egli ha	he has	essi hanno	they have

Imperfect

Io avevo	I had	noi avevamo	we had
tu avevi	you had	voi avevate	you had
egli aveva	he had	essi a**ve**vano	they had

Past Definite

Io èbbi	I had	noi avemmo	we had
tu avesti	you had	voi aveste	you had
egli èbbe	he had	essi **èb**bero	they had

Future

Io avrò	I shall have	noi avremo	we shall have
tu avrai	you will have	voi avrete	you will have
egli avrà	he will have	essi avranno	they will have

Conditional

Io avrèi	I should have	noi avremmo	we should have
tu avresti	you would have	voi avreste	you would have
egli avrèbbe	he would have	essi a**vrèb**bero	they would have

COMPOUND TENSES

Perfect

Io hò avuto, etc.	noi abbiamo avuto, etc.
I have had, etc.	we have had, etc.

Pluperfect

Io avevo avuto, etc.	noi avevamo avuto, etc.
I had had, etc.	we had had, etc.

[The second form of the Pluperfect: **i**o èbbi avuto, etc., is less used.]

Future Perfect

Io avrò avuto, etc.	noi avremo avuto, etc.
I shall have had, etc.	we shall have had, etc.

Conditional Perfect

Io avrèi avuto, etc.	noi avremmo avuto, etc.
I should have had, etc.	we should have had, etc.

SUBJUNCTIVE MOOD—SIMPLE TENSES

Present

che **i**o abbia	che noi abbiamo
that I may have	that we may have
che tu abbia (abbi)	che voi abbiate
that you may have	that you may have
ch'egli abbia	che essi **ab**biano
that he may have	that they may have

Imperfect

se **i**o avessi	if I had	se noi a**ves**simo	if we had
se tu avessi	if you had	se voi aveste	if you had
se egli avesse	if he had	se essi a**ves**sero	if they had

COMPOUND TENSES

Perfect

che **i**o abbia avuto, etc. that I have had, etc.

Pluperfect

se **i**o avessi avuto, etc. if we had had, etc.

IMPERATIVE MOOD

Singular		*Plural*	
abbi	have	abbiamo	let us have
non avere	do not have	non abbiamo	let us not have
abbia	have (*polite form*)	abbiate	have
non abbia	do not have (*polite form*)	non abbiate	do not have
		abbiano	have (*polite form*)
		non **ab**biano	do not have (*polite form*)

INFINITIVES

Present: avere, to have. *Perfect*: avere avuto, to have had.

GERUND

Present: avèndo, having. *Perfect*: avèndo avuto, having had.

PARTICIPLES

Present: avènte (*little used*), having. *Past*: avuto, -a, -i, -e, had.

As seen above, the compound tenses of this verb are formed with the auxiliary verb: *avere*, and the past participle is not declined. *Avuto* is declinable only when used adjectively:

EXAMPLES: i libri avuti da me, the books received by me

BUT: Hò avuto i libri. I have received the books.

In this *avuto* resembles the past participles of all other verbs conjugated with the auxiliary *avere*.

34. REGULAR CONJUGATIONS

There are three regular conjugations in Italian, as seen on pages 48–50.

	1st Conjugation -ARE	*2nd Conjugation* -ERE	*3rd Conjugation* -IRE
INFINITIVE			
	cant-*are* (to sing)	**ven**d-*ere* (to sell)	sent-*ire* (to feel)
INDICATIVE MOOD			
		Present	
	Io canto, I sing	vendo, I sell	sènto, I feel
	tu canti, you sing	vendi, you sell	sènti, you feel
	egli canta, he sings	vende, he sells	sènte, he feels
	noi cantiamo, we sing	vendiamo, we sell	sentiamo, we feel
	voi cantate, you sing	vendete, you sell	sentite, you feel
	essi **can**tano, they sing	**ven**dono, they sell	**sèn**tono, they feel
		Imperfect	
	cantavo, I sang	vendevo, I sold	sentivo, I felt
	cantavi, you sang	vendevi, you sold	sentivi, you felt
	cantava, he sang	vendeva, he sold	sentiva, he felt
	cantavamo, we sang	vendevamo, we sold	sentivamo, we felt
	cantavate, you sang	vendevate, you sold	sentivate, you felt
	can**ta**vano, they sang	ven**de**vano, they sold	sen**ti**vano, they felt
		Past Definite	
	cantai, I sang	vendèi, I sold	sent**i**i, I felt
	cantasti, you sang	vendesti, you sold	sentisti, you felt
	cantò, he sang	vendé, he sold	sentí, he felt
	cantammo, we sang	vendemmo, we sold	sentimmo, we felt
	cantaste, you sang	vendeste, you sold	sentiste, you felt
	can**ta**rono, they sang	ven**de**rono, they sold	sen**ti**rono, they felt
		Future	
	canterò I shall sing	venderò I shall sell	sentirò I shall feel
	canterai you will sing	venderai you will sell	sentirai you will feel
	canterà he will sing	venderà he will sell	sentirà he will feel
	canteremo we shall sing	venderemo we shall sell	sentiremo we shall feel
	canterete you will sing	venderete you will sell	sentirete you will feel
	canteranno they will sing	venderanno they will sell	sentiranno they will feel

1st Conjugation -ARE	2nd Conjugation -ERE	3rd Conjugation -IRE
	Conditional	
canterėi I should sing	venderėi I should sell	sentirėi I should feel
canteresti you would sing	venderesti you would sell	sentiresti you would feel
canterėbbe he would sing	venderėbbe he would sell	sentirėbbe he would feel
canteremmo we should sing	venderemmo we should sell	sentiremmo we should feel
cantereste you would sing	vendereste you would sell	sentireste you would feel
cante**rėb**bero they would sing	vende**rėb**bero they would sell	senti**rėb**bero they would feel

IMPERATIVE MOOD

Singular		*Plural*	
canta	sing	cantiamo	let us sing
non cantare	do not sing	non cantiamo	let us not sing
canti	sing (*polite form*)	cantate	sing
		non cantate	do not sing
non canti	do not sing (*polite form*)	**can**tino	sing (*polite form*)
		non **can**tino	do not sing (*polite form*)
2nd			
vendi	sell	vendiamo	let us sell
non **ven**dere	do not sell	non vendiamo	let us not sell
venda	sell (*polite form*)	vendete	sell
		non vendete	do not sell
non venda	do not sell (*polite form*)	**ven**dano	sell (*polite form*)
		non **ven**dano	do not sell (*polite form*)
3rd			
sėnti	feel	sentiamo	let us feel
non sentire	do not feel	non sentiamo	let us not feel
sėnta	feel (*polite form*)	sentite	feel
		non sentite	do not feel
non sėnta	do not feel (*polite form*)	**sėn**tano	feel (*polite form*)
		non **sėn**tano	do not feel (*polite form*)

1st Conjugation -ARE	*2nd Conjugation* -ERE	*3rd Conjugation* -IRE

SUBJUNCTIVE MOOD

Present

che **io** canti that I sing	che **io** venda that I sell	che **io** sènta that I feel
che tu canti that you sing	che tu venda that you sell	che tu sènta that you feel
che egli canti that he sing	che egli venda that he sell	che egli sènta that he feel
che noi cantiamo that we sing	che noi vendiamo that we sell	che noi sentiamo that we feel
che voi cantiate that you sing	che voi vendiate that you sell	che voi sentiate that you feel
che essi **can**tino that they sing	che essi **ven**dano that they sell	che essi **sèn**tano that they feel

Imperfect

se **io** cantassi if I sang	se **io** vendessi if I sold	se **io** sentissi if I felt
se tu cantassi if you sang	se tu vendessi if you sold	se tu sentissi if you felt
se egli cantasse if he sang	se egli vendesse if he sold	se egli sentisse if he felt
se noi can**tas**simo if we sang	se noi ven**des**simo if we sold	se noi sen**tis**simo if we felt
se voi cantaste if you sang	se voi vendeste if you sold	se voi sentiste if you felt
se essi can**tas**sero if they sang	se essi ven**des**sero if they sold	se essi sen**tis**sero if they felt

Past Infinitives

aver cantato to have sung	aver venduto to have sold	aver sentito to have felt

Present Participle and Gerund

cantante, cantando singing	vendènte, vendèndo selling	senziènte,* sentèndo feeling

Perfect Gerund

avèndo cantato having sung	avèndo venduto having sold	avèndo sentito having felt

* Senziènte is an irregular form.

INDICATIVE—COMPOUND TENSES

Perfect

Io ho cantato, venduto, sentito, etc.
I have sung, sold, felt, etc.
noi abbiamo cantato, venduto, sentito, etc.
we have sung, sold, felt, etc.

Pluperfect

Io avevo cantato, venduto, sentito, etc.
I had sung, sold, felt, etc.
noi avevamo cantato, venduto, sentito, etc.
we had sung, sold, felt, etc.

2nd Pluperfect (less often used)

Io ėbbi cantato, venduto, sentito, etc.
I had sung, sold, felt, etc.

Future Perfect

Io avrò cantato, venduto, sentito, etc.
I shall have sung, sold, felt, etc.

Conditional Perfect

Io avrėi cantato, venduto, sentito, etc.
I should have sung, sold, felt, etc.

SUBJUNCTIVE

Perfect

che io abbia cantato, venduto, sentito, etc.
that I have sung, sold, felt, etc.

Pluperfect

se io avessi cantato, venduto, sentito, etc.
if I had sung, sold, felt, etc.

Some verbs of the 2nd conjugation have the stress on the penultimate syllable: *vedere, piacere, sedere* (to see, to please, to sit). There are many irregularities in 2nd conjugation verbs, but the commonest of these will be found in the list of irregular verbs at the end of this *grammar* section of the book.

Many verbs of the 3rd conjugation add *-isc* to the stem in the 1st, 2nd, and 3rd person singular and the 3rd person plural of the present indicative, present subjunctive and imperative.

EXAMPLES: finire, to finish; capire, to understand.

PRESENT INDICATIVE

finisco	I finish	finiamo	we finish
finisci	you finish	finite	you finish
finisce	he finishes	fin**is**cono	they finish

PRESENT SUBJUNCTIVE

che io finisca	that I may finish
che tu finisca	that you may finish
che egli finisca	that he may finish
che noi finiamo	that we may finish
che voi finiate	that you may finish
che essi fin**is**cano	that they may finish

More examples of this form are given in the aforesaid list of irregular verbs.

35. THE PASSIVE VOICE

The Passive Voice is formed with the auxiliary **è**s*sere*, to be, placed before the past participle of the verb. This participle agrees in gender and number with the subject of the passive verb.

EXAMPLES: Questa canzone è cantata. This song is sung.
Le canzoni sòno cantate. The songs are sung.

Sometimes the verbs *venire, andare, rimanere* (to come, to go, to stay) are used as auxiliaries instead of **è**s*sere*.

EXAMPLES: La casa venne sottoposta ad una requisizione. The house was subjected to a police search.

Questa paròla va messa in fondo alla frase. This word is put at the end of the sentence.

Sono rimasto perplesso davanti a questo problèma. I have been perplexed by this problem.

Ės*sere lodato, -a; -i, -e* (to be praised)

Simple Tenses

Indicative

Present: **I**o sòno lodato, -a, etc. I am praised, etc.
noi siamo lodati, -e, etc. we are praised, etc.
Imperfect: **I**o èro lodato, -a, etc. I was praised, etc.
noi eravamo lodati, -e, etc. we were praised, etc.
Past Definite: **I**o **fui** lodato, -a, etc. I was praised, etc.
Future: **I**o sarò lodato, -a, etc. I shall be praised, etc.
Conditional: **I**o sarėi lodato, -a, etc. I should be praised, etc.

Subjunctive

Present: che **io sia** lodato, -a, etc. that I be praised, etc.
Imperfect: se **io** fossi lodato, -a, etc. if I were praised, etc.

There is no present participle of the Passive Voice.

Gerund

Present: essėndo lodato, -a, -i, -e, being praised.
Past: essėndo stato lodato
essėndo stata lodata
essėndo stati lodati
essėndo state lodate } having been praised.

Compound Tenses

Indicative

Perfect: **I**o sòno stato, -a lodato, -a. I have been praised.
Pluperfect: **I**o èro stato, -a lodato, -a. I had been praised.
2nd form of Pluperfect (*less used*): **I**o **fui** stato, -a lodato, -a. I had been praised.
Future Perfect: **I**o sarò stato, -a lodato, -a. I shall have been praised.
Conditional Perfect: **I**o sarėi stato, -a lodato, -a. I should have been praised.

Subjunctive

Perfect: che **io sia** stato, -a lodato, -a. that I may have been praised.
Pluperfect: se **io** fossi stato, -a lodato, -a. if I had been praised.

The Passive Voice may be expressed also by a reflexive verb, as is seen in these examples:

Quella casetta non si vede bène diètro agli alberi. That cottage is not seen well behind the trees.
Si dice che le còse vanno male. It is said that things are going badly.
Il carattere si rivela nella conversazione. Character is revealed in conversation.

The *compound* tenses of these reflexive verbs are formed with **è**s*sere*, not *avere* (see para. **36**).

EXAMPLES: Mi si è raccontato questo. I have been told this (this has been told me).
Si èrano cancellate le cifre. The figures had been cancelled.

36. Reflexive Verbs

Reflexive verbs are conjugated in the ordinary way, but have a reflexive pronoun as integral part of the verb formation. In compound tenses they always use the auxiliary **è**s*sere*.

EXAMPLE: ṡvegliarsi, to awake.

Simple Tenses

Indicative

Present:	Io mi ṡveglio I awake	noi ci ṡvegliamo we awake
	tu ti ṡvegli you awake	voi vi ṡvegliate you awake
	egli si ṡveglia he awakes	essi si ṡvegliano they awake

Imperfect: io mi ṡvegliavo, etc. I awoke, etc.
Past Definite: io mi ṡvegliai, etc. I awoke, etc.
Future: io mi ṡveglierò, etc. I shall awake, etc.
Conditional: io mi ṡveglierèi, etc. I should awake, etc.

SUBJUNCTIVE

Present: che **io** mi ṡvegli, etc. that I awake, etc.
Imperfect: se **io** mi ṡvegliassi, etc. if I awoke, etc.

PARTICIPLES

Present: ṡve**glian**tesi (*little used*). awaking
Past: ṡve**glia**tosi (-atasi, -atisi, -atesi). having awaked

GERUNDS

Present: ṡve**glian**domi, -ti, -si, -ci, -vi, -si. awaking
Past: es**sèn**domi ṡvegliato, -a. having awaked

,, ti	,,	,,
,, si	,,	,,
,, ci ṡvegliati, -e		,,
,, vi	,,	,,
,, si	,,	,,

COMPOUND TENSES

Perfect:	**io** mi sòno ṡvegliato, -a	I have awaked
	tu ti sèi ṡvegliato, -a	you have awaked
	egli si è ṡvegliato, -a	he has awaked
	noi ci siamo ṡvegliati, -e	we have awaked
	voi vi siète ṡvegliati, -e	you have awaked
	essi si sòno ṡvegliati, -e	they have awaked

Pluperfect: **io** mi èro ṡvegliato, -a, etc. I had awaked, etc.
2nd Pluperfect (*less used*): **io** mi **fui** ṡvegliato, -a, etc. I had awaked, etc.
Future Perfect: **io** mi sarò ṡvegliato, -a, etc. I shall have awaked, etc.
Conditional Perfect: mi sarèi ṡvegliato, -a, etc. I should have awaked, etc.

SUBJUNCTIVE

Perfect: che **io** mi **si**a ṡvegliato, -a, etc. that I should have awaked, etc.
Pluperfect: se **io** mi fossi ṡvegliato, -a, etc. if I had awaked, etc.

IMPERATIVE

Singular	*Plural*
ṡvegliati awake	ṡve**glia**moci let us awake

non ti ṡvegliare do not awake	non ṡve**glia**moci, *or* non ci ṡvegliamo let us not awake
si ṡvegli awake (*polite form*)	ṡve**glia**tevi awake
non si ṡvegli do not awake (*polite form*)	non ṡve**glia**tevi, *or* non vi ṡvegliate do not awake
	si **ṡve**glino awake (*polite form*)
	non si **ṡve**glino do not awake (*polite form*)

The interrogative and negative forms follow the usual rules. As has already been said (para. **11**), the pronominal forms *mi, ti, si, ci, vi* change into *me, te, se,* etc., when followed by *lo, la, li, ne,* etc.

EXAMPLES: Me lo sȯno comprato. I have bought it for myself.
Se n'è rallegrato. He has rejoiced over it.

Many Italian reflexive verbs correspond to simple verbs in English.

EXAMPLES

rallegrarsi (di), to rejoice	voltarsi, to turn
pentirsi (di), to repent	addormentarsi, to fall asleep
ṡbagliarsi, to make a mistake	arrabbiarsi, to get angry
scusarsi (di), to apologise	

37. Impersonal Verbs

There are some impersonal verbs which are *only* used in the 3rd person singular.

EXAMPLES: piȯve, it rains — lampeggia, it lightens
nevica, it snows — annȯtta, it gets dark

Other impersonal expressions are formed with *fare* and **ès***sere* and a few other verbs.

EXAMPLES: fa caldo, it is hot
fa freddo, it is cold
è tėmpo, it is time
fa bėl tėmpo, it is fine weather
vale la pena, it is worth while
piace, it pleases
conviėne, it is fitting
biṡȯgna, occorre, it is necessary
basta, it is enough
accade, succėde, it happens.

In all these expressions there is no subject corresponding to the English "it."

38. Use of Tenses

The *Present* tense is used as in English. To express the sense of the English "I am reading," etc., we use *stare* followed by the Gerund. This form is also used as an alternative to the Imperfect.

EXAMPLES: Sto leggėndo un libro, I am reading a book
Leggevo un libro } I was reading a book
Stavo leggėndo un libro }

The *Imperfect* also expresses the sense of the English "used to," "was wont to," etc., and is sometimes replaced by the defective verb *solere* and the infinitive. For the conjugation of *solere*, see para. **42.**

EXAMPLES
Io ci venivo tutti i giorni } I used to come here
Io ci solevo venire tutti i giorni } every day

The *Past Definite* (Historical Past) is used to describe past events that are "over and done with," and this tense *must* be used in *subordinate clauses introduced by* the conjunctions *quando* (when), *dacché* (since), *dopoche* (after).

The *Perfect* describes events that have taken place in a more recent past, and is always used after expressions like *oggi*, "to-day"; *quest'anno*, "this year"; *da molto tèmpo*, "for a long time past," etc.

The *Pluperfect* corresponds to its English equivalent, and the *second form, io èbbi finito*, etc., *must* be used after some conjunctions of time such as: *tostoché* (as soon as), *dacché* (since), *appena* (hardly), etc.

The *Future* is used as in English, but also in subordinate clauses after *se* (if), *quando* (when), *appena* (as soon as), etc., where in English the Present tense is used.

EXAMPLES: Se verrà prèsto lo vedrò. If he comes soon I shall see him.

Appena l'avrò salutato andrò via. As soon as I have greeted him I shall go away.

"To be about to" is expressed by *stare* followed by the Infinitive:

Sta per **scri**vervi. He is about to write to you.
Stava per **scri**vervi. He was about to write to you.

39. Conditional Sentences

In Conditional sentences the *Subjunctive* must be used in all conditional clauses in the past tense and in conditional clauses in the present tense which express doubt.

EXAMPLES: (1) Se mi *avesse detto* ciò non l'avrèi creduto. If he had told me that I should not have believed him.

(2) Se mi *dicesse* ciò non lo crederèi. If he were to tell me that I should not believe him.

Notice that in (1) the pluperfect subjunctive corresponds to the pluperfect in English, but in (2) the English subjunctive ("were to tell," "should tell") is rendered by the Imperfect subjunctive in Italian. The simple and compound forms of the Conditional correspond to those used in English.

MANY VERBS, some of them quite common verbs like *venire* (to come), *andare* (to go), *morire* (to die), etc., *are conjugated in their compound tenses with* **è***ssere instead of avere.* They are marked † in the Vocabulary.

EXAMPLES: È mòrto stamane. He has died this morning.
Saranno digià partiti. They will have gone already.
Eravate venuti prèsto. You had come early.

40. The Subjunctive Mood

The Subjunctive mood is used very much more than in English, particularly to express wish, doubt, fear, belief, as is seen in the following examples:

After verbs expressing command or wish.

Vòglio che egli *faccia* questo. I want him to do this.
Gli dica (Polite form) che ṡmetta di parlàre. Tell him to stop talking.

After verbs expressing doubt or denial.

Dubitiamo che questo **si**a vero. We doubt whether this be true.
Neghi che **si**a partito? Do you deny that he has gone away?

After verbs expressing opinion or belief.

Suppongo che si **si**a ucciso. I suppose he has killed himself.
Crèdo che **si**a per l'**ul**tima vòlta. I believe it is for the last time.

After verbs of fear or surprise.

Temo che non **si**a riuscito. I fear he has not succeeded.
Mi stupisce che non **si**a ancora arrivato. I am amazed that he has not yet arrived.

After impersonal verbs like *biṡògna, conviène, impòrta, basta,* etc.

Biṡògna che lo finisca. He must finish it.
Non impòrta che tu vènga. You need not come.
È peccato che piòva pròprio ora. It is a pity that it should rain just now.

After superlatives and expressions like: **u***nico*, *solo* (only), *nessuno* (no), *nulla, niènte* (nothing), etc.

Il romanżo piú triste che **i**o abbia letto. . . . The saddest novel that I have read. . . .

L'**u**nico amico che non l'abbia tradito. . . . The only friend who has not betrayed him. . . .

After chiunque, qualunque, etc.

Chiunque ti risponda gli dirai. . . . Whoever replies to you you will tell him. . . .

Dovunque vi troviate, fate il vostro dovere. Wherever you may find yourself, do your duty.

In the Imperative form (3rd person Polite form).

Vėnga, (pl.) **vėn**gano. Come.

Favo**ris**cano firmare. . . . Be so good as to sign. . . .

The following *conjunctions* generally govern the Subjunctive Mood:

Benché sebbėne quantunque nonostante che malgrado che	} although	quand'anche, even if acciocché } so that affinché } purché, provided that finché non, until

EXAMPLES: Quand'anche non fosse venuto. . . . Even if he had not come. . . .

Benché mi dicesse questo. . . . Although he told me that. . . .

. . . affinché tutti lo **sap**piano, . . . so that all may know it,

. . . purché si compòrti bėne. . . . provided that he behaves well.

41. Irregular Verbal Forms

Changes in spelling in the *tenses of regular verbs* are sometimes necessary to preserve the hard sound of *c* and *g*. Before an *e* or an *i*, in verbs ending *-care* or *-gare*, an *h* is inserted after *c* or *g*.

EXAMPLES: pagare=to pay
Present Indicative: pago, paghi, paga, paghiamo, pagate, **pa**gano.

Verbs ending in *-ciare* or *-giare* drop the *i* before an *e* or another *i*.

EXAMPLES: lanciare=to throw
Present Indicative: lancio, lanci, lancia, lanciamo, etc.
Future: lancerò, lancerai, lanceremo, etc.

Verbs ending in *-iare* drop the *i* only before another *i*.

EXAMPLES: pigliare=to take
Present Indicative: piglio, pigli, piglia, pigliamo, etc.
Future: piglierò, piglieremo, etc.

Some second conjugation verbs have both the hard and soft sounds of *g* in the present indicative.

EXAMPLES: **lèg**gere=to read
Present Indicative: lèggo, lèggi, lègge, leggiamo, leggete, **lèg**gono.

Verbs of the second conjugation ending in *-cere, -gere*, add an *-i* before the *-uto* of the past participle, and thus preserve the soft sound of the *c* or *g*.

EXAMPLES: piacere=to please
past participle: piaciuto.

Double forms.—Many verbs take a double form of the Past Definite, one ending *-èi*, etc., and the other ending *-ètti*, etc.

EXAMPLES: temere=to fear, **cre**dere=to believe

Past Definite: temèi or temètti, I feared
temesti, you feared
temé or temètte, he feared
tememmo, we feared
temeste, you feared
te**me**rono or te**mèt**tero, they feared

This irregularity is seen to be *only* in the *1st person singular* and the *3rd person singular* and *plural*.

42. Irregular Verbs

There follows a list of those irregular verbs that occur in this book, and some others that the student will frequently come across. Irregularities of one or two forms only are marked in the Vocabulary.

Tenses not given here are regular.

1st Conjugation

andare: to go

Pres. Indic.: vado (*or* vò), vai, va; andiamo, andate, vanno.
Future: andrò (*or* anderò), andrai, etc.
Pres. Subj.: che **i**o vada, etc., che noi andiamo, che voi andiate, che essi **va**dano.
Past Part.: andato.

dare: to give

Pres. Indic.: dò, dai, dà; diamo, date, danno.
Past Def.: dièdi (dètti), desti, diède (diè, dètte); demmo, deste, **diè**dero (**dèt**tero).
Future: darò, darai, etc.
Condit.: darèi, etc.
Imperat.: da, diamo, date (*polite form*: **di**a, **di**ano).
Pres. Subj.: che **i**o **di**a, etc.; diamo, diate, **di**ano.
Imperf. Subj.: se **i**o dessi, etc. *3rd person plural*: **des**sero.
Gerund: dando.
Past Part.: dato.

stare: to stand, to be (well, ill, etc.)

Pres. Indic.: stò, stai, sta; stiamo, state, stanno.
Past Def.: stètti, stesti, stètte; stemmo, steste, **stèt**tero.
Future: starò, etc.
Imperat.: sta, stiamo, state (*polite form*: **sti**a, **sti**ano).
Pres. Subj.: che **i**o **sti**a, etc.; stiamo, stiate, **sti**ano.
Imperf. Subj.: se **i**o stessi, etc. *3rd person plural*: **stes**sero.
Condit.: starèi, etc.
Gerund: stando.
Past Part.: stato.

Sottostare, "to be beneath," and *sovrastare*, "to be above," are conjugated like *stare*.

*An***dar***sene*, "to go away," is a reflexive verb conjugated like *andare* (Pres. Indic. *me ne vado, te ne vai*, etc.; Imperat. **vat***tene*, *an***da***tevene*).

2ND CONJUGATION

avere: to have (see para. **33**)
bere: to drink (contracted from **be***vere*).

Pres. Indic.: bevo, bevi, beve; beviamo, bevete, **be**vono.
Imperf.: bevevo, etc.
Past Def.: bevètti (bevvi), bevesti, bevètte (bevve); bevemmo, beveste, be**vèt**tero (**bev**vero).
Future: bevrò, bevrai (*also* beverò, etc.).
Pres. Subj.: che **io** beva, etc.; beviamo, beviate, **be**vano.
Imperf. Subj.: se **io** bevessi, etc.
Imperat.: bevi, bevete (*polite form*: beva, **be**vano).
Gerund: bevèndo.
Past Part.: bevuto.

cò*gliere*: to pick

Pres. Indic.: còlgo, cògli, còglie; cogliamo, cogliete, **còl**gono.
Past Def.: còlsi, cogliesti, còlse; cogliemmo, coglieste, **còl**sero.
Future: coglierò, etc.
Pres. Subj.: che **io** còlga, etc.; cogliamo, cogliate, **còl**gano.
Imperf. Subj.: se **io** cogliessi, etc.
Imperat.: cògli, cogliete (*polite form*: còlga, **còl**gano).
Gerund: coglièndo.
Past Part.: còlto.

*co***no***scere*: to know

Pres. Indic.: conosco, conosci, conosce; conosciamo, conoscete, co**no**scono.
Past Def.: conobbi, conoscesti, conobbe, etc.
Past Part.: conosciuto.

dire: to say, to tell (contracted from **di***cere*)

Pres. Indic.: dico, dici, dice; diciamo, dite, **di**cono.
Imperf.: dicevo, etc.
Past Def.: dissi, dicesti, disse; dicemmo, diceste, **dis**sero.
Future: dirò, dirai, etc.
Pres. Subj.: che **io** dica, etc.; diciamo, diciate, **di**cano.
Imperf. Subj.: se **io** dicessi, etc.
Imperat.: dí, dite (*polite form*: dica, **di**cano).
Gerund: dicèndo.
Past Part.: detto.

dispiacere: to displease (conjugated like *piacere*)

dovere: to be obliged, to have to

Pres. Indic.: dėvo (dėbbo), dėvi, dėve; dobbiamo, dovete, **dė**vono (**dėb**bono).
Past Def.: dovėi (dovėtti), etc.
Future: dovrò, dovrai, etc.
Pres. Subj.: che **io** dėbba, etc.; dobbiamo, dobbiate, **dėb**bano.
Imperf. Subj.: se **io** dovessi, etc.
Past Part.: dovuto.

ės*sere*: to be (see para. **32**)

fare: to make, to do (contracted from **fa***cere*)

Pres. Indic.: fò (faccio), fai, fà; facciamo, fate, fanno.
Imperf.: facevo, etc.
Past Def.: feci, facesti, fece; facemmo, faceste, **fe**cero.
Future: farò, etc.
Pres. Subj.: che **io** faccia, etc.
Imperf. Subj.: se **io** facessi, etc.
Imperat.: fà, fate (*polite form*: faccia, **fac**ciano).
Gerund: facėndo.
Past Part.: fatto.

giacere: to lie, to be lying down

Pres. Ind.: giaccio, giaci, giace; giacciamo, giacete, **giac**ciono.
Past Def.: giacque, giacesti, giacque; giacemmo, giaceste, **giac**quero.
Future: giacerò, etc.
Pres. Subj.: che **io** giaccia, etc.
Imperf. Subj.: se **io** giacessi, etc.
Past Part.: giaciuto.

na*scere*: to be born

Pres. Indic.: nasco, nasci, nasce; nasciamo, nascete, **nas**cono.
Past Def.: nacqui, nascesti, nacque, etc.
Past Part.: nato.

parere: to seem

Pres. Indic.: paio, pari, pare; pariamo (paiamo), parete, **pai**ono (**pa**rono).
Past Def.: parvi, paresti, parve; paremmo, pareste, **par**vero.
Future: parrò, parrai, etc.
Pres. Subj.: che **io** paia, etc.
Imperf. Subj.: se **io** paressi, etc.
Past Part.: parso.

piacere: to please

Pres. Indic.: piaccio, piaci, piace; piacciamo, piacete, **piac**ciono.
Past Def.: piacqui, piacesti, piacque; piacemmo, piaceste, **piac**quero.
Future: piacerò, etc.
Pres. Subj.: che **io** piaccia, etc.
Imperf. Subj.: se **io** piacessi, etc.
Past Part.: piaciuto.

porre: to put (contracted from **po***nere*)

Pres. Indic.: pongo, poni, pone; poniamo, ponete, **pon**gono.
Imperf.: ponevo, etc.
Past Def.: posi, ponesti, pose, etc.
Future: porrò, porrai.
Pres. Subj.: che **io** ponga, etc., poniamo, poniate, **pon**gano.
Imperf. Subj.: se **io** ponessi.
Imperat.: poni, ponete (*polite form*: ponga, **pon**gano).

Similarly, *comporre*, to compose, *disporre*, to dispose, etc.

potere: to be able

Pres. Indic.: pòsso, puòi, può; possiamo, potete, **pòs**sono.
Past Def.: potèi (potètti) (like **crè***dere*).
Future: potrò, potrai, etc.
Pres. Subj.: che **io** pòssa, etc.
Imperf. Subj.: se **io** potessi, etc.
Past Part.: potuto.

rom*pere*: to break

Past Def.: ruppi, rompesti, ruppe; rompemmo, rompeste, **rup**pero.
Past Part.: rotto.

sapere: to know

Pres. Indic.: sò, sai, sa; sappiamo, sapete, sanno.
Past Def.: sèppi, sapesti, sèppe; sapemmo, sapeste, **sèp**pero.
Future: saprò, saprai, etc.
Pres. Subj.: che **io** sappia, che tu sappi (sappia), etc.; sappiamo, sappiate, **sap**piano.
Imperf. Subj.: se **io** sapessi, etc.
Imperat.: sappi, sappiate (*polite form*: sappia, **sap**piano).
Past Part.: saputo.

sedere: to be seated; *sedersi*: to sit down

Pres. Indic.: siėdo (sėggo), siėdi, siėde; sediamo (seggiamo), sedete, **siė**dono (**sėg**gono).
Past Def.: sedėi (sedėtti) (*like* **crė**dere).
Future: sederò (sedrò), sederai, etc.
Pres. Subj.: che **io** siėda (sėgga), etc.; sediamo (seggiamo), sediate, **siė**dano (**sėg**gano).
Imperf. Subj.: se **io** sedessi, etc.
Imperat.: siėdi, sedete (*polite form*: siėda (sėgga), **siė**dano (**sėg**gano)).
Past Part.: seduto.

solere: to be accustomed (defective verb)

Pres. Indic.: sȯglio, suȯli, suȯle; sogliamo, solete, **sȯ**gliono.
Imperf.: solevo, etc.
Pres. Subj.: che **io** sȯglia, etc.; sogliamo, sogliate, **sȯ**gliano.
Imperf. Subj.: se **io** solessi, etc.
Past Part.: **sȯ**lito.
Gerund: solėndo.

[All other parts of this verb are missing.]

tacere: to be silent (conjugated like *piacere*, *giacere*)
tȯ*gliere*: to take away (conjugated like **cȯ***gliere*)
trarre: to draw, to drag (contracted from **trag***gere*)

Pres. Indic.: traggo, trai, trae; traiamo (traggiamo), traete, **trag**gono.
Imperf.: traevo, etc.
Past Def.: trassi, traesti, trasse, etc.
Future: trarrò, trarrai, etc.
Pres. Subj.: che **io** tragga, etc.; traiamo, traiate, **trag**gano.
Imperf. Subj.: se **io** traessi, etc.
Imperat.: trai, traete (*polite form*: tragga, **trag**gano).
Gerund: traėndo.
Past Part.: tratto.

Similarly, *attrarre*, to attract; *contrarre*, to contract, etc.

valere: to be worth

Pres. Indic.: valgo, vali, vale; vagliamo, valete, **val**gono.
Past Def.: valsi, valesti, etc.
Future: varrò, varrai, etc.
Pres. Subj.: che **io** valga (vaglia), etc.; vagliamo, vagliate, **val**gano (**va**gliano).

Imperf. Subj.: se **io** valessi, etc.
Imperat.: vali, valete (*polite form*: valga, **val**gano).
Past Part.: valuto (valso).

vedere: to see

Pres. Indic.: vedo (vėggo), vedi, vede; vediamo, vedete, **ve**dono (**vėg**gono).
Past Def.: vidi, vedesti, vide; vedemmo, vedeste, **vi**dero.
Future: vedrò, vedrai, etc.
Pres. Subj.: che **io** veda (vėgga), etc.; vediamo, vediate, **ve**dano (**vėg**gano).
Imperf. Subj.: se **io** vedessi, etc.
Imperat.: vedi, vedete (*polite form*: veda, **ve**dano).
Gerund: vedėndo (veggėndo).
Past Part.: visto (veduto).

volere: to be willing, to want

Pres. Indic.: vȯglio (vȯ'), vuȯi, vuȯle; vogliamo, volete, **vȯ**gliono.
Past Def.: vȯlli, volesti, vȯlle, etc.
Future: vorrò, vorrai, etc.
Pres. Subj.: che **io** vȯglia, etc.
Imperf. Subj.: se **io** volessi, etc.
Past Part.: voluto.

3RD CONJUGATION

morire: to die.

Pres. Indic.: muȯio, muȯri, muȯre; moriamo, morite, **muȯ**iono.
Future: morrò (morirò), morrai (morirai), etc.
Pres. Subj.: che **io** muȯia, etc.; moriamo, moriate, **muȯ**iano.
Imperat.: muȯri, morite (*polite form*: muȯia, **muȯ**iano).
Past Part.: mȯrto.

riuscire: to succeed (conjugated like *uscire*: to go out)

salire: to ascend

Pres. Indic.: salgo, sali, sale; saliamo, salite, **sal**gono.
Future: salirò, salirai, etc.
Pres. Subj.: che **io** salga, etc.; saliamo, sagliate, **sal**gano.
Past Part.: salito.

sparire: to disappear

Pres. Indic.: sparisco, sparisci, sparisce; spariamo, sparite, spa**ri**scono.
Past Def.: sparvi (spa**ri**i), sparisti, sparve (sparí), etc.

Pres. Subj.: che **io** sparisca, etc.; spariamo, spariate, spa**ri**scano.
Imperat.: sparisci, sparite (*polite form*: sparisca, spa**ri**scano).
Past Part.: sparso (sparito).

udire: to hear

Pres. Indic.: ȯdo, ȯdi, ȯde; udiamo, udite, **ȯ**dono.
Pres. Subj.: che **io** ȯda, etc. ; udiamo, udiate, **ȯ**dano.

uscire: to go out

Pres. Indic.: ėsco, ėsci, ėsce; usciamo, uscite, **ė**scono.
Pres. Subj.: che **io** ėsca, etc., usciamo, usciate, **ė**scano.
Imperat.: ėsci, uscite (*polite form*: ėsca, **ė**scano).
Gerund: uscėndo.
Past Part.: uscito.

venire: to come

Pres. Indic.: vėngo, viėni, viėne; veniamo, venite, **vėn**gono.
Past Def.: venni, venisti, venne; venimmo, veniste, **ven**nero.
Future: verrò, verrai, etc.
Pres. Subj.: che **io** vėnga, etc.; veniamo, veniate, **vėn**gano.
Imperat.: viėni, venite (vėnga, **vėn**gano).
Gerund: venėndo.
Pres. Part.: veniėnte.
Past Part.: venuto.

Similarly, *convenire*: to be convenient (used impersonally), *pervenire*: to arrive, to reach.

43. Some 2nd Conjugation Verbs

Some verbs of the 2nd conjugation have particular forms:—

*as***si***stere*: to assist

Past Def.: assistėi (-ėtti), etc.
Past Part.: assistito.

Similarly, *e***ṡi***stere*: to exist; *re***ṡi**stere, to resist

*e***ṡi***gere*: to exact

Past Part.: eṡatto.

piȯ*vere*: to rain

3rd Pers. Past Def.: piȯvve.

*re***di***mere*: to redeem

Past Def.: redènsi, redimesti, redènse, etc.
Past Part.: redènto.

vi*vere*: to live

Past Def.: vissi, vivesti, visse, etc.
Past Part.: vissuto.

Similarly, *soprav***vi***vere*: to survive

sòl*vere*: to solve

Past Part.: soluto.

Similarly, *ri***sòl***vere*: to resolve

The following verbs make their Past Def. (1st person sing. and 3rd person sing. and plural) in *-si*, *-se*, *-sero* and their Past Participle in *-so*.

*ac***cèn***dere*: to light

Past Def.: accesi, accendesti, accese, etc.
Past Part.: acceso.

*ap***prèn***dere*: to learn

Past Def.: appresi, apprendesti, apprese, etc.
Past Part.: appreso.

*con***fon***dere*: to confuse

Past Def.: confusi, confondesti, confuse, etc.
Past Part.: confuso.

chiu*dere*: to shut

Past Def.: chiusi, chiudesti, chiuse, etc.
Past Part.: chiuso.

Similarly, *con***chiu**dere, to conclude; *rin***chiu***dere*, to contain

*de***lu***dere*: to deceive

Past Def.: delusi, deludesti, deluse, etc.
Past Part.: deluso.

Similarly, *al***lu***dere*: to allude

difèn*dere*: to defend

Past Def.: difesi, difendesti, difese, etc.
Past Part.: difeso.

*di***vi***dere*, to divide
*per***sua***dere*, to persuade
scèn*dere*, to descend
*na***scon***dere*, to hide
prèn*dere*, to take
*sor***ri***dere*, to smile, etc. etc.
*de***ci***dere*, to decide
eva*dere*, to evade
mor*dere*, to bite
*of***fèn***dere*, to offend
ri*dere*, to laugh

44. Some 3rd Conjugation Verbs

Some verbs of the 3rd Conjugation are irregular only in the Past Definite and Past Participle.

aprire: to open
Past Def.: **aprii** (apèrsi).
Past Part.: apèrto.

coprire: to cover
Past Def.: co**prii** (copèrsi).
Past Part.: copèrto.

scoprire: to discover
Past Def.: sco**prii** (scopèrsi).
Past Part.: scopèrto.

offrire: to offer
Past Def.: of**fri**i (offèrsi).
Past Part.: offèrto.

soffrire: to suffer
Past Def.: sof**frii** (soffèrsi).
Past Part.: soffèrto.

costruire: to build
Past Def.: costru**i**i (costrussi).
Past Part.: costrutto.

Verbs of the 3rd Conjugation which always make the present form in *-o* (like *sènto*) are:

avvertire, to warn
bollire, to boil
cucire, to sew
venire, to come
consentire, to consent
divertire, to amuse

dormire, to sleep
partire, to depart
seguire, to follow
soffrire, to suffer
vestire, to clothe
fuggire, to flee
salire, to rise
servire, to serve
sortire, to go out
uscire, to go out

The following verbs prefer the form in *-isco*:

aborrire, to abhor
costruire, to build
inghiottire, to swallow
languire, to languish
nutrire, to feed
perire, to perish
assorbire, to absorb
ferire, to wound
istruire, to instruct
mentire, to lie
patire, to suffer
seppellire, to bury (Past Part.: *sepolto*)

B. L'ITALIA

L'Italia è una pe**ni**ṡola a forma di stivale, che si protènde nel mare Mediter**ra**neo. Nel mare Mediter**ra**neo ci sono anche le due grandi **i**ṡole italiane, la Sicilia e la Sardegna, gli iṡolòtti di Elba, Capraia, e Gorgona di fronte alla Toscana, il gruppo Partenopèo (Ischia, Capri ecc.) di fronte al golfo di **Na**poli, e le **i**ṡole **Li**pari e Pantelle**ri**a vicine alla Sicilia.

A settentrione c'è la frontiera naturale formata dalla barrièra delle Alpi, che forma anche un riparo contro i vènti freddi del settentrione. Sopra una superficie di 310.200 chi**lò**metri l'Italia ha una popolazione di 43 milioni, cioè 138 abitanti per chi**lò**metro quadrato.

L'Italia è attraversata in tutta la sua lunghezza dalla lunga catena degli Appennini. Il Monte Bianco, alto 4800 mètri, è la piú alta vetta delle Alpi, e la sua sommità è sèmpre copèrta di neve. Dalle Alpi nasce il maggiore fiume d'Italia, il Pò, che travèrsa la grande pianura lombardo-**vè**neta e ṡbocca nel mare Adri**a**tico, ad oriènte. Gli Appennini sòno meno alti delle Alpi. La cima piú alta è quella del Monte Còrno, nel gruppo del Gran Sasso d'Italia (2.900 mètri) nella regione degli Abruzzi. Molti fiumi **na**scono dagli Appennini; è importante ricordare il **Te**vere, l'Arno ed il Serchio che **ṡboc**cano nel Tirrèno, ad occidènte.

Il mare Mediter**ra**neo che quaṡi completamente circonda l'Italia le è fonte di molto commèrcio e molta ricchezza. La configurazione del suòlo nazionale non è molto favo**re**vole all'agricoltura, perché la tèrra è in gran parte montuosa, ed in cèrte parti paludosa. Ma la grande ener**gi**a del **pò**polo italiano ha saputo trarre il maggiore profitto pos**si**bile dalla sua tèrra, coltivando anche le pendici **ri**pide dei monti, e bonificando le basse pianure con **mè**todi modèrni d'irrigazione.

L'Italia difètta di risorse mine**ra**rie, come il carbon **fòs**sile ed il fèrro. Manca il petròlio. Certamente la

Toscana può vantare di possedere ri**chis**sime cave di marmo, e la Sicilia le sue minière di zolfo e sale, ma le grandi in**du**strie **sòf**frono per la mancanza del carbone e del fèrro. Però, l'Italia ha mol**tis**simo "carbone bianco," cioè ener**gia** e**lèt**trica ottenuta dai molti fiumi che **scèn**dono precipitosamente dalle Alpi o dagli Appennini.

L'Italia si compone di 18 regioni geo**gra**fiche. Queste sono:

Il Piemonte: regione **fèr**tile e ben coltivata, con capitale Torino, già residènza della Casa Reale di Savòia, prima che divenisse la Casa Regnante in Italia. Nelle montagne piemontesi ci sono dei bèi luòghi dove si **pra**tica lo sport invernale e l'alpiniṡmo. Anche le in**du**strie mec**ca**niche ab**bon**dano. A Torino ci sono **fab**briche di auto**mò**bili.

*La Lombar***dia** è una regione ricca d'in**du**stria e di commèrcio, di cui è capitale Milano, una delle prime città industriali d'Italia. È **flò**rida anche l'agricoltura, ed è giustamente famosa, per la sua bellezza, la zòna pittoresca dei grandi laghi. Altre città lombarde sono Pa**vi**a, **Man**tova, Brescia e Como.

Il **Vè***neto* possiède la città bel**lis**sima di Venèzia, costruita molti **sè**coli fa su numerose **i**ṡole in mèżżo ad una grande laguna. Altre città ricche di bellezze ar**ti**stiche e di ricòrdi **stò**rici sono: **Pa**dova, Verona e Vicènza.

La Venèzia Tridentina è il Trentino, regione montuosa e bel**lis**sima nella valle dell'**A**dige. Le piú grandi città sono Trento e Bolzano.

La Venèzia Giulia, fino al Trattato di Pace del 1947, comprendeva Trieste, col suo pòrto importan**tis**simo, la pe**ni**ṡola d'**I**stria e la città di Zara sulla còsta **dal**mata.

*La Li***gu***ria* è una regione ma**rit**tima e commerciale, col gran pòrto di **Gè**nova, ed una rivièra incan**te**vole. La Spezia è il primo pòrto militare d'Italia.

L'Emilia, la di cui capitale è Bologna, **pa**tria di Guglielmo Marconi, è ricca di prodotti a**gri**coli ed industriali. Parma, Ferrara e Ravenna sono città di grande interèsse.

La Toscana òffre una grande varietà di paeṡaggio con

monti, valli, boschi e la zòna paludosa della Maremma. È famosa nella **stò**ria dell'arte e della letteratura d'Italia. La città piú bèlla è Firenze, **pa**tria di Dante, di Giotto, e di tanti altri **uò**mini famosi. Livorno è il pòrto piú importante. L'**I**ṡola d'Elba contiène minerali ricchi di fèrro.

Le Marche: regione prevalentemente montuosa col pòrto di Ancona sul mare Adriatico. Molto frequentate, nella stagione estiva, sono le sue bèlle stazioni balneari, fra cui Cat**tò**lica, Riccione e **Pe**saro.

*L'***Um***bria*, regione prevalentemente montuosa, è piène dei ricòrdi di San Francesco d'Assisi, e di grandi pittori quali Giotto ed il Signorèlli. Perugia è la città principale. C'è una grande acciaie**ri**a a Tèrni.

Il Lazio ha per capoluògo Roma, capitale d'Italia, dove ha sède il Govèrno. Qui risiède anche il Papa, capo della chièṡa cat**tò**lica, e sovrano del **pic**colo stato indipendènte, la Città del Vaticano. Roma è famosa per i suoi supèrbi monumenti, quelli di Roma antica e pagana, quelli cristiani delle Catacombe, e quelli del Rinascimento. Una gran parte del Lazio èra paludosa e malarica, ma le famose Paludi Pontine sona state bonificate recentemente.

Gli Abruzzi e Molise è una regione pittoresca, montuosa e ricca di acque, con capitale **A**quila. Possiède minière d'alluminio e di asfalto.

La Campania è una zòna ferti**lis**sima, con la grande città di **Na**poli ed il suo golfo incan**te**vole.

La Lucania, in parte montuosa ed in parte ancora paludosa, è una regione ancora pòco ṡviluppata, ed è stata bonificata di recènte. Principale in**du**stria è l'allevamento delle **pè**core per la produzione della lana. La città principale è Potènza.

Le Puglie sòno una regione **pò**vera di acque, con Bari e **Brin**disi, pòrti importan**tis**simi per il commèrcio col Levante, e colla baṡe navale di **Ta**ranto.

*La Ca***la***bria* è sulla cosidetta punta dello stivale, ed è famosa per i suoi boschi ed aranceti. La città principale è Règgio, situata sullo stretto che divide l'Italia dalla

Sicilia. Nel terremòto del 1908 Règgio fu quaṡi distrutta, ma è stata ricostruita rapidamente.

La Sicilia è una grande iṡola, di clima mite. È quaṡi copèrta di monti, ma c'è una pianura fertilissima, chiamata la Conca d'Oro, intorno a Palèrmo la capitale. C'è anche la piana di Catania, molto coltivata. I pòrti principali sono Siracusa, Catania, Trapani e Messina, quest'ultima risorta dopo il terremòto del 1908. La Sicilia tiène il primo posto fra le regioni d'Italia per la coltivazione degli agrumi. Colònie grèche si tròvano ancora sull'iṡola, che contiène magnifiche costruzioni grèche, teatri e tèmpii ancora in buòno stato.

La Sardegna è un iṡola di carattere alpèstre, pòco ṡviluppata, sebbène contènga molte risorse naturali, quali minière di piombo, di żinco e di argènto. Cagliari è il pòrto principale.

Nell'Italia ci sono tre vulcani attivi: l'Ètna nella Sicilia, il Vesuvio prèsso Napoli, e lo Stròmboli nelle iṡole Lipari.

Ci sono due piccoli stati "indipendènti" sul territòrio italiano: lo *Stato del Vaticano*, e la *Repubblica di San Marino*. In seguito al Concordato del 1929 fra l'Italia ed il Papato, si è costituito un piccolo stato intorno alla Baṡilica di San Pietro ed il Palazzo del Vaticano. Il Papa govèrna questo staterèllo indipendènte e riconosce Roma Capitale della Repubblica d'Italia. La monarchia fu abolita nel 1946.

San Marino è la piú piccola repubblica del mondo. Conta 14000 abitanti. È situata in una posizione bellissima, sui monti che dòminano l'Adriatico, fra Forlí e Pesaro. Da mille anni consèrva un'indipendènza qualchevòlta piuttòsto fittizia. Due Capitani Reggènti sono elètti due vòlte all'anno, e sòno responsabili del buòn ordine e della sicurezza dello stato.

Prodotti agricoli ed industriali

I maggiori prodotti agricoli dell'Italia sòno: il grano, il riso, l'uva, le olive e gli agrumi, cioè le arancie ed i limoni.

Coll'uva si **fab**brica il buòn vino che è famoso per tutto il mondo, il Marsala della Sicilia, il Chianti della Toscana, il Lambrusco dell'Emilia, l'Orvièto, ed il vino dei Castèlli Romani. Colle olive si fa l'òlio che è il migliore del mondo. L'Òlio di Lucca è apprezzato da molti **sè**coli, anche in Inghiltèrra. Colle fòglie del gèlso si **nu**trono i bachi da seta, che e**met**tono un fi**nis**simo filo di seta gialla per fabbricarsi i **bòz**zoli, dentro i quali si ri**fu**giano quando stanno per diventare farfalle. Oltre alla coltura dei bachi da seta per l'in**du**stria della seta c'è la coltivazione della **ca**napa e del lino, e l'allevamento delle **pè**core per le in**du**strie del cotone e della lana. Le maggiori **fab**briche del cotone, della lana e della seta si **trò**vano nel settentrione, nella Lombar**di**a, nel Piemonte e nella Toscana.

A **Gè**nova, a Monfalcone ed a Livorno sono i piú importanti cantièri navali. Le in**du**strie side**rur**giche si sono adattate alla necessità nel fare largo uṡo dell'ener**gi**a i**dra**ulica, della quale l'Italia ha una gran**dis**sima disponibilità. La maggior parte delle in**du**strie mec**ca**niche e metal**lur**giche si **trò**vano a Milano ed a Torino.

Del suòlo d'Italia solamente la quinta parte è pianura, piú di **du**e quinti sono terreno collinoso, ed il rèsto è montagna. Nonostante ciò, l'Italia ha potuto recentemente aumentare la produzione del grano si da poter quaṡi completamente soddisfare ai biṡògni della popolazione. La sèsta parte della superficie del suòlo è però ricopèrta di boschi, e cosí inutiliz**za**bile per l'agricoltura. Ma i boschi danno prodotti importanti come il legname, il carbone da legna, il **su**ghero e le castagne. La tutèla dei boschi è stata assunta dal Govèrno italiano, per evitare che **vèn**gano danneggiati, e per controllare l'abbattimento degli **al**beri.

La pesca è una delle maggiori in**du**strie. I pescatori, per la maggior parte in barche da vela, **par**tono da tutti i pòrti d'Italia in cèrca del tonno e delle sardine. Nelle lagune si **pe**scano anguille ed ostriche.

Una delle piú fiorènti risorse italiane è il cosidetto "turiṡmo," cioè l'afflusso di turisti da tutte le parti del mondo, per ammirare le bellezze naturali del paeṡe, e le sue famose òpere d'arte.

Alcuni vanno volentièri nelle Alpi e nelle Dolomiti per lo sport invernale, per sci-are, per patinare, e per fare le corse in iṡlitta. Altri preferiscono andare d'estate ai laghi lombardi, per godere i paeṡaggi dei Laghi di Como e di Garda e del Lago Maggiore. Altri ancora che amano il nuòto ed il canottaggio, fuggono il duro invèrno dei paeṡi nòrdici e si rifugiano nelle gaie cittadine della rivièra ligure e della Sicilia. Per molti la Toscana è la regione preferita, perché oltre ad offrire una grande varietà di monti, di valli, di boschi e di rivièra, contiène alcune delle città piú famose d'Italia per òpere d'arte, fra cui Firènze, Pisa, Sièna, Arezzo, Lucca e Pistòia. In Toscana c'è pòi la possibilità di vedere spettacoli popolari di grande interèsse stòrico, e di insuperata bellezza scènica, quali la Corsa del Palio a Sièna ed il Giuòco del Calcio a Firènze.

Gli artigiani italiani sono famosi, da molti sècoli, per la loro abilità e per il buòn gusto dei loro lavori. I turisti comprano oggètti d'arte e lavori manufatti, di stile divèrso secondo la regione dove si tròvano. Nelle valli alpine comprano figurine di legno, burattini e scatole, artisticamente scolpiti. A Firènze cercano trine e ricami a mano, oggètti di cuòio, di argènto e di ceramica. A Prato si va per comprare cappèlli di paglia.

Naturalmente c'è una grande vèndita di riproduzioni artistiche di sculture, di quadri famosi e di libri di ogni gènere. Oggètti di alabastro abbondano nei negòzi di Pisa, còpie della Torre Pendènte, vaṡetti, scatoline ed altri ornamenti. A Venèzia tutti vanno a visitare le fabbriche di vetri artistici nell'iṡola di Murano, ed i merletti della vicina isola di Burano. Nelle piazze della città si tròvano venditori ambulanti di collane di vetro e di corallo. A Napoli si comprano oggètti di tartaruga, spilli, anèlli, braccialetti. collane di corallo e di lapislazzuli.

COMUNICAZIONI

Per **via** a**è**rea Roma è collegata colle altre grandi città d'Italia e dell'**è**stero. Le ferro**vie** sòno in gran parte elettrificate. In tèmpi recènti è stata scavata la lun**ghis**sima galle**ri**a sotto gli Appennini, per **rèn**dere piú **ra**pida la comunicazione fra Firènze e Bologna. Ora il trèno **elèt**trico impièga pòco piú di un'ora per fare questi 97 chi**lò**metri.

Oltre alle grandi strade antiche, tracciate dai Romani (la Via Aurèlia, la Via Appia, la Via Emilia ecc.) ci sono nuòve bel**lis**sime strade di recènte costruzione. È importante richiamare alla me**mò**ria le **a**uto-strade che u**ni**scono Torino con Milano, e Firènze con Viareggio.

CHE CÒSA SI MANGIA?

Se volete mangiare bène in Italia, cioè mangiare come, e dove, **man**giano gli italiani, dovete andare non nei grandi albèrghi o nelle pensioni di lusso, dove ri**siè**dono i forestièri, ma nei **pic**coli ristoranti di città o nelle tratto**ri**e di campagna. Generalmente si può ordinare il pranżo a prèzzo fisso invece di ordinare alla carta. Specialmente in campagna si sèrve spesso come antipasto un piatto di prosciutto còtto con fichi verdi, e fettine di mortadèlla o salame. Col salame si può mangiare l'insalata fresca di lattuga, condita con òlio ed aceto. Dopo l'antipasto potete ordinare un bròdo chiaro, una zuppa, oppure la pasta (i maccheroni) che è il piatto preferito degli italiani. La pasta, a secondo il mòdo in cui è tagliata, si chiama spaghetti, vermicèlli, capellini e taglierini. Generalmente si mangia la pasta asciutta con una buòna salsa di pomodòro, con sugo di carne, oppure con burro e formaggio. Altre vòlte si mangia la pastina in bròdo, oppure un buòn minestrone. Il minestrone è una zuppa di fagiòli, piṡèlli, **ca**voli, riso e pasta, e qualchevòlta viène aggiunta una fetta di pane arrostito! I raviòli sono **pic**coli tondi di pasta riempiti di carne, èrbe, uòva, ecc. Sono una specialità di **Gè**nova. A Bologna biṡogna mangiare i famosi tortellini, fatti di prosciutto, di mortadèlla, e di midòllo di bue, con uòva e formaggio parmigiano. La carne si può mangiare cucinata in divèrsi mòdi. La bistecca è buòna, còtta sulla gratèlla; e le bracioline fritte di vitèllo sono eccellènti. Ad alcuni **piacciono** le allòdole ed altri uccellini arrostiti allo spièdo.

I legumi migliori sòno i carciòfi, le zucchine, e le melanzane, tutti questi ripièni e fritti nell'òlio. Anche i pomodòri verdi sòno buonissimi conditi con òlio ed aceto, con un pò' di sale e di pepe. È mèglio rifiutare le patate lesse, che si mangiano tutti i giorni a casa nòstra, e chièdere le patate fritte, o quelle còtte al forno.

I dolci variano secondo la regione dove ci si tròva. A Sièna c'è il panfòrte, fatto di mandorle, fichi e cioccolata, chièsto da San Francesco d'Assisi, quando stava per morire. A Milano si mangia il panettone, semplice, sano e leggèro. A Roma i maritòzzi sono una spècie di brioches con la consèrva o la crema dentro. Le bombolone sono buòne, mangiate calde. Le frittèlle che si fanno a Firènze, per la Fèsta di San Giuṡèppe, sono òttime.

Di formaggi c'è una scelta enorme. Il pecorino è fatto con latte di pècora, ed è dolce e bianco. Il Bel Paeṡe è conosciuto molto anche all'èstero. Un formaggio molto delicato è il Mascherpone che sembra fatto tutto di crema. Il parmigiano è quello piú adatto per èssere gratuggiato sulla pasta asciutta e sulla minèstra. La ricòtta si mangia coi cialdoni, e qualchevòlta con le castagne bollite.

La scelta del vino da pasto è mèglio lasciata al gusto individuale dell'òspite, ma generalmente il camerière dà buòni consigli. In Italia tutti bevono il vino, dicèndo che "fà digerire" e pòrta allegria!

Si dice che un bevitore, volèndo scuṡarsi col suo confessore, fece questo curioso ragionamento: "Padre mio, il buòn vino fà il buòn sangue, il buòn sangue gènera il buòn umore, il buòn umore fà nascere i buòni pensièri, i buòni pensièri producono le buòne òpere, le buòne òpere conducono l'uòmo in paradiṡo; dunque il buòn vino conduce l'uòmo in paradiṡo!"

Denaro, Miṡure, Pesi

Una lira vale cènto cen**tè**ṡimi. Una monèta da 5 cen**tè**ṡimi si chiama un sòldo. Però, la forma plurale "sòldi" si uṡa anche (come anche "quattrini") nel sènso di "denaro." Per eṡèmpio:

Essere senza sòldi=to be penniless.

Non ho i sòldi per com**prar**telo=I haven't the money to buy it for you.

C'è anche la paròla "**spic**cioli" che vuòl dire "small change."

Un mètro è uguale a 39 inches.

1,000 mètri equi**val**gono un chi**lò**metro (1093.6 yards).

100 *grammi* equi**val**gono 1 ettogramma (un ètto).

1,000 grammi equi**val**gono 1 chilogramma (un chilo).

100,000 grammi equi**val**gono 1 quintale.

1,000,000 grammi equi**val**gono 1 tonnellata.

Conviène ricordarsi che ½ chilo equivale un pound inglese, approssimativamente.

Cosí, *un chilo di* **zuc***chero*=2 lb. sugar.

Per i **li**quidi, *un litro* equivale 1¾ pints.

I decimali si distinguono dalle altre cifre perché preceduti da una **vir**gola; le centinaia dalle migliaia, le migliaia dai milioni, si di**stin**guono perché divisi da un punto:

milioni		migliaia		centinaia		decimali
555	.	555	.	555	,	55

PART II

A. FILOSOFIA DI UN POPOLO

La filosofia di un popolo si esprime nei proverbi e detti familiari che si tramandano da una generazione ad un'altra. Alcuni proverbi italiani esprimono una saggezza universale ed hanno versioni correspondenti in altre lingue. Per esempio, tutti capiscono:

"Chi ama me ama il mio cane."
"Lontan dagli occhi lontan dal cuore."
"Chi tardi arriva male alloggia."
"Il buon vino non ha bisogno di frasca."

Ma certi altri proverbi esprimono un'esperienza della vita che sembra caratteristicamente italiana, specialmente quando indicano uno scetticismo accorto e spesso ironico, e quel sentimento di sfiducia nelle autorità e nei governi in generale che pare innato nell'anima italiana, cosí individualista e restia alle restrizioni. Cosí sentiamo:

"L'uso fa legge."
"Fatta la legge trovato l'inganno."

La poca stabilità dei regimi politici dà una triste esperienza al popolo che ne risente le consequenze:

"L'ordine è pane, ed il disordine è fame."
"D'un disordine nasce un ordine, e vice versa."

Ma, "Pane e feste tengono il popolo quieto," disse Lorenzo dei Medici, adottando le famose parole di Giovenale (X—81) "Panem et Circenses."

È commovente questo grido di un popolo sempre irritato da un'infinità di tasse e di imposte:

"Il buon pastore tosa ma non scortica."

La dura e faticosa vita del contadino è ben illustrata negli innumerevoli proverbi che trattano della terra e delle sue esigenze:

"Chi non semina non raccoglie."
"Chi dorme d'agosto dorme a suo costo."

Infatti, nelle chiare notti d'agosto il lavoro arduo della mietitura continua fino all'alba. Durante le ore caldissime del meriggio, però, uomini, donne e bestie devono per forza dormire all'ombra.

La terra montuosa, arida o sterile presenta molte difficoltà all'aratore. L'acqua è preziosissima.

"Loda il monte e tienti al piano."
"Dove non va acqua ci vuol la zappa."
"L'acqua fa l'orto."
"Se ari male peggio mieterai."
"Tre cose vuole il campo, buon lavoratore, buon seme e buon tempo."

I buoi, quei buoni e fedeli amici dell'agricoltore, onorati nella poesia e nell'arte d'Italia, sono spesso rammentati con affetto.

"Chi ha carro e buoi fa bene i fatti suoi."
"Dove son corna son quattrini."
"Dove passa il campano * nasce il grano."

Il fattore, che rappresenta il padrone, e controlla le entrate e le spese, e la vendita delle raccolte, vive in una comodissima fattoria e mena una vita piú agiata di quella del colono, il quale crede spesso che il fattore si arrichisca tanto alle spese del contadino quanto a quelle del padrone. Allora lo sentiamo canzonare:

"Fattore, fatto re."
"Fammi fattore un anno, se sarò povero sarà mio danno."

La filosofia del popolino è qualchevolta tinta di un rassegnato fatalismo:

"Questo mondo è fatto a scale,
Chi le scende e chi le sale."

* Il "campano" è il campanello attaccato al collo del bue.

E sentiamo anche:

"Chi può non vuò,
Chi vuò non può,
Chi sa non fà,
Chi fà non sa,
E cosí il mondo mal va."

Le mogli vanno scelte con prudenza e custodite gelosamente:

"Donne e buoi dei paesi tuoi."
"La moglie, lo schioppo, e il cane non si prestano a nessuno."
"Chi ama teme."
"Le donne sono sante in chiesa, angeli in strada, diavole in casa, civette alla finestra e gazze alla porta."

Dell'amore si parla molto con intima conoscenza:

"Amore è cieco e vede da lontano."
"Delle pene d'amore si soffre ma non si muore."

A casa, e specialmente a tavola, ci vuol'allegria perché:

"A tavola non s'invecchia."
"Il riso fa buon sangue."

L'italiano ama la sua casa, e n'è geloso:

"Ad ogni uccello il suo nido è bello."
"Casa mia, casa mia,
Per piccina che tu sia,
Tu mi sembri una badia."

Gli ospiti sono accolti con molta cortesia, ma non si usa stare in visita molto tempo:

"L'ospite è come il pesce: dopo tre giorni puzza."

Le stagioni e la ricorrenza delle feste religiose danno il loro contributo a questa fonte di saggezza popolare, soprattutto per ciò che riguarda le condizioni atmosferiche, cosí importanti per l'agricoltore. I mesi non sono tutti amici dell'uomo che deve lavorare:

"Trenta dí conta novembre, con april, giugno e settembre;
Di ventotto ce n'è uno, tutti gli altri n'han trentuno."

Duro è l'inverno per i poveri, ma bisogna lavorare lo stesso:

"Dicembre piglia e non rende."
"Da San Martino a Natale
Ogni povero sta male."

La neve non è vista di mal occhio, purché non resti troppo tempo in terra.

"Sotto l'acqua la fame, sotto la neve il pane."
"Febraietto, corto e maledetto."

Però si dice:

"Pioggia di febbraio empie il granaio."

La festa di San Benedetto significa il ritorno della primavera, coi canti allegri degli uccellini:

"Per San Benedetto, la rondine sul tetto."
"La domenica dell'ulivo,* ogni uccello fà il suo nido."

E tutti si rallegrano col pensiero che:

"Un'ora di buon sole rasciuga molto bucato."

Poi, del resto, con una scrollata di spalle, il contadino si affida alla Provvidenza:

"Lascia fare a Dio, che è santo vecchio."

* Palm Sunday.

B. L'AMORE DELLA PATRIA

L'italiano ama la sua patria ed è giustamente orgoglioso del suo passato glorioso, dei grandi artisti e scienziati di fama mondiale, dei geni musicali, degli eroi del Risorgimento che lottarono e patirono per l'unità e l'indipendenza della loro nazione. Per Roma, la Città Eterna, ha una venerazione profonda. Ama poi la propria città, con quell'amore intimo, geloso e fedele che deriva dai tempi della rivalità fra i Comuni, dalle aspre lotte medievali, e che ricorda anche i tempi della Rinascenza quando le città facevano a gara fra loro per vedere quanta ricchezza di commercio, di cultura e d'arte potessero ammassare. Alcune fra le piú piccole città d'Italia, che sono passate ora al terzo ordine d'importanza, si vantano di un passato pieno di fasti e di splendori, quando accoglievano in sé la vita di corti famose in tutta l'Europa. Cosi è, per esempio, di Ravenna, di Lucca, di Gubbio, e di Ferrara, ora semplici città provinciali.

Alcuni poeti con cuore commosso hanno cantato dall'esilio la bellezza del loro paese, come Dante cantava le antiche glorie di Firenze e quel "bell'ovile" del Battistero di San Giovanni.

La Patria

La parola "patria" vorrebbe dire la terra dei padri, perché sotto la terra stanno i padri e le madri, e vi scenderanno alla loro volta i figli, secondo l'ordine che natura diede. I frutti della terra di cui noi ci nutriamo contengono anche le ceneri dei padri. Sacra e santa è, dunque, la patria; cosí fu scritto: È bello morire per la patria.

E questa Italia è una striscia di terra, cosí piccola che in una carta del mondo appena si vede; ma lanciata, cosí come è nel mare, e avendo attorno quei grandi mostri dei continenti, che sono Europa, Asia, Africa, fa come un ponte alle genti.

Le genti del mondo vi sono passate, e sotto la terra si trovano ancora le loro ossa. Nel mezzo di questa piccola nostra patria sorge la città dall'immenso nome: Roma.

Roma domina su quei mostri dei continenti, e se Roma, oggi, nulla è piú che una delle tante città moderne, tuttavia dalle viscere della sua terra emergono certi marmi che fanno pensare ad un popolo di giganti. Questi marmi una volta erano splendenti, e Roma fu una città di sogno, tutta oro e statue!

E allora un poeta di Roma (Orazio) cantò cosí: "O sole divino, che sorgi e tramonti, possa tu non vedere mai cosa piú grande di Roma!"

ALFREDO PANZINI
(1863–1939)

Non è questo il terren ch'io toccai prima?
Non è questo il mio nido,
Ove nutrito fui sí dolcemente?
Non è questa la patria in ch'io mi fido?
Madre benigna e pia,
Che copre l'uno e l'altro mio parente?

FRANCESCO PETRARCA
(1304–1374)

Io nacqui dove l'aria è tepida e cortese,
Dove la terra è piena di cantici e di fiori,
Dove in grembo alle Muse sorridono gli amori;
Dove nel mar si specchiano i pallidi oliveti,
Dove i colli sono ricchi di aranci e di palmeti;
Dove tutto è profumo, dove tutto è sorriso,
Dove non si vagheggia piú bello il Paradiso,
Dove spiran le brezze del sonante oceano . . .
E quel vago paese è lontano, lontano.

GIUSEPPE GIACOSA
(1847–1906)

La Città

Roma antica

Grande, lungo le molte acque al sussurro
Del fiume eterno, sopra i sette monti,
Bianca di marmo in mezzo al cielo azzurro
Roma dormiva. Agli archi quadrifonti
Batteva la luna; e il Tevere sonoro
Fioriva di spuma percuotendo ai ponti.
Alto fulgeva col suo tetto d'oro
Il Capitolio; ma la notte mesta
Adombrava la via sacra del Foro.
Nell'ombra, un lume; il fuoco era di Vesta
Che traluceva; nel tempio le Vestali
Dormivan ravvolte nella loro pretesta.

Giovanni Pascoli
(1855–1912)

Genova

Nel mio pensiero, come una stella
Tu ognor spuntavi, Genova bella,
Coi tuoi palagi dove tra gli ori
Brillano eterni marmi e colori,
Colle tue cento colline care,
Coi tuoi navigli, col tuo gran mare:

Giovanni Prati
(1814–1884)

Firenze

Quando ero bambino veniva da noi, amico della mia famiglia, un vecchio architetto che si vantava di non aver dormito una sola notte della sua lunga esistenza fuori di Firenze. Lo affermava con un orgoglio che gli faceva luccicare gli occhi e arrossare le guancie. Una volta soltanto, nella lontana giovinezza, era partito per Bologna col progetto di trattenersi due o tre giorni in quella bellissima e simpatica città. Appena giunto aveva preso la stanza in un albergo, e vi aveva depositato la valigia; quindi era uscito per iniziare la propria visita. Ma all'approssimarsi della sera una vaga inquietudine, un malessere indefinibile s'impossessò del suo animo, che non riusciva a vincere ma che sentiva crescere al pensiero di doversi coricare in una camera d'albergo di quella città. Dopo un dibattito interiore laboriosissimo corse all'albergo, riprese la valigia, e se ne ritornò a Firenze con un treno della notte. Né mai gli punse la fantasia il desiderio di un secondo viaggio.

Pensate poi a quei Lucchesi che dopo aver vagato e lottato nelle grandi metropoli americane, non appena in possesso di un gruzzolo sudato bene, se ne tornavano alla loro magica Lucca dalla quale non era partito il cuore. E pareva che tante pene, tante lotte e fatiche, le avessero sofferte soltanto per portarle quel dono e rendersi con esso piú degni del suo amore.

A un giovane fiorentino che ritornava da Roma dopo avervi compiuto il servizio militare, e che mi parlava delle bellezze romane per le quali il suo animo semplice era stato molto sensibile, chiestogli infine se non preferisse Roma a Firenze mi guardava stupito senza rispondere a una domanda che giudicava inutile. Messo poi alle strette, incapace di spiegarmi il proprio sentire e dove risiedesse la superiorità di Firenze, con un sorriso che ne illuminò la faccia concluse: "È piú carina, va!"

Aldo Palazzeschi
(nato nel 1885 a Firenze)

Pisa

Battistero, Chiesa, Cimitero e la campana che chiama; tutto è marmo bianco, su cui è passata la mano giallina del tempo: un color di cera, un color di alabastro, come dei vecchi e dei morti: tutto un ricamo aereo sul verde del prato! Io vi giunsi sul vespero luminoso di un giorno di festa, e per buona ventura, quell'angolo un po' fuori di mano di Pisa era deserto: cioè, proprio deserto, no!

Si vedevano sul verde del prato gruppi di gente, seduta o sdraiata; ma che cosa facesse non distinsi da prima per la lontananza. . . . Quei gruppi di gente, che avevo intravveduta, erano formati di famiglie di artigiani con loro donne e bimbi. Dove cadeva l'ombra dalle mure o dalle cupole facevano merenda in crocchio: in mezzo, un tegame, un fiasco, pane e frutta; mangiavano placidamente, fra il loro Battistero e il loro Cimitero. Poi i bimbi ruzzavano, e quei monumenti parevano proteggerli e non adontarsi.

Quel Battistero, quella Chiesa, quella Torre cantante, quel cimitero, adorni dei piú bei segni della risurrezione, che cosa erano? Asilo e patria; il luogo del battesimo, il luogo delle nozze, il luogo della pace.

ALFREDO PANZINI
(1863–1939)

BOLOGNA

Io, toscano, e fiorentino di razza, che vuol dire il piú feroce, il piú insistente, il piú noioso chez-nous del mondo, io amo, anzi tutto e sopra tutto e per tutto, tutta l'Italia; e poi dopo, Bologna.

Amo Bologna; per i falli, gli errori, gli spropositi della gioventú che qui lietamente commisi e dei quali non so pentirmi. L'amo per gli amori e i dolori, dei quali essa, la nobile città, mi serba i ricordi nelle sue contrade, mi serba la religione nella sua Certosa. Ma piú l'amo perché è bella. A lei, anche infuocata nell'estate, torna il mio pensiero dalle cime delle Alpi e dalle rive del mare. E ripenso a momenti con un senso di nostalgia le solenni strade porticate che paiano scenari classici, e le piazze austere, fantastiche, solitarie, ove è bello sperdersi pensando nel vespero di settembre o sotto la luna di maggio, e le chiese stupende ove sarebbe dolce, credendo, pregare di estate, e i colli ov'è divino, essendo giovani, amare di primavera, e la Certosa, in alcun lembo della quale, che guardi dal colle al dolce verde immenso piano, si starà bene a riposare per sempre.

Bologna è bella. Gli Italiani non ammirano, quanto merita, la bellezza di Bologna; ardita, fantastica, formosa, plastica, nella sua architettura, trecentistica e quattrocentistica, di terracotta, con la leggiadria delle loggie, dei veroni, delle cornici. Che incanto doveva essere tutta rossa e dipinta nel Cinquecento!

GIOSUÉ CARDUCCI
(1835–1907)

PADOVA

Non alla solitudine scrovegna,
O Padova, in quel bianco april felice
Venni cercando l'arte beatrice
Di Giotto che gli spiriti disegna;
Né la maschia virtú d'Andrea Mantegna,
Che la Lupa di bronzo ebbe a nutrice,
Mi scosse; né la forza imperatrice
Del Condottier che il santo luogo regna.

Ma nel tuo prato molle, ombrato d'olmi
E di marmi, che cinge la riviera,
E le rondini rigano di strida,
Tutti i pensieri miei furono colmi
D'amore e i sensi miei di primavera,
Come in un lembo del giardin d'Armida.

GABRIELE D'ANNUNZIO
(1863–1938)

Solitudine scrovegna: la Cappella di Santa Maria dell'Arena, meglio conosciuta come la Cappella degli Scrovegni, che la fecero costruire fra le rovine di un antico teatro romano.

arte beatrice: arte che rende beato, felice.

Giotto: nel 1303 adornò l'interno della Cappella con affreschi bellissimi.

Mantegna (1431–1506): Il Mantegna fu messo a copiare le statue antiche, come la Lupa Capitolina, affinché imparasse il vigore dell'arte romana.

Condottier: La statua equestre del Condottiere Gattamelata, fatta da Donatello, sembra dominare la Piazza del Santo, chiamata "il santo luogo."

Armida: Il giardino incantevole d'Armida fu descritto dal Tasso nella "Gerusalemme Liberata."

Alcuni Canti Popolari

Santa Lucia (*Napoli*)

Sul mare luccica
L'astro d'argento,
Placida è l'onda
Prospero è il vento;
Venite all'agile
Barchetta mia,
Santa Lucia!
Santa Lucia!

Con questo zeffiro
Cosí soave
O come'è bello
Star sulla nave!
Su, passeggeri,
Venite via,
Santa Lucia!
Santa Lucia!

O che tardate?
Bella è la sera,
Spira un'auretta,
Fresca e leggera.
Venite all'agile
Barchetta mia,
Santa Lucia!
Santa Lucia!

La Sicilia

Chi vuole poesia venga in Sicilia;
Che porta la bandiera di vittoria.
I suoi nemici n'avevano invidia
Ché Dio ci diede ad essa tanta gloria.
Canti e canzoni ne ha cento mila,
E lo si può dire con grandezza e boria.
Evviva, evviva sempre la Sicilia,
La terra degli amori e della gloria!

Venezia

Su in cielo che c'è il bel Paradiso,
In terra fra tante città non ce n'è
Che Venezia bella, col suo sorriso.

Gli antichi scrittori

Io mi levo la mattina col sole, e me ne vado in un mio bosco che faccio tagliare, dove sto due ore a riveder le opere del giorno passato, e a passar tempo con quei tagliatori che hanno sempre qualche sciagura o fra loro o coi loro vicini. . . . Partito dal bosco, io me ne vado ad una fonte, e di là in un mio uccellare; ho un libro sotto il braccio, o Dante o Petrarca, o uno di questi poeti minori, come Tibullo, Ovidio e simili: leggo quelle loro amorose passioni e quei loro amori, mi ricordo dei miei, mi godo un pezzo in questo pensiero. Mi trasferisco poi sulla strada dell'osteria, parlo con quelli che passano, domando delle nuove dei paesi loro, intendo varie cose, e noto vari gusti e diverse fantasie d'uomini. Viene in questo mentre l'ora del desinare, dove con la mia brigata mangio di quei cibi che questa mia povera villa, e piccolo patrimonio m'offrono. Quando ho mangiato, ritorno nell'osteria; quivi c'è l'oste, e per l'ordinario un beccaio, un mugnaio e due fornaciai. Con questi passo tutto il giorno giuocando alle carte, e durante il giuoco nascono mille contese e infiniti dispetti di parole ingiuriose, e il piú delle volte noi combattiamo per un quattrino e siamo sentiti non di rado gridare da San Casciano. . . .

Venuta la sera, ritorno in casa, e entro nel mio scrittoio; e sull'uscio mi spoglio quella veste cotidiana, piena di fango, e mi metto panni reali e curiali; e rivestito decentemente entro nelle antiche corti degli antichi uomini, dove, da loro ricevuto amorevolmente, mi nutro di quel cibo che solo è mio, e per cui io nacqui; dove io non mi vergogno di parlare con loro, e domando a loro la ragione delle loro azioni, e quelli per loro umanità mi rispondono; e non sento per quattr'ore di tempo alcuna noia, dimentico ogni affanno, non temo la povertà, non mi sbigottisce la morte; tutto mi trasferisco in loro.

"*Lettera a Francesco Vettori.*" Niccolò Machiavelli (1469–1527)

Preghiera dei Marinai d'Italia

Nell'anno 1901, il grande romanziere Antonio Fogazzaro scrisse una Preghiera dei Marinai d'Italia, da pronunciarsi dovunque al tramonto del sole viene ammainata la bandiera del tricolore:

. . . "Benedici, O Signore, le nostre case lontane, le care genti, benedici nella cadente notte il riposo del popolo; benedici noi che per esso vegliamo sul mare. Benedici."

C. STORIA D'ITALIA

La storia d'Italia comincia nel 5° secolo, colla caduta dell'Impero Romano d'Occidente. Questo, vastissimo per i suoi territori, si sfasciò dopo secoli di saldo dominio, lasciando in tutta la penisola le impronte durature della sua potenza: le leggi, la lingua, le arti di Roma. I barbari che calarono dal nord bruciarono e devastarono senza scrupoli; ma tutto non potendo distruggere dovettero riconoscere, nelle vestigia dell'Impero, una forza ed una cultura alle quali anch'essi furono costretti ad inchinarsi. E la nuova civiltà cristiana perpetuò in forma rigenerata la missione civilizzatrice di Roma fra gli invasori Goti, Unni, Longobardi e Franchi.

Il Medio Evo è il periodo di mille anni che corre fra la caduta dell'Impero Romano d'Occidente ed il Rinascimento, il quale dovette molta parte della sua forza all'impulso dato dal crollo dell'ultimo baluardo dell'Impero d'Oriente (cioè dalla caduta di Costantinopoli nell'anno 1453).

I BARBARI

Al principio di questo periodo re barbari regnavano in Italia e l'Imperatore Romano a Costantinopoli non teneva che pochi territori mal sicuri intorno a Roma ed a Ravenna. Infatti, tanti bei monumenti dell'arte bizantina si possono ammirare ancor'oggi a Ravenna, ricordi di quel tempo quando questa città era rimasta l'ultima fortezza italiana del moribondo Impero Romano d'Oriente.

Nel 6° secolo San Benedetto fondò il suo ordine di monaci, e costruí la grande abbazia di Monte Cassino, disgraziatamente distrutta quasi completamente nella guerra recente.* L'ordine benedettino fece molto per salvare ciò che rimaneva delle arti civili nel generale tracollo della civiltà che seguí le molte invasioni barbariche.

* Sono digià iniziati i lavori di restauro.

Nell' 8° secolo i Longobardi discesero in Italia per occupare tutta quella parte settentrionale che si chiama ora Lombardia. Poi invasero anche il resto dell'Italia. Dopo la caduta di Ravenna nel 751 il Papa non si fidò piú dell'aiuto dell'Imperatore di Costantinopoli, e chiamò i Franchi apparentemente per difendere l'Italia ma bensí per salvaguardare dai Lombardi il crescente potere temporale della chiesa. Carlo Magno, re dei Franchi, accorso in Italia all'invito del Papa, abbatté il regno lombardo e fu dal Papa Leone III incoronato Imperatore nella basilica di San Pietro a Roma nell'anno 800. Cosí, dopo tre secoli e per opera della chiesa, fu restaurata una potenza imperiale in Italia. Dopo la sua morte, però, l'impero di Carlomagno si disgregò, scindendosi in numerosi staterelli.

Il feudalismo

I grandi nobili che tenevano le loro terre in feudo dall'Imperatore distribuivano queste terre fra i loro vassalli minori, i quali in caso di guerra dovevano venire in loro aiuto con soldati ed armi. Le guerre fra i grandi feudatari furono numerose, perché ognuno di questi si considerava come un piccolo sovrano, si costruiva un fortissimo castello nel quale poteva vivere sicuro, e dal quale poteva dominare su tutto il paese circostante, minacciando e derubando i suoi vicini. Inoltre, i gravi dissensi fra la chiesa e l'impero aumentavano ed inasprivano le cause di guerre fratricide. Dalla fine del 9° secolo l'Italia rimase per quattro cento anni in preda alle ambizioni contrastanti del Papa, dell'Imperatore, e dei grandi feudatari, ed in tutto il paese non c'era né pace né governo stabile. Soltanto nella Sicilia ed a Venezia l'autorevolezza dei governi dava al popolo l'opportunità di arricchirsi in pace.

La Sicilia e le repubbliche marinare

Verso il principio del XI° secolo i Normanni si stabilirono nella Sicilia e nell'Italia meridionale, cacciandone gli Arabi. Governarono con molta saggezza, e la loro corte fioriva di arti e di studi. Incoraggiarono il commercio ed arricchirono il paese adornandolo con molti bei monumenti. La loro capitale era Palermo.

Durante le invasioni lombarde alcuni profughi si erano rifugiati sulle isole della laguna di Venezia, e lí fondarono la città repubblica che doveva dominare nel Mediterraneo per mille anni. Uno dei risultati delle crociate dell 11° e del 12° secolo fu il grande incremento di commercio e di ricchezza che recarono alle città marinare, Pisa, Genova, e Venezia; fra queste Venezia era la piú ricca e la piú superba.

I Comuni

Nel 10° secolo i principi tedeschi, che si erano assunti il titolo di Imperatore, avevano abbastanza da fare nei loro paesi, senza occuparsi degli affari dell'Italia.

In mezzo alle continue discordie e devastazioni dei feudatari le città dovevano pensare a proteggersi quanto meglio potevano. Quando nel 1154 l'Imperatore Federico Barbarossa finalmente scese in Italia, trovò che le città, chiamatesi ora comuni, si erano create un sistema autonomo di governo, per mezzo di Consoli eletti liberamente dal popolo. In caso di guerra ogni cittadino doveva armarsi e correre in difesa della propria città. Il Capitano del Popolo aveva il comando su questi eserciti di liberi e gagliardi cittadini. Durante l'epoca caratterizzata dal sorgere dei liberi Comuni le città d'Italia fecero grandi progressi nell'industria, nel commercio, nelle arti, e facevano a gara fra loro per promuovere le scienze e le lettere. Il Barbarossa vide in tutto questo una minaccia diretta alle sue prerogative imperiali e tutte le sei volte che scese in Italia tentò di abbattere la potenza crescente dei Comuni. Nel 1162 prese Milano e dopo una resistenza fierissima da parte dei cittadini la rase al suolo. Ma molti Comuni della Lombardia e del Veneto si unirono insieme nella Lega Lombarda ed insieme lottarono per difendere la loro indipendenza. Decisero di riedificare Milano, piú forte che prima, e fondarono un'altra città in posizione strategica, chiamandola Alessandria, in onore del Papa Alessandro III, protettore della Lega. Nella battaglia di Legnano, nel 1176, la Lega fu trionfante, e finalmente ottenne dall'Imperatore il riconoscimento dei diritti dei Comuni.

Durante questo periodo di aspre lotte e di stragi crudeli splendeva la figura dell'umile frate Francesco d'Assisi, che fondò l'Ordine dei Frati Minori, mandandoli per il mondo a predicare l'amore fraterno, la pace ed il perdono. Col suo esempio e col suo insegnamento fece molto per placare gli odi ed i rancori che dilaniavano le belle città dell'Umbria e della Toscana.

Il regno siciliano

Nel 1220 Federico II, nipote del grande Barbarossa, ereditò la corona imperiale ed il regno delle Due Sicilie, quest'ultimo dalla madre sua, Costanza, ultima erede dei Normanni. Stabilí la sua corte a Palermo, rendendola famosa per le arti, le scienze, e le lettere. Infatti fra i letterati di questa corte palermitana ebbe origine la prima letteratura nazionale italiana. Il suo regno, però, fu funestato da una lunga serie di guerre contro il Papa e contro i Comuni. Esso indirettamente fu la causa di quelle lunghe ed estenuanti lotte fra i Guelfi sostenitori del Papa, ed i Ghibellini, seguaci dell'Imperatore, lotte che dovevano portare l'Italia alla rovina. Quando Federico morí nel 1250 il Papa chiamò Carlo d'Angiò, fratello del re di Francia, a prendere il Regno delle Due Sicilie, in opposizione a Manfredi figlio di Federico, che trovò la morte combattendo inutilmente contro Carlo a Benevento nel 1266. La nobile e patetica figura del Ghibellino Manfredi è rievocata con parole commoventi da Dante, nel "Purgatorio." Sappiamo che il poeta stesso fu vittima dell'odio di parte, e dovette vivere e morire lontano dalla sua bella Firenze, mandato in esilio dalla fazione preponderante dei Guelfi fiorentini.

Il popolo di Palermo odiava gli usurpatori francesi, ed il

lunedí di Pasqua 1282 i cittadini insorsero contro i soldati francesi, che andavano alla chiesa di Santo Spirito, un po' fuori della città. La rivolta, che ricevette il nome di Vespro Siciliano, ebbe pieno successo. In poco tempo la Sicilia intera fu liberata, e ne fu proclamato re un principe spagnuolo, Pietro d'Aragona, che aveva sposato la figlia di Manfredi, un'altra Costanza.

Genova, Pisa, Venezia

Nel frattempo le grandi repubbliche marinare, Genova, Pisa e Venezia, lottavano fra loro per ottenere la supremazia nel commercio e per estendere il loro dominio coloniale nel Mediterraneo. Pisa fu sconfitta da Genova nel 1284 in una grande battaglia navale, e Genova e Venezia rimasero a contendersi il dominio dei mari.

Venezia andava acquistando sempre maggiori ricchezze, dai suoi traffici coll'oriente e colla Germania. Il potere era ormai passato nelle mani delle grandi famiglie aristocratiche, che formavano cosí una oligarchia esclusiva, e che governavano per mezzo del Maggior Consiglio. Verso la fine del 10° secolo poté estendere il suo potere anche nell'Istria e nella Dalmazia. In quest'epoca ebbe origine la famosa cerimonia dello Sposalizio del mare, quando il Doge, salito nella nave di stato, il "Bucintoro," gettava nel mare un anello nuziale, per simboleggiare le nozze di Venezia col mare, donde traeva la sua forza e la sua ricchezza. Il piú celebre viaggiatore del Medio Evo fu un veneziano, Marco Polo. Era ancora giovanissimo quando, nel 1271, partí per esplorare paesi allora sconosciuti e lontanissimi, la Persia, l'India, e la Cina. Rimase nella Cina per molti anni e ne studiò la lingua ed i costumi. Ritornò a Venezia nel 1295, e subito si arruolò nelle forze armate della Repubblica, in guerra con Genova. Il suo libro scritto in francese, Il Milione, dettato in una prigione genovese, racconta con infiniti particolari pittoreschi i suoi lunghissimi ed arditi viaggi nell'Estremo Oriente.

Le Signorie

Al principio del 14° secolo, in seguito ai molti disordini che rendevano pericolosa perfino la vita del Papa a Roma, la sede pontificia si trasferí ad Avignone nella Francia, e vi rimase per 70 anni. Roma soffrí molto per questa diserzione. Fu abbandonata in preda alle violente lotte di classe e di partito. Un giovane popolano, Cola di Rienzo, "l'Ultimo dei Tribuni," cercò di restaurare l'ordine, facendo ricordare al popolo le antiche glorie di Roma; ma non ebbe successo duraturo e fu ucciso in una sommossa popolare nel 1354.

L'Italia del 14° secolo, però, malgrado tutte le lotte interne e le guerre contro i tiranni stranieri, poteva vantare uomini famosissimi nel campo delle arti e delle lettere, uomini come Dante Alighieri, Francesco Petrarca, Giovanni Boccaccio, Giotto e gli scultori pisani.

Questo secolo vide la fine dei liberi Comuni, e l'avvento delle Signorie, cioè dell'ascesa di certe grandi famiglie che riuscirono ad assumere il governo di alcune delle città piú ricche d'Italia. Queste famiglie consideravano la loro supremazia come un'eredità, da tramandare ai figli, fondando cosí vere e proprie dinastie di Signori despotici, che diventavano sempre piú arroganti e potenti.

Continuavano però senza mutamento la Repubblica di Venezia, il Regno di Napoli e il governo papale a Roma e nei territori circostanti.

Fra i Signori c'erano a Milano i Visconti, a Mantova i Gonzaga, a Ferrara la Casa d'Este, ad Urbino quella di Montefeltro, ed a Firenze, malgrado una forma fittizia di regime repubblicano, dominarono i Medici. Queste famiglie giganteggiano nella storia d'Italia sul finire del Medio Evo e nel periodo del Rinascimento, come protettrici delle arti e delle scienze e grandi promotori dell'industria e del commercio. Si costruirono palazzi e ville, con bellissimi giardini adorni di statue e di fontane, e fecero collezioni di quadri, di sculture, di gioielli ed altri oggetti d'arte. Fondarono anche biblioteche piene di codici e di libri preziosi, come la

Biblioteca Laurenziana di Firenze, e quella Malatestiana a Cesena.

Per mantenere l'ordine in questi stati, e per fare la guerra contro altri Signori e contro i Comuni, nemici di tutti i Signori, queste famiglie, non avendo eserciti propri, si valevano dei servizi di mercenari. I capi delle bande mercenarie si chiamavano Condottieri, ed alcuni di questi diventarono signori per conto proprio, come fecero Castruccio Castracane che ebbe la Signoria di Lucca, e Francesco Sforza che fondò la sua dinastia ducale di Milano. Uno dei piú famosi Condottieri fu l'inglese Sir John Hawkwood, chiamato Giovanni Acuto. Vi è un bel ritratto equestre di questo soldato di ventura nel Duomo di Firenze.

Nel 1347 nacque di umili artigiani una delle piú grandi donne della storia d'Italia, Santa Caterina di Siena. Come San Francesco cosí Santa Caterina faceva opera di carità e di conciliazione in mezzo alle lotte, le pesti e le altre miserie che devastavano la sua città. La sua fama si diffuse in tutta l'Italia e fu in gran parte per merito delle sue esortazioni che finalmente, nel 1377, il Papa consentí a ritrasferire la sua sede a Roma.

Il primo padrone della città di Firenze, Cosimo dei Medici, il "Padre della Patria" morí nel 1464. Il suo illustre nipote, Lorenzo il Magnifico, fece di Firenze la città piú artistica e piú colta d'Italia. Riparleremo di lui nelle pagine che trattano della storia della letteratura e delle arti. Lorenzo morí nel 1492. In quello stesso anno il genovese Cristoforo Colombo, traversando l'Atlantico, scoprí nell'ovest il nuovo continente, terra che si sarebbe chiamata America, in omaggio al fiorentino Amerigo Vespucci, che vi sbarcò cinque anni dopo di Colombo. Comincia qui la storia moderna, storia purtroppo triste per l'Italia che pur continuando a produrre i suoi grandi geni in ogni campo delle arti e delle scienze, rimaneva priva di libertà e di unità politica, in balia delle potenze avide della Francia e della Spagna, che se la disputavano fra loro.

Ma l'Italia non rimase mai senza un profeta che sognasse

la libertà e l'unificazione del paese. Già nel 14° secolo Dante aveva sperato un imperatore romano che governasse tutta la penisola nella pace e con la giustizia. Diversi fra i Signori del 15° secolo ebbero quest'ambizione, ma non la poterono realizzare. Fu questa l'idea ispiratrice del "Principe" del Machiavelli e fu questo l'ideale che ispirò gli scrittori del Seicento e del Settecento.

Nel 1494 scese in Italia il francese Carlo VIII, chiamato da Ludovico Sforza di Milano per conquistare il regno di Napoli, e coll'arrivo di questo prepotente la libertà italiana sembrava soffocata per sempre. I francesi e gli spagnuoli combatterono a morte per il possesso dei piu ricchi territori. Roma venne sottoposta, nel 1527, ad un saccheggio orribile da parte dell'esercito tedesco dell'imperatore Carlo V che diventò padrone della maggiore parte dell'Italia, avendo sconfitto a Pavia l'esercito francese sotto Francesco I. Dopo questo, per piú di due secoli la Spagna dominò sulla Lombardia, sul Regno di Napoli, sulla Sicilia e sulla Sardegna.

Firenze aveva cacciato i Medici, si era proclamata di nuovo repubblica, ed ora si preparava a resistere alle forze unite del Papa e dell'Imperatore, messesi insieme per ristabilire la famiglia Medicea. Coll'aiuto di Michelangelo la città si muní di torri e di fortezze e lottò fieramente, ma nel 1530 dovette aprire le sue porte alle truppe di Carlo VIII. Colla caduta di Firenze le ultime voci di libertà si spensero in Italia. I Medici tornarono in città, ma questa volta coll'appoggio imperiale e col titolo di Granduchi. Michelangelo, costretto a servirli, espresse il suo rancore e la sua disperazione creando le statue allegoriche che adornano le tombe Medicee a San Lorenzo in Firenze. Quando qualcuno ammirò la figura della Notte, dicendo che era cosí bella che avrebbe voluto svegliarla per farla parlare, il grande scultore fece rispondere tristemente cosí la bella donna assopita nel sonno:

> Grato m'è il sonno, e piú l'esser di sasso,
> Mentre che il danno e la vergogna dura;
> Non veder, non sentir, m'è gran ventura:
> Perciò non mi destar: deh! parla basso.

Soltanto le repubbliche di Venezia e di Genova continuavano a mantenersi libere ed indipendenti, ma la potenza di Genova declinò rapidamente.

Nel suo famoso romanzo "I Promessi Sposi" Alessandro Manzoni descrive la triste sorte degli abitanti della Lombardia sottomessi alla tirannia spagnuola. Il predominio spagnuolo durò fino al 1700, e durante questo lungo periodo l'Italia non contava piú nella politica europea, non essendo che una provincia spagnuola.

Al principio del 18° secolo le guerre fra l'Austria e la Francia per la successione del trono di Spagna portarono nuove discordie e nuovi sfasciamenti di stati. Sopra tutto il Piemonte divenne teatro principale di queste lotte disastrose. Colla pace di Utrecht nel 1713 la Sardegna, il Napoletano e la Lombardia passarono all'Austria, e la dominazione spagnuola cessò. La Sicilia fu data alla Casa di Savoia, la quale nel 1720 fu forzata a cambiarla per la Sardegna, cambio che non piacque ai Reali di Savoia. Nel 1734 la Sicilia fu presa dalla dinastia borbonica, che vi si stabilí per piú di cento anni.

Sotto il regno di Maria Teresa molte riforme furono fatte nell'amministrazione della Lombardia. L'agricoltura fu favorita e molto incoraggiamento dato ai commerci ed all'industria. Parecchi abusi legali e civili furono eliminati.

L'Era Napoleonica

L'Austria era la potenza predominante in Italia quando scoppiò la rivoluzione francese. Per venti anni l'Italia passò attraverso molte vicissitudini. Napoleone trionfante stabilí la repubblica Cisalpina che comprese tutta la parte settentrionale del paese. Nel 1805 si fece incoronare a Milano colla vecchia corona ferrea dei re longobardi, che era stata custodita nell'antica chiesa di Sant'Ambrogio. Pronunziò le fiere parole: "Dio me l'ha data, guai a chi la tocca!" Nell'anno 1807 tutta l'Italia fu sottomessa all'Impero francese, ma questa sottomissione non era penosa agli italiani che apprezzarono la grande energia colla quale Napoleone si mise ad arricchire ed a sviluppare il paese, memori del resto che il dominatore era di sangue corso, cioè italiano.

Dopo il crollo dell'Impero napoleonico nel 1815 l'Italia fu vittima delle decisioni del Congresso di Vienna, Congresso che non rispettava se non diritti dinastici in Italia. Fu allora che il Metternich pronunziò la famosa frase: "L'Italia non è che un'espressione geografica." La Lombardia il Veneto, il Trentino, e la Venezia Giulia furono dati all'Austria. La Sardegna, il Piemonte e la Liguria formarono il Regno di Sardegna, sotto i Principi di Casa Savoia, e si ricostituirono i ducati di Parma, di Modena e di Lucca sotto principi francesi ed austriaci. La Toscana fu creata granducato sotto un principe austriaco di Lorena, gli Stati della Chiesa tornarono ad essere governati dal Papa, ed il regno delle Due Sicilie fu abbandonato alla tirannia dei Borboni. Le ultime repubbliche, Venezia, Genova e Lucca scomparvero per sempre.

Cosí il regno d'Italia svaní di nuovo, ma le nuove aspirazioni politiche, ed i perenni impulsi patriottici risvegliati dagli avvenimenti della Rivoluzione francese preparavano il terreno per la rivolta generale, sognata e sperata da tutti i patriotti italiani. Grazie al codice napoleonico i principii del diritto pubblico e privato erano stati fondati su una base razionale, e questi principii non si dimenticarono piú. Molti letterati in Italia e dall'esilio scrivevano a favore dell'unificazione italiana.

Il Risorgimento

I cinque piú grandi uomini del risorgimento nazionale in Italia furono: il Re di Piemonte, Carlo Alberto, suo figlio Vittorio Emanuele II, il furbo e lungimirante Ministro Camillo Cavour, lo scrittore Giuseppe Mazzini, per quaranta anni esule in Inghilterra, ed il valoroso nizzardo Giuseppe Garibaldi.

Nell'anno 1848 scoppiarono rivolte in quasi tutti i paesi europei. L'Italia era allora divisa in sette stati:

1. Il Regno di Sardegna, che comprendeva anche il Piemonte, la Liguria, Nizza e la Savoia.
2. Il Regno lombardo-veneto sotto il governo imperiale austriaco.
3. Il Ducato di Parma e Piacenza sotto un Duca Borbonico.
4. Il Ducato di Modena, Reggio, Massa e Carrara sotto un principe imperiale austriaco.
5. Il Granducato di Toscana, sotto la Casa austriaca di Lorena.
6. Lo Stato Pontificio che comprendeva il Lazio (con Roma), l'Umbria, le Marche e la Romagna, sotto il dominio del Papa.
7. Il Regno borbonico delle Due Sicilie.

Molte società segrete furono formate per preparare di nascosto la rivolta futura. La Carboneria e la Giovane Italia (quest'ultima fondata dal repubblicano Mazzini) ne furono le piú famose.

Nel 1848 il popolo di Milano insorse e, dopo cinque giorni di lotta accanita, riuscí a scacciare gli austriaci dalla città. Nello stesso anno il re Carlo Alberto di Savoia concesse al suo popolo piemontese la Costituzione, lo "Statuto," e dichiarò la guerra all'Austria. Indotti da moti popolari irresistibili il ré di Napoli, il granduca di Toscana e perfino il Papa Pio IX mandarono milizie in suo aiuto. Ma Carlo Alberto fu sconfitto a Custoza e dovette chiedere un armistizio.

Nel frattempo la città di Brescia si ribellò e combatté per dieci giorni valorosamente contro gli austriaci. Per questa lotta vana ma eroica Brescia si meritò l'appellativo di Leonessa d'Italia. Anche a Roma scoppiò un' insurrezione popolare che costrinse il Papa a fuggire a Gaeta. Fu costituita una repubblica romana che durò breve tempo, ed il Mazzini ne fu uno dei tre capi. Ma il Papa chiamò forze francesi in sua difesa, e la rivolta fu soppressa. Garibaldi combatté a Roma, e, dopo il fallimento di quell'impresa, andò a Venezia, la quale diede un altro fulgido esempio di eroismo, scacciando gli odiati austriaci e ritornando ad essere una repubblica. Però gli austriaci l'assediarono, ed i veneziani affamati si dovettero arrendere nel 1849.

Nello stesso anno Carlo Alberto riprese la guerra contro l'Austria, ma, essendo questa volta senza aiuti, fu di nuovo sconfitto a Novara. Allora abdicò in favore del figlio Vittorio Emanuele II. Il nuove re diede prova del suo carattere forte e leale appena incontratosi col maresciallo Radetzky per definire le condizioni di pace. L'austriaco gl'impose di abrogare lo Statuto. Il re rispose affermando che lo Statuto era una cosa sacra, e che nessuna forza al mondo sarebbe stata valida a fargliello sopprimere. Con questo contegno risoluto Vittorio Emanuele II si meritò il titolo di Re Galantuomo. Nella diplomazia fortunatamente ebbe l'aiuto dell'accorto Cavour, che diventò il suo Primo Ministro nel 1852. Questi furono anni di riordinamento interno e di costante lavoro diplomatico. Alla campagna di Crimea nel 1855 prese parte un esercito piemontese, e l'aiuto offerto in quell'occasione agevolò un trattato di alleanza coi francesi, firmato a Plombières nel 1858.

Per onorare questo patto Napoleone III scese in Italia con un forte esercito nel 1859 quando l'Austria, allarmata dall'afflusso in Piemonte di volontari patriottici da tutte le parti dell'Italia, dichiarò guerra al re Vittorio Emanuele. Le vittorie di quell'anno portarono alla liberazione del Piemonte, e l'anno seguente l'Emilia e la Toscana espulsero i loro principi austriaci, proclamando, con solenni plebisciti, la loro volontà di unirsi al Regno. Però, in compenso di questo ingrandimento territoriale il Re di Piemonte dovette mal volentieri cedere la Savoia (patria sua) e Nizza (patria di Garibaldi) alla Francia.

Giuseppe Garibaldi, dopo di avere combattuto in Lombardia, fece la famosa spedizione dei Mille e cominciò le sue campagne per liberare le Due Sicilie, mentre il Generale Cialdini liberava le Marche e l'Umbria.

Nel frattempo, però, Napoleone III concluse inaspettatamente un armistizio cogli austriaci a Villafranca, e lasciò il Veneto nelle mani del nemico.

Il Regno d'Italia fu costituito finalmente nel 1861, ma si dovettero aspettare ancora tre anni prima di ottenere la liberazione del Veneto, liberazione finalmente ottenuta mediante un'alleanza colla Prussia, allora in guerra coll'Austria.

Roma era sempre presidiata da truppe francesi, ma nel 1870 la Francia, in guerra contro la Prussia, dovette ritirare queste truppe. Il re Vittorio Emanuele tentò di persuadere il Papa a cedere la capitale, ma Pio IX rifiutò. Ebbe luogo allora un breve combattimento che finí coll'entrata delle truppe italiane nella Città Eterna e l'abolizione del potere temporale del Papato. Il Papa si rifiutò di riconoscere il governo regio, e si dichiarò "prigionero del Vaticano." Fu soltanto nel 1929 che questo assurdo stato di cose fu rimediato colla firma del Concordato fra il Papato ed il governo italiano. Il Papa riconobbe l'esistenza del regno d'Italia, colla sede del governo a Roma, ed il governo italiano garantí l'integrità e la neutralità della Città del Vaticano.

Alla morte di Vittorio Emanuele II nel 1878, salí al trono suo figlio Umberto I. Durante il regno d'Umberto l'Italia acquistò in Africa due Colonie: l'Eritrea e la Somalia. Umberto I morí assassinato nel 1900 e salí al trono il figlio Vittorio Emanuele III.

Nel 1911 scoppiò la guerra italo-turca che finí colla cessione all'Italia della Libia, dell'isola di Rodi e del Dodecaneso.

L'intervento italiano nella guerra del 1915–18 fu importante per il collaudo a cui fu sottoposto il suo esercito, e per l'aiuto che esso apportò alle altre potenze alleate, l'Inghilterra e la Francia. Quando l'esercito italiano fu sconfitto a Caporetto e tutta l'Italia tremò per il pericolo che minacciava la libertà del paese, furono le schiere dei giovanissimi che opposero disperata resistenza sul fiume Piave. E dal Piave il nemico non passò mai! Col Trattato di Versaglia la Venezia Tridentina e la Venezia Giulia furono annesse all'Italia.

Fiume, malgrado l'audace impresa del poeta Gabriele d'Annunzio, che voleva prenderne possesso per forza, fu dichiarata città indipendente.

Nel dopoguerra l'Italia affrontò problemi molto difficili, nel riordinamento del paese, nei campi finanziari ed economici. Benito Mussolini formò il partito fascista che assunse il potere nel 1922. In seguito abolí le votazioni, sciolse tutti gli altri partiti e stabilí un governo dittatoriale, sopprimendo anche la libertà di stampa.

Nel 1929 Mussolini firmò un concordato con la Santa Sede, garantendo la neutralità del Vaticano a cui assegnò una parte della Città Eterna, chiamata la Città del Vaticano. L'istruzione religiosa fu reintegrata nelle scuole inferiori statali. I facili successi ottenuti da Mussolini nell'interno, ed il desiderio di conquista portarono nel 1935 l'Italia alla guerra d'Etiopia, che, conclusasi in poco tempo malgrado le Sanzioni decretate a Ginevra, accrebbe il dominio coloniale italiano. Con l'annessione dell'Etiopia l'Italia ebbe il suo impero, ma questo fu effimero.

Nel 1939 la Germania, in cui era sorto un altro partito egemonico, il nazional-socialismo, occupò la Polonia, e la Gran Bretagna e la Francia entrarono in guerra contro di essa. Il 10 giugno 1940 l'Italia di Mussolini alleandosi alla Germania dichiarò guerra alla Gran Bretagna ed alla Francia, provocando il definitivo crollo di quest'ultima. Da questo momento l'Inghilterra fu sola a sopportare tutto il peso della guerra. Gli italiani occuparono la Somalia Britannica e parte dell'Egitto e nel settembre 1940 invasero la Grecia.

Nel 1941 si iniziò la ripresa britannica con l'occupazione di Bardia, Tobruk, Derna e Bengasi nell'Africa del Nord, mentre nell'Africa orientale tutta la Somalia e l'Etiopia furono prese da truppe britanniche. Nel maggio 1941 il Duca d'Aosta si arrese nell'Amba Alagi e l'impero di Mussolini cessò di esistere.

Con l'arrivo del corpo di spedizione tedesco nell'Africa del Nord le forze italo-tedesche rioccuparono Bengasi e si spinsero fino a Sollum, ma furono costrette a ritirarsi.

Nel 1942, colla seconda offensiva italo-tedesca, Bengasi fu ripresa e le forze dell'Asse arrivarono fin al territorio egiziano ad El Alamein. Questo fu il punto culminante della campagna in Africa. Le forze britanniche, passando al contrattacco, respinsero quelle dell'Asse, costringendole ad un ripiegamento che portò, nel '43, alla perdita della Libia ed al crollo completo delle forze italo-tedesche in Africa. Nel luglio dello stesso anno le truppe alleate, dopo aver occupato le due basi italiane di Pantelleria e Lampedusa, sbarcarono in Sicilia ed iniziarono l'occupazione dell'Italia.

Sotto l'influsso e l'incoraggiamento dell'esercito degli alleati accolto come liberatore, l'Italia risorse dal suo letargo. Con un colpo di stato, organizzato dal Maresciallo Badoglio, Mussolini fu spodestato ed imprigionato. Liberato dai tedeschi fece nell'Italia del nord un ultimo tentativo di formare un governo fascista repubblicano.

Nella primavera dell'anno 1945 tutta l'Italia si pose sotto l'autorità delle nazioni alleate, e Mussolini fu giustiziato dagli italiani stessi mentre tentava di varcare la frontiera svizzera. La cooperazione dell'Italia con le nazioni alleate e vincitrici si fece sempre piú forte e piú feconda.

Dall'esempio di tutti quei patriotti che, nei secoli scorsi ed in questa nostra epoca tormentata hanno dato la vita per l'onore e l'indipendenza dell'Italia, trarrà coraggio e costanza il nuovo popolo italiano che, affrancato oramai nel pensiero e nell'azione, si renderà degno di venir annoverato fra i popoli liberi dell'Europa futura.

ANEDDOTI DI STORIA, ECC.

Guelfi e ghibellini

Un famoso capo ghibellino entrò in Pavia e s'impossessò di tutti i beni dei suoi nemici sconfitti, i Guelfi. Però, dopo prese tutte le ricchezze di questi, cominciò ad appropriarsi anche di quelle dei Ghibellini. Quando questi se ne lagnarono, ricordandogli che erano del suo partito, egli rispose; "Avete ragione. È vero che siete tutti ghibellini, ma i vostri beni sono guelfi." Cosi egli s'arricchí alle spese di ambedue le parti.

Questa storiella ci ricorda il famoso proverbio toscano:

> Guelfo son io, e ghibellin m'appello,
> Per chi piú mi dà, io volterò mantello.

Lotte di partito

Palla Strozzi, della ricchissima e potente famiglia che costruí il Palazzo Strozzi, una delle glorie dell'architettura di Firenze, fu esiliato da questa città per aver preso parte a un complotto contro Cosimo dei Medici. Mandò un messaggero a Cosimo per portagli un'oscura minaccia: "Gli dirai, da parte mia, che la gallina cova." Il messaggero tornò con questa fiera risposta: "E tu, da parte mia, dirai a Messer Palla Strozzi che le galline fuori del nido non possono covare."

Lorenzo il Magnifico

La famiglia Pitti, quella del famoso palazzo (ora galleria d'arte) e la famiglia Acciaiuoli di Firenze avevano fatto una congiura contro Lorenzo dei Medici e furono scoperti. Quest'uomo illustre allora dette prova della sua scaltrezza perdonando tutti i congiurati e trattandoli cosí bene da riuscire a farseli amici. Quando qualcuno gli rimproverò questa generosità, dicendo che era una imprudenza, Lorenzo rispose: "Solo colui che sa perdonare sa vincere."

Cosimo III

Il Granduca Cosimo III dei Medici aveva mandato una persona fidata in Inghilterra a comprargli delle piante per abbellire i suoi grandi giardini a Firenze, e per tale scopo gli aveva affidato del denaro. Un giorno, mentre passava sul bellissimo Ponte di Santa Trinità, vide un tipo spiritoso che stava scrivendo dei nomi in un libriccino.

"Che cosa fai?" domandò Cosimo.

"Scrivo i nomi di tutti i minchioni che vedo passare per questo ponte" disse l'altro.

"Spero che non hai scritto anche il mio nome," domandò il granduca gioviale.

Rimase sorpreso a sentirsi rispondere: "Infatti, il vostro nome è il primo di tutti."

"E perché?" domandò, un po' sconcertato, il granduca.

"Perché avete mandato quell'uomo all'estero con tanto denaro vostro."

"Ma egli tornerà certamente."

"Ed allora, se egli tornerà, cancellerò il vostro nome e metterò quello di lui."

L'Italia in cerca di libertà

Libertà va cercando, che è sí cara,
Come sa chi per lei vita rifiuta.

Divina Commedia—Purgatorio. Dante Alighieri (1265–1321)

Ai Signori d'Italia

Non si deve adunque lasciare passare questa occasione acciocché l'Italia vegga dopo tanto tempo apparire un suo redentore. Né posso esprimere con quale amore egli sarebbe ricevuto in tutte quelle provincie che hanno patito per queste illuvioni esterne; con che sete di vendetta, con che ostinata fede, con che pietà, con che lacrime. Quali porte se gli serrerebbero? Quali popoli gli negherebbero l'ubbidienza? Quale invidia gli si opporrebbe? Quale italiano gli negherebbe l'ossequio? Ad ognuno puzza questo barbaro dominio.

. . . Pigli adunque la Illustre Casa vostra questo assunto con quell'animo e con quella speranza che si pigliano le imprese giuste, acciocché sotto la sua insegna, e questa patria ne sia nobilitata, e sotto i suoi auspici si verifichi quel detto del Petrarca:

Virtú contro a furore
Prenderà l'arme, e fia'l combatter corto;
Ché l'antico valore
Negli italici cuor non è ancor morto.

NICCOLÒ MACHIAVELLI
(1469—1527)

ALL'ITALIA

Italia, Italia, o tu cui fece la sorte
Dono infelice di bellezza, ond'hai
Funesta dote d'infiniti guai,
Che in fronte scritti per gran doglia porti:
  Deh! fossi tu men bella, o almen piú forte,
Ond'assai piú ti paventasse, o assai
T'amasse men chi del tuo bello ai rai
Par che si strugga, e pur ti sfida a morte!
  Ch'or giú dall'Alpi non vedrei torrenti
Scender d'armati e del tuo sangue tinta
Bever l'onda del Po Gallici armenti.
  Né ti vedrei del non tuo ferro cinta
Pugnar col braccio di straniere genti,
Per servir sempre, o vincitrice o vinta.

VINCENZO DA FILICAIA
(1642–1707)

DOPO LA BATTAGLIA DI MARENGO, 1801

Bella Italia, amate sponde,
Pur vi ritorno a riveder!
Trema in petto e si confonde
L'alma oppressa dal piacer.
Tua bellezza, che di pianti
Fonte amara ognor ti fu,
Di stranieri e crudi amanti,
T'aveva posta in servitú.

Ma bugiarda e mal sicura
La speranza fia de'ré;
Il giardino di natura
No, pei barbari, non è.

VINCENZO MONTI
(1754–1828)

ALL'ITALIA

O patria mia, vedo *le* mura e gli archi
E le colonne e i simulacri e l'erme
Torri degli avi nostri,
Ma la gloria non vedo,
Non vedo il lauro e il ferro ond'eran carchi
I nostri padri antichi. . . .
Perché, perché, dov'è la forza antica?
Dove l'armi e il valore e la costanza?
Chi ti discinse il brando?
Chi ti tradí? Qual arte o qual fatica,
O qual tanta possanza
Valse a spogliarti il manto e l'auree bende?
Come cadesti o quando
Di tanta altezza in cosí basso loco?
Nessun pugna per te? Non ti difende
Nessun dei tuoi? L'armi, quà l'armi, io solo
Combatterò, procomberò sol io.
Dammi, o ciel, che sia fuoco
Agl'italici petti il sangue mio.

GIACOMO LEOPARDI
(1798–1837)

IL CASTELLO SPAGNUOLO SUL LAGO

Non tirava un alito di vento; il lago giaceva liscio e piano, e sarebbe parso immobile se non fosse stato il tremolare e l'ondeggiare leggiero della luna, che vi si specchiava da mezzo il cielo. S'udiva soltanto il fiotto morto e lento frangersi sulle ghiaie del lido, il gorgoglio piú lontano dell'acqua rotta tra le pile del ponte, e il tonfo misurato di quei due remi, che tagliavano la superficie azzurra del lago, uscivano a un colpo grondanti, e si rituffavano. L'onda, segata dalla barca, riunendosi dietro la poppa, segnava una striscia increspata, che s'andava allontanando dal lido. I passeggeri silenziosi, con la testa voltata indietro, guardavano i monti, e il paese rischiarato dalla luna e variato qua e là di grand'ombre. Si distinguevano i villaggi, le case, le capanne; il palazzotto di Don Rodrigo, con la sua torre piatta, elevato sopra le casucce ammucchiate alla falda del promontorio, pareva un feroce che ritto nelle tenebre, in mezzo a una compagnia d'addormentati, vegliasse, meditando un delitto.

I promessi sposi: Cap. VIII
ALESSANDRO MANZONI
(1785–1873)

L'INNO DI GARIBALDI

Si scopron le tombe, si levano i morti,
I martiri nostri sono tutti risorti.
Le spade nel pugno, gli allori alle chiome,
La fiamma ed il nome d'Italia nel cuor.

Veniamo! Veniamo! Su, o giovani schiere!
Su al vento con tutte le nostre bandiere!
Su tutti col ferro, su tutti col fuoco,
Su tutti col fuoco d'Italia nel cuor.

Va fuori d'Italia, va fuori ch'è l'ora,
Va fuori d'Italia, va fuori, o stranier!

LUIGI MERCANTINI
(1821–1872)

GARIBALDI

Molti ricordi di Garibaldi dimostrano la sua grande gentilezza d'animo. Una notte quando si trovava a fronte dodici mila soldati austriaci, egli, che non ne aveva che mille, si arrestò d'un tratto al soave canto di un usignuolo. Invano i suoi lo chiamavano tre volte, avvertendolo della presenza del nemico; il Generale rimase fisso ed attento alle note di quel suo amico della fanciullezza, come se non avesse altro per la mente. Né si riscosse né si mosse se non quando i vicini colpi della moschetteria nemica ebbero messo in fuga il gentile cantore.

Il 2 giugno 1882 stava morendo, e due capinere si posarono sul verone, alla finestra della sua stanza. Il vecchio eroe, guardandole affettuosamente, disse: "Lasciatele stare; sono le anime delle mie bambine morte che vengono a consolare il padre, ora che sta per morire; non fate loro mancare da mangiare, date loro del miglio, quando io non ci sarò piú."

Quando i mille Garibaldini atterrarono a Marsala, un gruppo di volontari s'era recato all'ufficio telegrafico per impedire che la notizia del loro arrivo fosse trasmessa al governo borbonico; essi arrivarono proprio nel momento in cui l'impiegato segnalava l'arrivo di due navi sarde con truppe da sbarco. Uno di quei giovani, pratico del servizio telegrafico, continuò il dispaccio a questo modo: "Mi sono ingannato, si tratta di due navi mercantili." Attese la risposta, che si ridusse ad una semplice ma eloquentissima parola: "Imbecille!" Poi tagliò il filo.

La Libertà

Senza libertà non esiste Morale, perché non esistendo libera scelta fra il bene e il male, fra la devozione al progresso comune e lo spirito d'egoismo, non esiste responsabilità. Senza libertà non esiste società vera, perché tra liberi e schiavi non può esistere associazione, ma solamente dominio degli uni sugli altri. La libertà è sacra come l'individuo, del quale essa rappresenta la vita. Dove non è libertà la vita è ridotta ad una pura funzione organica. Lasciando che la sua libertà sia violata, l'uomo tradisce la propria natura e si ribella contro i decreti di Dio. Non vi è libertà dove una casta, una famiglia, un uomo s'assuma dominio sugli altri in virtú di un preteso diritto divino, in virtú d'un privilegio derivato dalla nascita, o in virtú di ricchezza. La libertà deve essere per tutti e davanti a tutti.

Doveri dell'uomo
GIUSEPPE MAZZINI
(1805–1872)

Il Re Vittorio Emanuele II fu minacciato di scomunica nel 1860. Un suo ministro avvertí il re che per aver effetto verso un monarca le Bolle di scomunica dovevano essere consegnate proprio nelle sue mani.

"Allora, va bene," disse il re, calmo, "ora che sono avvertito, appena mi vedrò avvicinare da qualche prete che sembri volermi parlare, mi ficcherò le mani nelle tasche, e cosí non mi si potrà consegnare nulla."

Nello stesso anno Vittorio Emanuele si recò a Pisa per visitare la cattedrale. L'arcivescovo però, che non voleva riceverlo, fece finta di ammalarsi, e si mise a letto. Cosí quando il re, accompagnato da 30,000 persone, arrivò alla porta della cattedrale, non ci fu nessuno del clero a riceverlo. Il popolo si arrabbiò di questo affronto al loro re, e minacciava una brutta scena. Ma il re, vedendo che una porta laterale era rimasta aperta, andò tranquillamente verso quella, dicendo al suo seguito: "Amici, è per la porta stretta che si entra nel Paradiso."

CANTO POPOLARE DEL 1848

La bandiera di tre colori
È sempre stata la piú bella!
Noi vogliamo sempre quella,
Noi vogliam la libertà.

Molti epigrammi furono scritti in occasione della morte del celebre uomo di stato, Camillo Cavour. Il Cavour era stato costretto a decretare delle gravose imposte per poter affrontare le spese tremende delle guerre per la liberazione d'Italia. Uno degli epigrammi piú celebri diceva come segue:

Passegger, troppo vicino
A quest'urna non t'accosta;
Se si sveglia l'inquilino
Paghi subito un'imposta.

L'origine dei Colombi di Piazza San Marco a Venezia

Solevano le varie contrade e le varie confraternità di Venezia recare in dono al Doge, in certe solennità dell'anno, qualche regalo, o di frutta, o di focacce, o d'altre dolcezze consimili.

Tra questi regali, gli abitanti di non so quale parrocchia gli portavano un paio di colombi selvatici. Avvenne che una di queste coppie, piú avventurosa delle precedenti, riuscisse a svincolare le gambe dai legami che la stringevano, e, in luogo di passare dalle mani del Doge a quelle del cuoco, cercasse un asilo sotto le volte dorate della basilica bizantina. Il popolo non permise che i colombi fossero ripresi; gridò che fatti liberi una volta, e ricoverati sotto la protezione dei santi effigiati in mosaico sotto a quelle volte, dovevano essere considerati come sacri ed immuni.

Il Doge, per non esser da meno del popolo in questa espansione generosa dell'anima, decretò che la Repubblica s'incaricherebbe di somministrare l'alimento alla coppia emancipata ed ai figli nascituri. Il Senato confermò la deliberazione del Serenissimo Doge; e cosí prosperò d'anno in anno e di secolo in secolo quella fortunata famiglia, che presto divenne tribú e nazione numerosissima.

Il legato continuò ad avere il suo effetto fino alla fine del secolo scorso. Ogni giorno un sacco di grano era gettato ufficialmente ai privilegiati colombi. Ma la Repubblica cadde e la pia istituzione fu dimenticata colle altre piú serie.

Francesco dell'Ongaro
(1810–1873)

Proclama per la guerra del 1859

Popoli d'Italia!

L'Austria assale il Piemonte, perché ho perorato la causa della comune patria nei consigli d'Europa, perché non fui insensibile ai vostri gridi di dolore. Cosí essa oggi rompe violentemente quei trattati che non ha rispettati mai. Cosí oggi è intero il diritto della nazione, ed io posso in piena libertà sciogliere il voto fatto sulla tomba del mio magnanimo Genitore. Impugnando le armi per difendere il mio trono, la libertà dei miei popoli e l'onore del nome italiano, io combatto per il diritto di tutta la nazione.

Confidiamo in Dio e nella nostra concordia, confidiamo nel valore dei soldati italiani, confidiamo nella giustizia della pubblica opinione. Io non ho altra ambizione che quella di essere il primo soldato dell'Indipendenza Italiana.

Vittorio Emanuele II

Torino–1859

Dopo l'occupazione di Roma nel 1870, da parte delle truppe nazionali, e fino al 1929, anno del Concordato fra il Papa e lo Stato Italiano, il Papa si considerava "prigionero del Vaticano," che non lasciò mai.

Quando migliaia di Fascisti entrarono trionfalmente a Roma nel 1922, si credeva che volessero perfino entrare nel Vaticano e salutare il Pontefice. Il Cardinale Gasparri, Segretario di Stato, dette questa notizia al Papa, e, un po' preoccupato, chiese che cosa si doveva o poteva fare. Il Papa gli sorrise, osservando ironicamente: "Povero Gasparri, Lei non potrà dire che io non sono in casa."

D. LA LINGUA ITALIANA

Ai diversi paesi conquistati e governati dall'Impero Romano, Roma diede, oltreché le sue leggi, le sue arti ed i suoi costumi civili, anche una lingua comune: il latino. Nei territori piú remoti, o meno saldamente tenuti da Roma, non avvenne questa imposizione della lingua comune. Per esempio, né nella Gran Bretagna né nell'Africa settentrionale poté il latino prendere il posto delle lingue volgari.

Nei territori dove si parlava e si scriveva il latino questo si allontanò poco a poco dal latino classico di Cicerone e di Virgilio e diventò ciò che ora si suole chiamare il basso latino. Per esempio, nel latino classico non esisteva un articolo definito, in sostituzione del quale, nel basso latino, andò man mano in uso il pronome "ille." Poi, coll'andare del tempo, molte parole classiche sparirono e presero il loro posto parole popolari ed idiomi locali.

Alla caduta dell'Impero Romano nel 5° secolo, i territori che avevano subito piú a lungo e piú profondamente l'influenza di Roma soffrirono per questo distacco dalla cultura romana. In queste provincie, col tempo, vennero in uso diverse forme del basso latino, e queste forme caratteristicamente provinciali furono in seguito chiamate le lingue "romanze," dalle quali traggono origine le lingue che si parlano adesso nell'Italia, nel Portogallo, nella Spagna, nella Francia, nella Rumenia ed in una parte della Svizzera. In tutti questi paesi, però, il latino, piú o meno classico, pur non essendo piú adoperato nel linguaggio comune, restò come lingua ufficiale, e fu usata in tutti gli atti pubblici, in quegli dello stato e nelle pratiche religiose.

Nel 5° secolo cominciarono le invasioni dei barbari e con esse la decadenza della vita civile in tutta Italia, per cui le diverse regioni perdettero l'antica comunanza di cultura e di costumi. Ogni città ed ogni piccolo stato, vivendo isolati dal resto della penisola, cominciò a parlare un dialetto regionale, derivato dal latino ma divergendosene. Quindi, anche oggidí vediamo la sopravvivenza dei dialetti romano, siciliano, napoletano, toscano, veneziano, lombardo ecc.

Il latino, però, seguitò ad essere la lingua scritta per tutto il paese, fino al principio del 13° secolo. A quell'epoca c'era in Sicilia, sotto la dinastia degli Hohenstaufen, una corte ricca di cultura d'ogni specie e di opere poetiche. I poeti di questa corte, influenzati dalla gran voga della lirica provenzale, scrissero i loro poemi d'amore nella lingua siciliana, cioè in quella derivazione dall'antico latino basso che si parlava in quell'isola e nell'Italia meridionale. Questa lingua diventò cosí come una lingua letteraria per liriche d'amore, e fu conosciuta ed ammirata in tutta la penisola.

Nel 12° e nel 13° secolo si costituirono in Italia i ricchi Comuni, e crebbe lo scambio di merci e di idee per tutto il paese. I dialetti cominciarono lentamente a riavvicinarsi, a perdere alcune loro particolarità piú accentuate, ed a conservare e ad assimilare fra loro alcune forme latine che cosí ridiventarono di uso comune.

A Bologna la maniera dei Siciliani trovò seguaci, ma la poesia subí una trasformazione profonda; con Guido Guinizelli l'amore, da freddo e impersonale, si fece piú caldo, piú dolce, piú ardito. Sorse il cosí detto "dolce stil nuovo."

La Toscana, trovandosi nel centro del paese, naturalmente poteva facilmente estendere il suo dialetto alle regioni vicine, mentre l'importanza del commercio di città come Firenze e Pisa accrebbe la divulgazione della lingua toscana. Nel 14° secolo questa infatti ottenne la supremazia su tutti gli altri dialetti italiani.

Tre grandissimi scrittori, Dante Alighieri, Francesco Petrarca, e Giovanni Boccaccio scrissero in lingua toscana. Le loro opere, in poesia ed in prosa, furono conosciutissime in tutta la penisola e contribuirono grandemente al trionfo di quella che diventò la lingua letteraria italiana.

Non si deve dimenticare, però, che molti eruditi e letterati continuavano a scrivere sempre in latino, fino al 16° secolo.

Durante il periodo del Rinascimento (15° e 16° secolo)

essendo piú attivi gli scambi commerciali e culturali fra tutte le parti dell'Italia, tutti ricorsero all'uso della lingua toscana, perché piú divulgata, e cosí la supremazia di questo dialetto, anche come lingua parlata, fu saldamente stabilita.

Oggi in Italia si dice che se si vuol sentire parlare la pura lingua italiana bisogna andare in Toscana, non necessariamente a Firenze, dove la purezza del toscano è qualchevolta un po' sciupata da un certo accento caratteristicamente fiorentino, ma a Siena, e nella campagna senese dove si sente parlare perfettamente la bella lingua toscana.

La lingua toscana

Se t'accadrà, fin che sei giovane, di fare un soggiorno breve o lungo in Toscana, sarà per te una buona fortuna, perché, volendo, imparerai là in un mese dalla voce della gente piú che in un anno altrove dallo studio dei libri. Se questa fortuna non avrai, t'occorrerà senza dubbio, nella tua o in altre città d'Italia, di conoscere e di frequentare toscani. Ebbene, ti raccomando fin d'ora d'ascoltarli sempre con gli orecchi bene aperti, e di studiare attentamente il loro linguaggio, in special modo se saranno fiorentini. Non soltanto molto materiale di lingua potrai imparare da loro, essendo gran parte dell'uso fiorentino presente, come tutti sanno, l'uso fiorentino antico, che diventò lingua letteraria comune a tutta l'Italia; ma, quello che piú importa, la proprietà, la spontaneità, la prontezza dell'espressione, che principalmente mancano a noi nel parlare. . . .

E anche nel parlare di quelli che non hanno cultura nessuna, osserverai certi modi di legare le proposizioni, certe forme armoniche di sintassi, certe abbreviature di frase efficacissime, che negli scrittori ti parrebbero effetti di arte meditati, e sono pregi naturali del loro linguaggio. . . . Se andrai in Toscana, tu t'immergerai, nuoterai con piacere infinito in quell'onda di lingua viva e pura, alla cui armonia ti parrà che consuoni quella che spira nelle linee dei monumenti di arte meravigliosi che ti sorgeranno d'intorno; e ti parranno dolci anche quegl'idiotismi di pronunzia che prima deridevi, quando penserai che sonarono pure sulle labbra di scrittori e d'artisti immortali che il mondo venera; e con l'amore della lingua e con l'ammirazione dell'arte nascerà nel tuo cuore un sentimento di gratitudine affettuosa e profonda per quel popolo, primo custode del tesoro della nostra parola, dotato d'ogni facoltà piú gentile, e del piú squisito senso della bellezza; di quel popolo al quale dobbiamo tanta parte della nostra gloria. . . .

L'idioma gentile
EDMONDO DE AMICIS
(1846–1908)

DANTE

Dante ha fatto piú per l'Italia, per la gloria e per l'avvenire del nostro popolo, che non dieci generazioni d'altri scrittori e d'uomini di stato. Gli stranieri piú vogliosi di vilipenderci e dichiararci per sempre impotenti s'arretrano quasi con terrore davanti a quel nome che né secoli, né viltà di servaggio, né tirannia di stranieri, o di principi nostri hanno potuto o potranno mai cancellare. La terra che ha fecondato un'anima cosí potente è terra singolare e cova una vita che non può spegnersi. Tutti gli ingegni italiani che scrissero virilmente e giovarono al progresso dell'idea nazionale trassero gran parte della loro ispirazione da Dante. Dante puo riguardarsi come il padre della nostra lingua: egli la trovò povera, incerta, fanciulla, e la lasciò adulta, ricca, franca, poetica; scelse il fiore delle voci e dei modi di tutti i dialetti, e ne formò una lingua comune che rappresenterà un giorno fra tutti noi l'unità nazionale, e la rappresentò in tutti questi secoli di divisione, in faccia alle nazioni straniere. Dante fu grande come poeta, grande come pensatore, grande come politico nei tempi suoi, grande oltre tutti i grandi, intendendo meglio d'ogni altro la missione dell'uomo italiano; riuní teoria e pratica, potenza e virtú.

Pensiero ed azione
GIUSEPPE MAZZINI
(1805–1872)

E. LA MUSICA ITALIANA

Origini della Musica.—Nel 4° secolo dopo Cristo il santo vescovo di Milano, *Ambrogio*, istituí la recitazione corale della salmodia sacra in chiesa, per confortare i fedeli in tempo di persecuzione. E fu Ambrogio a precisare la tonalità della musica ecclesiastica.

Nel 5° secolo un altro italiano, *Boezio*, scrisse i cinque libri di studio musicale, libri che sono rimasti testi accademici in questa materia fino ai nostri giorni—e da questi libri si apprese la nomenclatura alfabetica della notazione musicale.

Fin dai primi tempi la chiesa esercitò una notevole influenza nel campo dell'istruzione musicale e nell'educazione del gusto popolare. Già nel 4° secolo *S. Silvestro* fondò una scuola di canto a Roma e l'insegnamento ricevette nuovo impulso dall'arrivo dei Benedettini espulsi da Monte Cassino dagli invasori lombardi. Il Papa *Gregorio Magno* protesse i cantori el incoraggiò la scuola. Allo stesso Papa si deve la delineazione dell'ottava e lo sviluppo del canto, chiamato gregoriano, ancor oggi musica tradizionale della chiesa. A *Guido d'Arezzo*, nel 12° secolo, dobbiamo il nostro sistema moderno di notazione per mezzo di neumi.

L'Accademia Filarmonica di Bologna è stata per molti secoli centro europeo dell'erudizione musicale.

Il Canto

Cosí, nell'insegnamento del canto l'Italia acquistò la sua supremazia fin dal 4° secolo, una supremazia quasi incontestata. Le ragioni di questa preminenza si devono trovare nell'adattabilità al canto della lingua italiana, colle vocali pure e l'assenza di consonanti finali, e anche nel grande sviluppo del canto corale della chiesa, centro del quale studio fu la chiesa madre di Roma. Infatti due forme supreme dell'arte corale, l'opera e l'oratorio, ebbero origine in Italia.

Palestrina.—Nel 16° secolo la musica ecclesiastica aveva perduto molta solennità per l'intrusione di melodie popolari e profane cantate anche come parte del Sacro Ufficio. Fu il *Palestrina* (1525–1594) che salvò la dignità della musica di chiesa, scrivendo le sue belle ed armoniose Messe che furono accolte con entusiasmo tanto dal clero quanto dal popolo.

L'Oratorio.—Alla fine del 16° secolo apparve il primo Oratorio scritto per l'Oratorio della Confraternità di San Filippo Neri a Roma. Questa nuova forma di composizione musicale ebbe pieno successo, e fu sempre chiamata col nome di Oratorio, in omaggio al luogo della prima recitazione. I piú rinomati Oratori moderni sono quelli di *Don Lorenzo Perosi,* nato nel 1872, tuttora Direttore della Cappella Sistina a Roma.

L'Opera

Nella stessa epoca (16° secolo) furono scritti moltissimi madrigali, liriche amorose con accompagnamento musicale, ed in seguito le prime Opere, ispirate dallo studio della tragedia greca e dall'idea di un suo supposto accompagnamento musicale. Questo studio fu seguito con passione dal gruppo fiorentino che si soleva riunire in casa del Conte Bardi a Firenze. Eminente fra questo gruppo di musicisti eruditi era il vecchio Galilei, padre dell'astronomo. La prima Opera della quale conserviamo e parole e musica è l'"Euridice" del *Peri,* che fu rappresentata con molto fasto a Firenze nel 1600.

Il primo teatro dell'Opera fu aperto a Venezia nel 1637. Vi fu in Italia una lunga serie di creatori geniali di questa forma d'arte cosí cara agli italiani di ogni regione e di ogni ceto sociale. Nominiamo alcuni fra i piú importanti:

Il Monteverdi (1567–1643) fu il grande pioniere dell'armonia moderna. Già autore prolifico di madrigali, vide nella forma drammatica dell'Opera un mezzo piú attraente di espressione. Il suo "Orfeo" è la piú importante Opera del 17° secolo. Fu seguito dal *Pergolesi* (1710–1736), che scrisse la prima "opera buffa," "La Serva Padrona," ed anche la bellissima composizione sacra: "Stabat Mater."

Poi vennero:

Cimarosa (1749–1801)	Verdi (1813–1901)
Cherubini (1760–1842)	Ponchielli (1834–1886)
Spontini (1774–1851)	Boito (1842–1918)
Rossini (1792–1868)	Leoncavallo (1858–1919)
Donizetti (1797–1848)	Puccini (1858–1924)
Bellini (1801–1835)	

Dei tempi nostri sono il *Mascagni*, il *Wolf-Ferrari*, il *Respighi*, il *Malipiero*, il *Castelnuovo-Tedesco*, e lo *Zandonai*. Altri nomi famosi nella musica italiana sono quelli di *Girolamo Frescobaldi* (1583–1644), compositore per organo, e i due *Scarlatti*, Alessandro (1659–1725) e Domenico (1685–1757). Alessandro fu il fondatore della scuola musicale napoletana, ed il vero iniziatore dell'arte del "bel canto," che doveva avere piú tardi risultati funesti per l'ulteriore sviluppo delle qualità drammatiche intrinseche dell'Opera. Domenico Scarlatti creò la sonata per clavicembalo.

Rossini e il riso

Una volta, all'ultima prova della sua opera "Tancredi,' il Rossini ebbe una scena irosa colla prima donna, che rifiutò assolutamente di cantare una sua cavatina. Pregò il Maestro di scriverle subito un'altr'aria. Il Rossini tornò a casa molto irritato e si sedette al cembalo. Il cameriere, sentendolo entrare in casa, domandò se avesse dovuto gettare il riso nella pentola di acqua bollente, sapendo che per questo non occorrevano che cinque minuti di cottura. "Sí, sí," rispose il Maestro distrattamente. Ma prima che i cinque minuti fossero passati si rialzò tutto soddisfatto. Aveva composto la famosa aria: "Di tanti palpiti," la quale, per le strane circostanze della sua creazione, fu chiamata "l'aria dei risi."

Rossini e l'insalata

Il Rossini, scrivendo alla celebre cantante che poi diventò sua moglie, descrisse il gran successo dell' opera "Il Barbiere di Siviglia":

"Il mio Barbiere guadagna di giorno in giorno. La sera non si ode nelle vie che la serenata d'Almaviva. L'aria di Figaro: "Largo al Factotum della Città" è il cavallo di battaglia di tutti i baritoni. Le fanciulle si addormentano sospirando: "Una voce poco fa," e si risvegliano con "Lindoro mio sarà."

Poi passò a descrivere una nuova insalata che gli piace molto: "Ma ciò che m'interessa ben altrimenti che la musica, cara, è la scoperta che ho fatto di una nuova insalata della quale mi affretto inviarti la ricetta. Prendi olio di Provenza, senape inglese, aceto francese; un poco di limone, del pepe e del sale; sbatti bene insieme il tutto; poi aggiungi alcuni tartufi tagliati a pezzetti. Questi tartufi danno al condimento una tale fragranza. . . . Il Cardinale Segretario di Stato, del quale ho fatto la conoscenza in questi ultimi giorni, mi ha dato per questa scoperta la sua benedizione apostolica."

Carducci e Verdi

Una sera Giosué Carducci stava seduto pensieroso sulla terrazza di una casa a Genova, mentre Giuseppe Verdi suonava al pianoforte. Dopo un po' il Verdi smise di suonare e venne vicino al poeta. Per molto tempo nessuno dei due parlò. Poi il Carducci, quasi per esprimere la sua commozione interna, esclamò: "Io credo in Dio," ed i Verdi fece segno di sí colla testa.

F. ALCUNI GRANDI SCIENZIATI ITALIANI

Anche nel campo delle scienze l'Italia ha avuto i suoi grandi uomini, che godono di una fama mondiale.

Nel primo periodo del Rinascimento giganteggia la figura del geniale toscano, *Leonardo da Vinci* (1452–1519), pittore, scultore, ingegnere, matematico, botanico, zoologo ed anatomista. Studiò la vita delle piante, delle quali capí la struttura ed i bisogni vitali. Notò le funzioni organiche delle radici e delle foglie, e l'azione del sole, dell'acqua e dell'aria. Il corpo umano gli rivelò tutti i segreti dell'anatomia e la forza delle membra e dei muscoli. I manoscritti lasciati da Leonardo dimostrano l'interesse inesauribile col quale studiava tutti i rami della scienza, e la sua capacità inventiva precorritrice. Fu uno dei primi a prevedere la conquista dell'aria per mezzo di velivoli disegnati ed operati da uomini. Fu uno dei piú grandi geni universali della sua epoca.

Verso la fine di questo periodo glorioso per l'Italia in tutti i campi delle arti e delle scienze apparve il pisano *Galileo Galilei* (1564–1642), il primo scienziato moderno, perché il primo ad applicare logicamente e costantemente a tutti i problemi della fisica il metodo sperimentale. Perfezionò l'invenzione del telescopio, e con questo poté scoprire le montagne della luna, le macchie solari, le stelle che compongono la Via Lattea, i satelliti di Giove ed altri fenomeni astronomici. Riuscí cosí ad attestare la verità della teoria di Copernico, cioè che il sole rimane immobile nel centro dell'universo e che la terra ha un suo moto diurno di roteazione. Tutti sanno la storia della sua condanna dalle autorità del tribunale dell'Inquisizione, e della sua ritrattazione, e la leggenda delle parole mormorate sottovoce: "Eppure si muove." Oltre ai suoi studi astronomici Galileo scoprí l'isocronismo del pendolo, determinò il peso specifico dei corpi solidi, ed inventò la bilancia idrostatica ed una forma primitiva del termometro. Si dice che quando era ancora studente all'Università di Pisa un giorno osservò che le oscillazioni di una lampada nel Duomo avevano sempre la stessa durata, malgrado la graduale diminuzione della loro estensione. Da questa osservazione trasse motivo per applicare il pendolo agli orologi.

Nelle Università italiane fervevano, dopo il Rinascimento, gli studi scientifici. Il *Torricelli*, seguendo le orme del Galilei, inventò il barometro. Il *Malpighi* continuò gli studi botanici iniziati da Leonardo, e fondò l'istologia, la scienza che tratta della struttura dei tessuti animali e vegetali.

Nel secolo decimottavo il grande *Galvani* (1737–1798) all'Università di Bologna, investigò le contrazioni muscolari delle gambe delle rane, scorticate di fresco, in contatto con l'elettricità; cosí scoprí la corrente elettrica. Quindi l'origine di parole inglesi come "galvanise," ecc. E anche la parola "volt" viene dal nome di un grande genio italiano, *Alessandro Volta*, il quale, continuando delle ricerche sull'elettricità, arrivò ad inventare la pila ed il condensatore.

Famosissimo nei nostri tempi è il nome di *Guglielmo Marconi*, inventore della telegrafia senza fili, che ha rivoluzionato lo sviluppo della scienza moderna, con risultati di portata ancora imprevedibile.

Fra altri scienziati moderni nominiamo l'astronomo *Giovanni Virginio Schiaparelli* (1835–1910), il chimico *Stanislao Cannizzaro* (1826–1910), il botanico *Federico Delpino* (1833–1905), e lo zoologo *Giovanni Battista Grassi* (1854–1925), iniziatore della profilassi anti-malarica nell'Agro Romano, che riuscí ad identificare il genere (anopheles) delle zanzare malarigene.

G. STORIA DELL'ARTE ITALIANA

Nessun altro paese può contestare all'Italia il primato che gode nella storia dell'arte dell'Europa occidentale come nessun altro paese può vantare tante opere d'arte, tante gallerie e collezioni famose, senza contare le infinite chiese, i conventi, i palazzi, le torri, i ponti e le fontane che adornano le sue contrade e testimoniano ancora il genio artistico dei suoi figli.

Nel Medio Evo l'arte si prodigava specialmente nel tentativo di abbellire gli edifici ecclesiastici, i palazzi comunali, le Case delle Arti, ed i mercati pubblici. Poi, col nuovo impulso dato alla cultura dal Rinascimento e coll'aumento delle ricchezze individuali, ogni cittadino benestante si costruí un bel palazzo, ed una graziosa villa in campagna, arricchendoli di oggetti d'arte. I grandi signori raccolsero quelle collezioni di statue, di quadri, di gioielli, di sculture e d'intarsi, che sono rimaste famose in tutta Europa. Sarebbe impossibile, nello scopo modesto di questo sommario, enumerare l'enorme elenco di artisti famosi che glorificarono l'Italia per molti secoli. Posso accennare soltanto ad alcuni fra i piú celebri, ed indicare le linee generali dello sviluppo delle arti.

L'Architettura

Le prime chiese cristiane a Roma sono state costruite ad imitazione della basilica romana, cioè in forma semplice quadrangolare con due file di colonne laterali. Nel 6° e nel 7° secolo elementi bizantini vennero aggiunti alla forma primitiva, l'abside venne ingrandita e la facciata abbellita con ricchi mosaici. I piú begli edifici dell'epoca bizantina si trovano a Ravenna, ultima fortezza del moribondo impero romano in Italia. Famosissime sono le chiese di Sant'Apollinare in Classe, e di San Vitale, la tomba di Galla

Placidia, l'ultima "Augusta" romana, e quella del saggio ré gotico Teodorico. Quest'ultima tomba è di stile romano.

Nel primo Medio Evo troviamo lo stile lombardo (arco a pieno centro sostenuto da pilastri a fascio) nel settentrione a Milano, a Brescia ed a Pavia; nel Veneto troviamo ancora lo stile bizantino, del quale l'esempio piú famoso è la chiesa di San Marco a Venezia. Nel centro d'Italia lo stile romanico è manifesto nella chiesa di San Frediano a Lucca, in quella di San Miniato a Firenze, nel Duomo, nel Battistero e nel Campanile di Pisa. È di quest'epoca il Camposanto di Pisa, che deve però tanta parte della sua gloria agli affreschi dipinti sui muri. La chiesa di Sant'Ambrogio in Milano è un vero gioiello di stile romanico. In questa chiesa Sant'Agostino fu battezzato dal santo vescovo Ambrogio. Altre bellissime chiese ad imitazione dello stile pisano furono costruite nel 13°e nel 14° secolo in diverse città della Toscana.

Nella Sicilia e nell'Italia meridionale, col predominare dei Normanni e dei Saraceni, si è avuta la parziale fusione dei due stili. Esempio caratteristico ne è la bella Cappella Palatina a Palermo, costruita in puro stile normanno ma con decorazioni di stile orientale, e con iscrizioni saraceniche.

Lo stile gotico in Italia fu molto inferiore al gotico francese. Gli architetti italiani non dimostrarono una comprensione perfetta dell'arco acuto che non sapevano utilizzare strutturalmente. Però di stile gotico sono i bellissimi chiostri di San Giovanni in Laterano e di San Paolo fuori le Mura a Roma. Capolavoro gotico è pure il famoso Campanile di *Giotto* a Firenze. Il Duomo di Milano, per quanto grande e magnifico, non è un'opera di pura arte gotica, e la Chiesa di San Francesco in Assisi deve gran parte della sua rinomanza alle decorazioni interne. Le migliori espressioni dello stile gotico si trovano nell'architettura domestica, nei graziosi palazzi di Venezia e di Firenze, e nei palazzi comunali di Perugia e di Siena.

Il 15° secolo, secolo del *Rinascimento,* fu il periodo aureo per le arti italiane. Il primo grande architetto fu il *Brunelleschi.* Studiò per molti anni i monumenti di Roma antica, e, venuto a Firenze nel 1410 per completare il Duomo di *Arnolfo di Cambio*, costruí ivi una magnifica cupola, simile a quella del Pantheon. Nella stessa città edificò anche la chiesa di San Lorenzo, che contiene il mausoleo Mediceo, e quella di Santo Spirito.

La scoperta, in un monastero svizzero, del trattato di architettura dell'ingegnere romano *Vitruvio* (circa 25 a.C.) dette nuovo impulso agli artisti, che studiarono con vivo entusiasmo i principii della costruzione greca e romana. Dopo il Rinascimento, l'edificio non è piú l'opera di un gruppo di artisti che lavorano insieme per un unico scopo (maestri muratori, scultori, mosaicisti, pittori, ecc.), ma il frutto della maestria di bravi muratori che lavorano sui disegni di un architetto, al quale in questo modo va tutto il merito dell'opera.

Leon Battista Alberti, ingegnere, matematico, architetto, prosatore, fu davvero un genio universale. Fra le sue opere notiamo la facciata della Chiesa di San Francesco a Rimini, che convertí in tempio Malatestiano, e l'immensa chiesa di Sant'Andrea a Mantova. Il *Bramante* cominciò i lavori per la Chiesa colossale di S. Pietro a Roma e disegnò la bella "Consolazione" a Todi. Dopo il Bramante il *Sangallo* continuò a lavorare per la Chiesa di San Pietro, seguito poi da *Michelangelo* che ne modificò alquanto il disegno. Michelangelo costruí anche la nuova sagrestia della Chiesa di San Lorenzo a Firenze, e l'arricchí delle statue di Lorenzo e di Giuliano dei Medici, e delle figure enimmatiche della Notte e del Giorno, dell'Alba e del Crepuscolo.

Nell'architettura profana il nuovo stile del Rinascimento ebbe molto successo, soprattutto a Firenze dove si possono ammirare i bei palazzi di *Michelozzo*, di *Benedetto da Maiano*, del *Cronaca*, e del *Sangallo*, costruiti per le famiglie Medici, Strozzi ed Antinori. Verso la fine del 15° secolo, nell'architettura domestica di Venezia, si hanno i migliori esempi dello stile del Rinascimento. I migliori artisti furono membri della famiglia dei *Lombardi*, costruttori del grazioso Palazzo Vendramin sul Canal Grande. La Libreria di San

Marco è il capolavoro del *Sansovino*. Il *Longhena* disegnò la Chiesa della Salute ed il Palazzo Rezzonico.

A Roma numerosi palazzi si devono ai disegni di Michelangelo, del Bramante, del Sansovino e del Sangallo.

Nel 16° secolo i due grandi nomi sono il *da Vignola* ed il *Palladio*, che ebbero un'influenza tanto diffusa sull'architettura europea. Esempi dell'arte del Palladio si trovano nella sua città di Vicenza, in altre città del Veneto, e nelle ville signorili delle campagne circostanti.

A quest'epoca appartengono i palazzi di Ferrara e di Genova, questi ultimi famosi per i loro vestiboli e scaloni di marmo bianco.

L'architettura moderna italiana segue le norme razionali dettate dalle scuole internazionali e dalle esigenze della vita contemporanea, priva di forme caratteristiche di pregio speciale.

La Scultura

La prima scultura italiana si trova su alcuni sarcofaghi di marmo lavorati da artisti cristiani nel 4° secolo. I *bassorilievi* sono la forma primitiva della scultura, perché le statue furono considerate una forma di arte pagana che poteva condurre all'idolatria. L'unica eccezione notevole è la grande statua in bronzo di San Pietro, probabilmente del 5° secolo, nella Basilica di San Pietro a Roma. Verso la metà del 6° secolo fu scolpito il magnifico trono vescovile d'avorio, ancor' oggi a Ravenna. Pure a Ravenna, e del periodo dell'imperatore Giustiniano, si trovano molti lavori di scultura in marmo, di stile naturalistico, raffiguranti piante, pavoni, colombe ecc. Dal 6° al 12° secolo, però, predominò *l'arte bizantina* che mostrava le stesse caratteristiche convenzionali in tutti i paesi europei. Era un'arte puramente decorativa, basata sul largo uso di metalli preziosi e di mosaici. Fu caratterizzata da un rigido formalismo di figure e di atteggiamenti.

Ma in Italia non si poteva del tutto soffocare l'antica tradizione classica, e nel 12° secolo vediamo un rinato *vigore classico* nelle sculture di *Niccolò Pisano* 1208–1278. Suo figlio *Giovanni*, 1250–1328, fece lavori piú naturalistici ed improntati al nuovo *spirito gotico*, spirito di pietà e di tenerezza. Ma i piú grandi scultori gotici del 12° e del 13° secolo furono francesi e tedeschi, non italiani.

Durante il 14° secolo Firenze ed altre città toscane furono i maggiori centri della scultura italiana. A Milano ed a Pavia gli artisti imitavano i modelli toscani. A Verona ed a Venezia si notava piú l'influenza francese e quella tedesca. Roma non poteva vantare alcuno scultore proprio, ma si doveva arricchire delle opere di eminenti fiorentini come *Mino da Fiesole* ed il *Pollaiuolo* che si stabilirono nella città eterna.

A Firenze, centro d'attività artistica nel 14° e nel 15° secolo, vediamo l'influenza di *Giotto*, che fu grande tanto come scultore quanto come pittore. Bellissimi sono i suoi bassorilievi sul Campanile a Firenze, monumento che attesta il suo genio di architetto e di scultore. Alcuni di questi bassorilievi furono scolpiti dal suo scolaro *Andrea Pisano*, di cui però l'opera principale è la porta di bronzo, nel lato sud del Battistero di Firenze. L'ultimo grande scultore gotico è *l'Orcagna* (1308 c.–1368) che fu valentissimo come orefice, pittore, scultore ed architetto. Il suo capolavoro è il tabernacolo di Orsammichele a Firenze.

Lorenzo Ghiberti (1378–1455) è il primo grande scultore del *Rinascimento*, creatore delle famose porte di bronzo del Battistero di Firenze, che Michelangelo proclamò degne di essere le porte del Paradiso. La minuzia delle scene squisitamente lavorate rivela la sua destrezza da orefice. Il lavoro del senese *Jacopo della Quercia* (1374–1438), dimostra una robustezza d'invenzione e di forme che lo annuncia vero precursore di Michelangelo. Nella scena dell'Espulsione dal Paradiso nella Chiesa di San Petronio a Bologna si vede la stessa potenza immaginativa e lo stesso realismo che si ammirano nel quadro raffigurante lo stesso soggetto dipinto dal grande innovatore *Masaccio* nella Cappella Brancacci del Carmine di Firenze.

Donatello (1386–1466) combina un gran vigore plastico con molta grazia. Le sue "silhouettes" sono particolarmente attraenti per la tenerezza delle loro linee. Belli e maestosi sono il suo grande San Giorgio a Firenze, e il giovane Davide guerriero. *Luca della Robbia*, capo di una famiglia di scultori lavoranti in terracotta, rivela un'eccezionale purezza di stile e di pensiero.

Sotto l'influenza potente di Donatello lavoravano i bravissimi scultori *Mino da Fiesole*, *Rossellino*, *Benedetto da Maiano* e *Desiderio da Settignano*, tutti dotati di una grande serenità di sentimento religioso. La loro arte, un po' manierata ma sempre delicata e graziosa, adorna numerosissime tombe, sarcofaghi, bassorilievi murali e tabernacoli, tutti di forma squisita. A quest'epoca appartengono le grandi statue equestri di due famosi Condottieri, quella del Gattamelata a Padova, opera di Donatello, e quella del Colleoni a Venezia, opera del Verrocchio, famoso pure per i suoi bei ritratti fiorentini, ora nel Bargello.

A Lucca si trova il fine lavoro del *Civitali*, ed a Rimini, nel Tempio Malatestiano, le graziose sculture allegoriche di *Agostino di Duccio*. A Roma sono le tombe papali scolpite da *Antonio del Pollaiuolo*.

Finalmente abbiamo *Michelangelo Buonarroti* (1475–1564), il primo grande scultore moderno, di carattere intraprendente ed orgoglioso, di genio incontestabile. Innalzò l'arte ai piú alti fastigi, ma la sua influenza era cosí vasta e durevole che gli innumerevoli imitatori del suo stile dovevano portare la scultura ad un rapido declino. A Firenze è il suo colossale Davide, e, nella Cappella Medicea in San Lorenzo, ci sono le statue di Lorenzo e di Giuliano dei Medici e le figure simboliche che ne adornano le tombe. La sua famosa Pietà è nella Basilica di San Pietro a Roma. Chi guarda la grazia quasi sovrumana di questo gruppo stenta a credere che il giovane scultore non avesse che 25 anni quando la creò.

Nel 16° *secolo* il gusto artistico subisce un peggioramento, ed anche la scultura degenera in un formalismo senz' anima.

Però abbiamo i due grandi artisti: *Giovanni da Bologna*, (Jean de Douai), e *Benvenuto Cellini*. Tutti conoscono il Mercurio di Giovanni, nel Bargello di Firenze, ed il Perseo del Cellini nella Loggia dei Lanzi. Del Cellini si possono pure ammirare molti oggetti d'oro e d'argento riccamente lavorati. La sua vita ci è rivelata nella fantastica autobiografia che ci lasciò.

Al principio del 17° *secolo*, epoca della funesta dominazione spagnuola, fiorí lo stile barocco a Roma, colle opere numerosissime del napoletano *Bernini* (1598–1680) e dei suoi seguaci, fra i quali il piú abile fu il *Maderna* (1571–1636). Il 18° *secolo* vide dappertutto un ritorno agli ideali classici dell'arte, e centro di questo movimento fu naturalmente Roma, dove il *Canova* (1757–1822) godette una popolarità immensa esercitando un'influenza preponderante su tutti i suoi contemporanei, alcuni dei quali di talento molto mediocre.

Verso la metà del 19° secolo l'influenza di *Lorenzo Bartolini*, 1777–1850, favorí un ritorno ad un'arte piú naturalistica, e promosse una reazione contro la tirannia classica. A Napoli ed in Sicilia continuava durante il 19° secolo la voga di questa "scuola naturalistica," con molti valenti scultori.

La Pittura

L'Italia non ebbe pittori eminenti prima della metà del 13° secolo. Lo stile prevalente allora in Italia, come negli altri paesi d'Europa, era quello bizantino, basato sui principii che venivano da Costantinopoli e che si ispiravano all'arte del mosaico.

Il primo grande pittore è il toscano *Giotto* (1266–1337) che studiò nella bottega fiorentina del suo maestro *Cimabue*. Era di carattere buono e gioviale, e si guadagnò molta fama come architetto, scultore e pittore. I suoi migliori affreschi sono nella Cappella degli Scrovegni, detta dell'Arena, a Padova, nella Chiesa di San Francesco ad Assisi ed in Santa Croce a Firenze. Le sue scene religiose hanno un vivo elemento drammatico, e le sue figure una nuova robustezza e naturalezza di forma. Fu il primo a romperla definitivamente colle fredde convenzioni dell'arte bizantina. Fra i suoi seguaci sono i fiorentini: *Taddeo Gaddi*, *Agnolo Gaddi*, e *Andrea Orcagna*, famoso anche come architetto, scultore ed orefice. Nel frattempo i pittori religiosi di Siena formavano una scuola a parte, con le loro opere piene di tenerezza melanconica e di sognante pietà. Principali fra questi furono *Duccio* (1260—1318), *Simone Martini* (1285–1344), il *Memmi* ed i *Lorenzetti*. *Ambrogio Lorenzetti*, morto nel 1348, fu il piú compito dei pittori primitivi.

Fra Angelico da Fiesole, un mite monaco domenicano, (1387–1455) riassume nei suoi affreschi tutte le migliori qualità di questo periodo dell'arte religiosa. Dimostra la naturalezza della scuola toscana insieme al fervore religioso e mistico della scuola umbra. I suoi piú bei lavori furono dipinti sui muri del convento di San Marco a Firenze, convento dove piú tardi abitò il grande ed austero Savonarola. Le pitture di Fra Angelico hanno colori freschi e chiari ed una nettezza di disegno come quella dei messali dei monaci illuminatori.

In *Masaccio* (1402–1429), toscano anch'egli, troviamo il primo pittore umanista, il padre della pittura moderna. Nei suoi affreschi della Cappella Brancacci del Carmine a Firenze vediamo un ardito tentativo di dipingere dalla natura e dal nudo, unito ad una espressione vigorosa ed immaginativa. Famose sono le scene della fuga di Adamo e di Eva dal giardino dell'Eden, scene che furono probabilmente ammirate dal poeta Milton, quando passò per il quartiere d'Oltrarno per andare a visitare Galileo ad Arcetri, e già meditava il suo "Paradiso Perduto." La scena del Tributo ha una figura maestosissima di Cristo. Leonardo da Vinci disse che tutti i pittori dovevano recarsi al Carmine a vedere queste "opere perfette," che insegnano lo studio della Natura, " la Maestra di tutti i Maestri."

Durante il *Quattrocento* egregi pittori lavoravano in diverse regioni d'Italia, tutti influenzati dal nuovo impulso dato dal Rinascimento, tutti amanti della bellezza naturale, e studiosi dell'antichità. La scuola piú famosa era quella di Firenze. Qui enormi progressi furono fatti nel campo della prospettiva, della geometria, dell'anatomia, nell'uso del chiaroscuro, e nell'arte ritrattistica.

Filippo Lippi (1406–1469) fu pittore di scene religiose di grazia soave ed idillica. *Sandro Botticelli* (1447–1510) fu profondamente commosso dalla nuova rivelazione umanistica della bellezza del mondo naturale, ma fu reso melanconico da un forte sentimento religioso, amareggiato dalle prediche ascetiche dell'austero domenicano Savonarola. Trattò temi classici e mitologici con somma grazia ed abilità, ed introdusse un nuovo elemento di misticismo intellettuale nei suoi quadri religiosi. Famosi sono quelli intitolati: "La Nascita di Venere," "La Primavera," e "La Madonna del Magnificat."

Benozzo Gozzoli (1420–1498) dipinse nella Cappella del Palazzo Mediceo a Firenze i suoi affreschi ricchi di particolari decorativi, e di colori sfarzosi. *Piero di Cosimo,* una specie di primitivo ritardato, dimostrò nondimeno un amore singolare per i temi della mitologia classica. Uno spirito piú intraprendente si manifesta nell'opera di *Paolo Uccello* (1397–1475), che dedicò molto tempo allo studio della legge della prospettiva. *Andrea del Castagno* fu un pittore forte ed originale, come si rivela nel suo Cenacolo di Firenze. *Antonio Pollaiuolo* eccelleva negli studi anatomici. Il *Bronzino* fu ritrattista valente.

Nella seconda metà del Quattrocento abbiamo, sempre a Firenze, i pittori *Andrea del Verrocchio* (1435–1488), grande anche come scultore, e *Domenico Ghirlandaio* (1449–1494), affreschista eccezionale per l'abbondanza e la varietà dei suoi lavori, e per la grazia del suo stile.

Al principio del Cinquecento lavoravano ancora *Fra Bartolommeo* e *Andrea del Sarto,* che portarono ad una perfezione un po' rettorica l'armonia dei colori e delle forme.

A *Siena* i pittori, meno toccati dalle nuove correnti del Rinascimento, continuavano ad esprimere gli ideali del Trecento, ed il Quattrocento vide il lento decadimento della graziosa e raffinata pittura senese. Ma in altre parti dell'*Umbria* e della *Toscana* *Pier della Francesca* (1416—1492), *Melozzo da Forlí* (1438–1492) e *Luca Signorelli* (1450–1523) mostrano un potente spirito di osservazione e di studio, e nuove energie costruttive. La dignità monumentale dell'arte di Pier della Francesca si vede in tutto il suo splendore negli affreschi della Chiesa di San Francesco ad Arezzo, e nel meraviglioso Cristo Risorto a San Sepolcro, suo borgo natio. Melozzi da Forli andò a Roma e vi fondò la scuola romana di pittura. Il Signorelli era un anatomista senza pari, come dimostrano i suoi affreschi stupendi del Giudizio Universale nel Duomo d'Orvieto.

Il *Perugino* (1446–1524), maestro del grande Raffaello, rivela un delicato sentimento religioso unito ad una grazia soavissima ed un po' monotona. I suoi santi si delineano su uno sfondo di deliziosi paesaggi umbri. Un altro toscano che andò ad insegnare a Roma fu il *Pinturicchio*, pittore di Vergini e di putti graziosissimi, dall'espressione un po' agrodolce. La Biblioteca Piccolomini a Siena contiene le scene ricche e pittoresche dell'incoronazione di Pio II, Papa senese.

Nel *nord d'Italia* il Quattrocento vide il sorgere di nuove e fiorenti scuole. *Andrea Mantegna* (1431–1506), che aveva imparato molto dallo scultore fiorentino Donatello, lavorò a Padova ed esercitò una grande influenza sulla pittura veneziana. A Ferrara ci furono i forti pittori *Cosimo Tura*, *Lorenzo Costa* ed *Ercole Roberti*, ed a Bologna il *Francia*.

A *Venezia* i rapporti commerciali e culturali erano piú stretti coll'Oriente e colla Germania che non col resto d'Italia. Allo stesso tempo l'inviolabilità della repubblica aveva dato a Venezia un tenore di vita piú ricco e lussuoso che altrove, e la sua arte doveva mostrare la stessa opulenza. Non ci furono pittori primitivi a Venezia. L'influenza predominante al principio del Quattrocento fu quella del senese *Gentile da Fabriano* (1370–1428), pittore nomade che andò piú tardi a stabilirsi a Roma. L'influenza toscana si risentí molto anche nell'arte del *Pisanello*, che fu pure medaglionista di raro talento, e che aveva studiato con Andrea del Castagno. Anche l'influenza tedesca si fece notare, specialmente nel lavoro dei *Vivarini* nella seconda metà del Quattrocento. Il *Crivelli* ed *Antonello da Messina* furono famosi, Antonello soprattutto per l'incoraggiamento che dette all'arte della pittura ad olio. Al principio del Cinquecento vediamo le opere, prettamente veneziane, di *Cima da Conegliano* e di *Vittore Carpaccio*, il quale introdusse un elemento esotico di puro valore decorativo. Piú grandi di tutti furono i *Bellini*. Questi ereditarono, dal Mantegna, l'ispirazione dell'arte toscana. Dei tre membri di questa famiglia di pittori veneziani, *Jacopo* (1400–1464), *Gentile* (1429–1507), e *Giovanni* (1430–1516), fu specialmente Giovanni che seppe unire un profondo sentimento religioso ad un vivo amore per la bellezza umana. I suoi ritratti sono magnifici.

Il *Cinquecento* presentò al mondo un gruppo di pittori di fama universale. *Leonardo da Vinci* (1452–1519), toscano e genio universale, anatomista, botanico, ingegnere, prosatore e pittore, fu uno degli spiriti piú energici ed irrequieti di questo secolo, sempre avido di nuovo sapere. Lasciò poche pitture sicuramente autentiche, fra le quali le piú famose sono il "Cenacolo" di Santa Maria delle Grazie a Milano, purtroppo mezzo rovinato dalle intemperie e dai restauri inesperti, e la "Monna Lisa" dal sorriso enimmatico nella Galleria del Louvre. *Michelangelo Buonarroti* (1475–1564) anch'egli toscano, fu scultore, architetto, ingegnere, pittore e poeta. Chiamato a Roma dal Papa a decorare il soffitto della Cappella Sistina mise 53 mesi a dipingere il Giudizio Universale, con tremende figure apocalittiche. Bellissima è la figura di Adamo al momento della sua creazione dalla mano divina. *Raffaello Sanzio* da Urbino (1483–1520), si liberò a poco a poco dall'influenza un po' restrittiva del Perugino, dalla sua simmetria studiata, dalla sua grazia manierata, e raggiunse nuove sommità di bellezza e di armonia. Dipinse in Vaticano i piú famosi dei suoi affreschi: le pitture che rappresentano la Fede, la Poesia, e la Filosofia. Le sue numerose Madonne, fra le quali la piú famosa è la "Sistina," una volta a Dresda, dimostrano una soavità raffinata ed una purezza indicibile di pensiero. Nel *Nord* d'Italia l'influenza di Leonardo fu evidente nei lavori del *Luini* (1475-1533), mentre il *Correggio* (1494-1534) adornava le chiese di Parma con delicate ed eleganti fantasie, piene di una grazia gioiosa ed un po' civettuola.

Il *Cinquecento* fu l'età aurea dell'arte veneziana. Dopo Giovanni Bellini venne *Giorgione* (1477-1510), che riempí di un incanto misterioso, quasi melodioso, le sue composizioni leggiadre. Il suo capolavoro è la "Madonna di Castelfranco," e bellissimi sono il "Concerto Campestre" della Galleria del Louvre, e la "Tempesta" di Venezia. Il piú grande colorista veneziano fu *Tiziano di Cadore* (1480-1576), che lasciò al mondo un ricordo imperituro del vigore, dell'opulenza, e della grazia del genio veneziano. Questo titano dell'arte visse e lavorò per quasi un secolo intero. *Paolo Veronese* (1528-1588) ed il *Tintoretto* (1518-1594) continuarono ancora a dare splendore alla pittura veneziana. Furono seguiti da *Paris Bordone* e dal *Bassano*, e con questi il secolo finí. In questi ultimi decenni del grande secolo fiorí a Bologna la scuola eclettica dei *Caracci* e del naturalista *Caravaggio*.

Da quel secolo gli artisti italiani seguirono le stesse correnti di pensiero e di moda che modificarono le altre scuole nazionali, e sarebbe quindi difficile scegliere nomi rappresentanti una tendenza caratteristica dell'arte prettamente italiana. Il piú degno di nota è forse *Giovanni Segantini*, che dipinse scene domestiche della vita umile su sfondi alpestri. Belli sono i suoi paesaggi pervasi da un liricismo idillico. Ricordiamo il suo "Angelus" e la scena delle "Due Madri."

La scuola di Livorno, sotto l'influenza di *Giovanni Fattori*, perpetuò una robusta tradizione naturalistica.

Giotto

Un giorno il celebre pittore Giotto passava con alcuni suoi compagni per una via di Firenze quando alcuni porci, correndo furiosamente attraverso la strada, lo gettarono a terra. Tutti risero per l'inatteso incidente. Giotto si alzò subito, e non rivolse nessuna parola ingiuriosa ai porci. Disse invece ai compagni: "O non hanno essi ragione? Ho guadagnato tante migliaia di lire con le setole loro, e mai non ho dato a loro nemmeno una scodella di brodo."

Donatello ed il Brunelleschi

Donatello aveva scolpito un crocifisso di legno con molta fatica, e lo mostrò al Brunelleschi per averne il suo giudizio. "Mi pare che tu abbia messo in croce un contadino, non un Cristo," rispose il Brunelleschi. "Il corpo di Cristo fu delicatissimo e perfetto in tutte le parti." Donatello rimase un po' male e disse: "Allora, piglia del legno e prova a farmene uno migliore." Molti mesi dopo, il Brunelleschi invitò Donatello a desinare con lui. Prima andarono insieme al Mercato Vecchio e il Brunelleschi comprò delle uova e del formaggio. Dette questa roba a Donatello e gli disse: "Vai a casa mia e lí aspetta che io venga." Donatello, cosí carico, entrò in casa del Brunelleschi e, aperta la porta, si trovò subito davanti ad un crocifisso meraviglioso, scolpito dal suo oste. Lo trovò cosí perfetto in ogni particolare che, pieno di stupore, aperse le mani che tenevano il grembiule, e le uova, il formaggio e l'altra roba cascarono in terra, fracassandosi. Arrivò il Brunelleschi, che disse ridendo: "E ora come potremo desinare se tu hai rotto ogni cosa?" Il bravo Donatello rispose tristemente: "Per me, basta. Capisco che a te è concesso fare i Cristi, ed a me i contadini." Questi due crocifissi si trovano ora a Firenze.

Leonardo da Vinci

Mentre Leonardo da Vinci dipingeva il suo grande Cenacolo nella chiesa di Santa Maria delle Grazie a Milano, un suo nemico, uomo ignorante e sospettoso, andò a lamentarsi col duca Lodovico dicendo che qualvolta il pittore restava assorto meditabondo davanti al suo affresco, senza lavorare. Lodovico chiamò a sé Leonardo, il quale gli spiegò che un pittore non è come un artigiano qualunque. Qualchevolta lavora anche quando sembra che non faccia nulla; ed aggiunse che fin'allora a lui era mancata l'ispirazione nella scelta dei modelli necessari per dipingere due teste. La prima era quella di Cristo, per la quale ci voleva una bellezza sovrumana, l'altra era quella di Giuda, che doveva esprimere la bassezza morale, l'ingratitudine, la malvagità. Ora disse che aveva trovato la soluzione di uno dei due problemi, in quanto che nella testa di quel suo nemico aveva trovato il modello adatto per quella di Giuda.

H. LA LETTERATURA ITALIANA

Uno dei primi poeti italiani fu il grande Santo, *Francesco d'Assisi*, autore delle Laudes Creaturarum, delle quali la piú famosa è il Cantico di Frate Sole. Un altro poeta umbro, *Jacopone da Todi* (1230–1306), capo della scuola dei poeti sacri, "laudesi," è noto per il suo inno latino: "Dies Irae, Dies Illa," scrisse poesie nella lingua popolare dell'Umbria.

Alla corte siciliana di Federico II ci fu, nel tredicesimo secolo, una grande fioritura di canti amorosi italiani, ad imitazione delle liriche provenzali. Furono scritti in dialetto siciliano.

Nel secolo seguente abbiamo le liriche del "dolce stil nuovo," e le opere somme di *Dante Alighieri*, di *Francesco Petrarca*, e di *Giovanni Boccaccio.* Queste opere stabilirono la preminenza del dialetto toscano come base della lingua letteraria italiana.

Della "Divina Commedia" di *Dante* (1265–1321), rileviamo l'espressione perfetta della fede e del pensiero del Medio Evo. Dipinse la vita d'Oltretomba in tre cantiche stupende, l'Inferno, il Purgatorio e il Paradiso, delle quali è stato detto che la prima e la piú drammatica, la seconda la piú poetica e la terza, quella del Paradiso, la piú bella. Molto citati sono i versi scritti sopra la porta del regno dei dannati:

> Per me si va nella città dolente,
> Per me si va nell'eterno dolore,
> Per me si va tra la perduta gente:
> . . . Lasciate ogni speranza voi ch'entrate.

e le parole umili e pie del Principe Manfredo:

> Orribil furon li peccati miei;
> Ma la bontà infinita ha sí gran braccia
> Che prende ciò che si rivolge a lei.

Le verità eterne della fede cristiana splendono con carattere medievale in questa gigantesca opera, sfidando il logorio dei secoli ed i mutamenti di pensiero e di gusto. Beatrice, che nell'opera giovanile del poeta, "La Vita Nuova," era la bella ed adorata giovinetta rapitagli dalla morte, diventa, nella Commedia, un simbolo della Saggezza Divina, guida affettuosa e nello stesso tempo severa per il poeta pellegrino.

Prima di Dante le migliori opere in prosa in Italia erano state scritte in francese, come " Il Milione " di *Marco Polo* (1298), e il " Trésor " di *Brunetto Latini*, Fra le prime opere di prosa in italiano sono i " Fioretti di San Francesco," di un compilatore toscano anonimo, e le cronache fiorentine di *Dino Compagni* e di *Giovanni Villani*.

Dante scrisse in latino i due trattati: "De Vulgari Eloquentia" (in cui difese l'uso del vernacolo) ed il "De Monarchia," ma in italiano scrisse il "Convivio," lavoro didattico in prosa che contiene anche belle canzoni.

Francesco Petrarca (1304–1374) compose in italiano "Il Canzoniere" ed "I Trionfi," poesie d'amore, nelle quali onora la sua Laura in versi di squisita melodia. Fu fra i primi italiani ad apprezzare ed a diffondere la cultura classica e l'amore delle grandi opere greche e romane; fu anche fra i primi ad amare le bellezze della natura. In lui contrastavano due correnti di pensiero, l'ascetismo profondo del Medio Evo, e l'amore per quei due beni terreni, la sapienza e la bellezza. Perfezionò la forma del sonetto che adoperò per le poesie d'amore. Amava l'Italia, e soprattutto Roma, dove ricevette dal Senato la corona di poeta. Quivi fu addolorato alla visione delle rovine dei monumenti classici e cristiani, e del disordine della vita civile. In una bellissima canzone, citata poi dal Machiavelli, esortò gli italiani ad unirsi per cacciare i tiranni stranieri.

Nel *Boccaccio* (1313–1375) non sentiamo piú questo contrasto di spirito irrequieto. Poeta, prosatore, romanziere, egli è sempre esuberante di vigore, spesso grossolano e sensuale, sempre amante della vita colle sue avventure ed i suoi piaceri. Anche egli incoraggiò lo studio della lingua greca e dei modelli classici dell'arte. Fu sempre grande ammiratore di Dante, che volle interpretare ed onorare nel Commento che scrisse per l'Inferno e nelle Conferenze sulla Divina Commedia che tenne a Firenze. Fu il primo a chiamare la "Commedia" di Dante "Divina."

Nel "Decamerone" abbiamo una fonte inesauribile di storie avventurose e fantastiche, piene di fine psicologia e di umorismo. Il Chaucer e lo Shakespeare si valsero di questa raccolta per trarne materia per le loro opere. La "Teseide" del Bocaccio è il primo grande poema epico moderno che ispirò al Chaucer il suo Knight's Tale. Il "Filocolo" è un romanzo in prosa, che descrive le avventure di Florio e di Biancofiore. Il "Filostrato" è un poema in ottava rima, che narra l'amore di Troilo e di Criseida. Questo poema ispirò alcuni brani del "Troilus and Criseyde" del Chaucer. La "Fiammetta" è un vero romanzo psicologico in prosa.

Nella seconda metà del 15° secolo, e specialmente alla corte Medicea di Firenze, abbiamo una nuova era aurea della letteratura. I poeti, pieni di quell'esuberanza di vita e di gioia, cosí caratteristica del periodo del Rinascimento, erano anche uomini di profonda cultura classica, ed i loro poemi risentivano dell'influenza dei modelli greci e romani.

Lorenzo il Magnifico (1449–1492), tipo perfetto dell'uomo del Rinascimento, fu personalità ricchissima, poeta illustre, uomo di stato finissimo e filosofo imperterrito. I suoi poemi d'amore, ed i canti di Carnevale, sono fra i migliori dell'epoca. Tutti conoscono il "Trionfo di Bacco ed Arianna" o almeno i versi:

Quant'è bella giovinezza
Che si fugge tuttavia!
Chi vuol esser lieto sia,
Di doman non c'è certezza.

La stessa idea si trova nella "Ballata" del suo amico e compagno di studio, il poeta umanista *Poliziano* (1454–1494).

Quando la rosa ogni sua foglia spande,
Quando è piú bella, quando è piú gradita,
Allora è buona a mettere in ghirlande
Prima che sua bellezza sia sfuggita.

Il primo grande poema epico di soggetto non classico ma italiano e popolare fu il "Morgante" del *Pulci* (1432–1484). Poco dopo il *Boiardo* (1441–1494) della Corte Estense di Ferrara, scrisse l'"Orlando Innamorato," altro poema epico di soggetto cavalleresco.

In prosa di quest'epoca troviamo l'"Arcadia," romanzo pastorale del *Sannazzaro* che ebbe molta influenza su Sir Philip Sidney, sullo Spenser e su altri Elisabettiani; ed abbiamo anche i trattati scientifici di Leonardo da Vinci.

L'entusiasmo per la cultura classica, il culto delle arti e delle scienze, e l'amore per le bellezze naturali prevalsero durante il 15° ed il 16° secolo, ma verso la fine di quest'ultimo secolo la letteratura cominciò a dar segni di esaurimento e di convenzionalismo. L'amore della letteratura classica diventò asservimento stilistico, la vigoria d'energie vitali declinò, l'amore del bello condusse ad un esteticismo sempre piú marcato. Però questo secolo produsse grandi scrittori che ebbero un'influenza notevole su tutta l'Europa, e su parecchie generazioni di lettori e di studiosi.

Varie corti italiane, a Milano, Venezia, Ferrara, Urbino, Roma e Napoli dettero il loro contributo alla letteratura prolifica del tempo. Un nuovo impulso di fervore religioso venne dalla *Controriforma* opposta dalla chiesa cattolica al crescente pericolo delle ribellioni protestanti. Nel 1549 fu stampato il catalogo dei libri proibiti, chiamato l'Indice, ed una nuova censura si impose agli' scrittori. La prosa diventava piú importante della poesia—e nella letteratura questo è sempre un indizio dell'esaurimento d'impulsi vitali, e del crescere di uno spirito di formalismo.

Niccolò Machiavelli (1469–1527), per 14 anni Segretario della Repubblica di Firenze, fu punito quando i Medici tornarono trionfanti in città nel 1512 per l'azione presa nella rivolta contro questi, e morí esule, nella sua villa di San Casciano. Ma il suo spirito era superiore agli intrighi politici, e sognava un Principe che sapesse unificare tutti gli staterelli italiani, imponendo un regime comune di pace e di giustizia. Il suo capolavoro, "Il Principe," è scritto in una prosa nitida e vigorosa, ed è il primo libro di scienza politica esposta in tutto il suo crudo realismo. Un altro scrittore fiorentino di questo tempo è lo storico *Francesco Guicciardini* (1483–1540), che nei venti volumi della sua "Storia d'Italia" narra imparzialmente le vicende non di una città sola, ma di tutta la penisola. Gli manca lo spirito profetico del Machiavelli.

Alla corte dei Duchi d'Urbino stava *Baldassare Castiglione* (1478–1529), che scrisse in prosa il "Cortegiano," libro bello e divertente, che descrive le conversazioni di una corte tutta pervasa da ideali umanistici e platonici, e frequentata da cavalieri e dame di alto ingegno e di squisita cultura. Carlo V disse che il Castiglione era "uno dei migliori cavalieri del mondo" e gli tributò magnifiche onoranze funebri a Toledo, luogo dove lo scrittore morí.

Alla corte di Ferrara apparve un altro grande poeta epico italiano *Ludovico Ariosto* (1474–1532), che ivi scrisse l'"Orlando Furioso." L'Ariosto continuò la storia del poema del Boiardo, terminandola con una vittoria navale cristiana e colla morte del saraceno Agramante. La visione poetica dell'Ariosto è pittoresca, colorita, elegante, priva di austerità morale, per quanto sempre conforme agli ideali classici della bellezza. Dimostra una gaiezza ridente che rallegra le scene fantastiche, felici ed infelici, della lunga storia, e rivela uno spirito satirico sottilissimo.

Michelangelo Buonarroti (1475–1564) pare esprimere nella poesia le stesse qualità di sommo scultore che dimostra nei suoi capolavori di marmo. I suoi *sonetti* alla nobil dama romana Vittoria Colonna sono esempi perfetti del trattamento poetico dell'amore ideale e platonico. Altri suoi poemi rivelano il suo rammarico per i tristi destini della patria.

Torquato Tasso (1544–1595), poeta infelice e vagabondo che cento anni piú tardi dell'Ariosto trovò asilo nella stessa corte di Ferrara, vi scrisse il grazioso dramma pastorale l'"Aminta." Poi scelse per soggetto del poema epico "Gerusalemme Liberata" eroi né classici né leggendari ma cavalieri cristiani dell'epoca della prima crociata e della campagna che portò trionfante Goffredo di Buglione alle porte di Gerusalemme nel 1099.

Nella scelta del soggetto fu influenzato dal pericolo turco che nel 16° secolo si estendeva minaccioso nel Mediterraneo e nell'Ungheria. Nel 1571 i Turchi furono sconfitti nella grande battaglia navale di Lepanto. Ferve nel poema del Tasso, pieno di soavissime armonie e di scene idilliche, un nuovo impulso religioso; però la sua arte segue le norme classiche dettate da Aristotele per la poesia epica.

La "Gerusalemme" è l'ultima grande opera letteraria del Rinascimento.

I due secoli che seguirono, il 17° ed il 18° secolo, furono in Italia, oppressa dal giogo straniero, un lungo periodo di decadenza morale. L'influenza spagnuola fu funesta, tanto per la letteratura quanto per le altre arti e le costumanze. Nel 18° secolo predominò invece l'influenza francese, piú liberale e piú raffinata. Caratteristico del 17° secolo è il poeta *Marino* (1569–1625), che dette espressione artistica al gusto falso e corrotto del tempo. Quindi il nome "Marinismo" dato al suo stile, che fu imitato da molti seguaci. Nel 18° secolo vediamo sorgere il melodramma, la commedia e la tragedia italiana. Prima di quest'epoca non c'erano stati che drammi pastorali e "Commedie dell'arte," tutti di carattere piú o meno convenzionale.

Pietro Metastasio (1698–1782) fu il primo grande creatore di melodrammi in versi. Visse prima a Napoli e poi alla Corte imperiale a Vienna. Le sue opere, leggere e briose, soddisfecero il gusto dell'ambiente frivolo ed aristocratico di cui era circondato. È un precursore del drammaturgo romantico moderno.

Nel secolo diciottesimo abbiamo due grandi drammaturghi: il *Goldoni* (il Molière d'Italia) (1707–1793), e l'*Alfieri* (1749–1803), scrittore di tragedie.

Carlo Goldoni, autore prolifico e uomo d'indole mite e pacifica, rappresentò, nelle sue moltissime commedie, caratteri veri della vita veneziana, e ciò senza artificialità d'invenzione o di stile. Nel 1762 fu invitato a Parigi, dove scrisse molto e dove morí in miseria allo scoppiare della Rivoluzione. Molte delle sue belle e gaie commedie sono in dialetto veneziano, ma altre, e fra le piú famose, in lingua toscana. Sono ancor'oggi popolarissime sul teatro italiano.

Vittorio Alfieri, di nobile famiglia piemontese, esaltò gli ideali patriottici e le figure dei grandi eroi martiri dell'antichità, dimostrando l'influenza che ebbe su di lui la lettura delle "Vite" del Plutarco. Osservò costantemente le tre unità del teatro classico, l'unità dell'azione, della scene, e quella del tempo, ma ciò nonostante raggiunse una notevole intensità nell'effetto drammatico. Scrivendo in quell'epoca di asservimento nazionale, dedicò il suo "Bruto Secondo," con visione profetica di patriotta, " al popolo italiano futuro." Le sue *tragedie* contribuirono molto a formare la coscienza nazionale.

L'Abate *Parini* (1727–1799), poeta di fine cultura, prese spunto dalla società d'allora per scrivere i suoi poemi satirici, ed in questo ci ricorda il nostro Pope del "Rape of the Lock." D'origine plebea, sentendosi moralmente ed intellettualmente superiore ai nobili decaduti fra i quali era costretto a vivere e ad insegnare, sfogò il suo senso di giustizia sociale nella satira contro gli abusi e le volgarità della società ottocentesca. Il suo poema piú famoso è il "Giorno." Fu fra i primi letterati europei a proclamare l'idea dell'uguaglianza civile.

Nell'epoca del Romanticismo, e cioè nei primi anni del 19° secolo, tutti gli scrittori italiani furono presi dal desiderio di veder realizzato il sogno dell'Italia futura, e dalla necessità della rivoluzione che doveva liberare l'Italia dalle dominazioni straniere. *Vincenzo Monti* (1754–1828), poeta molto versatile, scrisse poemi eleganti dai quali si rileva la sua speranza nell'intromissione napoleonica negli affari italiani. Fece una elegante traduzione dell'"Iliade" in versi.

Alessandro Manzoni (1785–1873) scrisse il romanzo storico " I Promessi Sposi," in cui descrive le umiliazioni e le sofferenze degli italiani sotto il predominio spagnuolo.

L'autore dimostra un senso profondo di misura, un'acuta percezione psicologica, una vena umoristica fresca e sana, ed una fede sincera e coraggiosa che gli faceva credere in un destino migliore dell'uomo e del suo popolo. I " Promessi Sposi " sono una grande opera d'arte, che vivrà immortale, con i suoi personaggi cosí bene studiati dal vero e le sue mirabili descrizioni di avvenimenti storici e di paesaggi. È l'esempio piú bello di prosa moderna italiana. Scrisse anche delle liriche, fra le quali gli " Inni Sacri " sono bellissimi, come pure " Il cinque Maggio," inspiratogli dalla morte di Napoleone. Le sue tragedie storiche in versi contengono belle pagine liriche, ma mancano di drammaticità.

Il *Leopardi* (1798–1837), vittima di una malattia inguaribile causata dagli eccessivi studi, esprime il suo dolore, la sua "noia," la sua disperazione in bellissime liriche pervase da un profondo senso dell'amore per la Natura, la quale però chiama Matrigna, non Madre, degli uomini, perché il poeta non vede in lei che l'origine di sofferenze e di amare disillusioni. Unico raggio di serenità nella visione funesta del Leopardi è la speranza nell'amore fraterno, e nell'unione di tutti gli uomini per meglio difendersi contro i fati ingiusti.

Ugo Foscolo (1782–1827) fu, come il Monti, un fervido ammiratore di Napoleone. Veneziano, fu caldo sostenitore delle idee democratiche, e dovette lasciare Venezia quando nel 1797 la Repubblica fu ceduta da Napoleone stesso agli austriaci. Fu poeta lirico bello ed elegante e lasciò come capolavoro supremo il lungo poema intitolato "I Sepolcri." Morí in esilio a Londra.

Giosué Carducci (1835–1907), poeta lirico di primo ordine, fu per molti anni professore di letteratura italiana alla famosa università di Bologna. Il Carducci fu uno spirito robusto ed energico, patriotta ardente, pronto a combattere per qualsiasi causa onesta. Classicista convinto, rivela nelle sue poesie, e specialmente nelle caratteristiche *Odi Barbare,* il suo amore per il mondo antico e per la storia della patria. Si può dire che fondò una tradizione classica di poesia non sentimentale ma piena di passione e di fervore. La sua prosa è un modello di vigore e di chiarezza.

Contemporanei suoi furono due scrittori di graziose commedie, il *Giacosa* (1847–1906), ed il *Ferrari* (1822–1889), autore della famosa "Goldoni e le sue sedici commedie," ed anche il grande critico letterario *Francesco De Sanctis* (1817–1883), autore dei "Saggi Critici," e di "Sulla Letteratura del Secolo diciannovesimo."

Verso la metà del secolo diciannovesimo furono scritti molti romanzi storici, fra i quali il piú famoso è "l'Ettore Fieramosca" del piemontese *Massimo d'Azeglio* (1798–1866). Un altro libro bello e nobile è "Le Mie Prigioni" di *Silvio Pellico* (1789–1854), gentiluomo piemontese di carattere mite e generoso, per otto anni tenuto prigioniero nello Spielberg, famoso carcere austriaco dove languirono molti patriotti italiani.

Gino Capponi (1792–1876) ci lasciò nella sua opera piú compiuta, la "Storia della Repubblica Fiorentina," il frutto di studi che occuparono quasi tutta la sua vita.

Giuseppe Mazzini (1805–1872) scrisse molti articoli di soggetto letterario e patriottico. Il suo stile è vigoroso e persuasivo.

Luigi Settembrini (1813–1879), di anima nobile ed intrepida, fu condannato a lunghi anni di prigionia per le sue convinzioni politiche. Scrisse d'arte, di storia, di letteratura e di politica in una prosa limpida e vigorosa.

Ippolito Nievo (1831–1861), è il migliore ritrattista di tutto questo periodo di vita travagliata in Italia, vita che descrive mirabilmente nel suo romanzo "Le Confessioni di un ottuagenario."

Giuseppe Giusti (1809–1850), poeta satirico, prese di mira i governi stranieri in Italia ed i loro metodi coercitivi e corrotti.

Luigi Mercantini (1821–1872) scrisse per i volontari Garibaldini le canzoni che anche oggi sono popolarissime in Italia.

Giovanni Verga (1840–1922) fu un romanziere "regionale" che dipinse con delicato realismo la vita dei contadini e dei piccoli borghesi della Sicilia. Particolarmente bello è il suo romanzo "I Malavoglia," che descrive le vicende di una brava famiglia di pescatori.

Antonio Fogazzaro (1842–1911) fu scrittore di romanzi di interesse psicologico e religioso. I piú famosi di essi formano una specie di trilogia: "Piccolo Mondo Antico," "Piccolo Mondo Moderno," "Il Santo." Il primo di questi è il piú bello ed il piú commovente, ma il terzo "Il Santo" ha suscitato grande interesse anche fuori d'Italia. Mirò a conciliare il dogma religioso colle nuove esigenze del pensiero scientifico e moderno.

Matilde Serao (1856–1927) narra con molta vivacità la vita del popolo di Napoli. Nel "Paese di Cuccagna" abbiamo una descrizione efficace e colorita dei funesti risultati della passione popolare per il giuoco del lotto.

Lo scrittore *Edmondo De Amicis* (1846–1908), sentimentale e colto, deve la sua fama anzitutto al romanzo "Cuore," una volta libro di testo in ogni scuola italiana. Un altro libro per ragazzi conosciuto anche all'estero è "Pinocchio" del *Collodi*, la storia di un burattino di legno.

Renato Fucini (1843–1921) descrive con fine umorismo nelle sue "Veglie di Neri" il paesaggio ed i costumi toscani.

Grazia Deledda (1878–1936), nei suoi romanzi pittoreschi e coloriti dipinge la Sardegna ed il suo fiero popolo. Capolavoro suo è "Elias Portolu."

Giovanni Pascoli (1855–1912) fu un poeta pastorale. Con molta delicatezza d'osservazione cantava in versi melodiosi di ispirazione virgiliana le bellezze della natura, gli affetti familiari e la vita umile e laboriosa della sua Romagna.

Alfredo Panzini (1863–1939) è uno dei migliori romanzieri del nostro secolo. I suoi libri sono caratterizzati da una fine ironia sentimentale. "La Lanterna di Diogene" è fra i piú famosi. Nel "Il Padrone sono me" descrive con amarezza il disordine morale e sociale del dopo guerra. Appartiene al gruppo di scrittori, borghesi e sentimentali, un po' scettici, che mal si adattano alle nuove correnti socialistiche del secolo nostro. Di spirito affine è *Ugo Oietti*, il quale nel suo romanzo "Mio Figlio Ferroviere" esprime le inquietudini della sua generazione e della sua classe di fronte al crescente materialismo che si vede attorno.

Il piú grande poeta moderno fu *Gabriele d'Annunzio* (1863–1938). Figura strana ed originale, ha scritto delle liriche piene di musicalità e di suggestività pittorica dimostrando una profonda cultura ed un amore intenso per la patria. Ha scritto molti drammi di carattere passionale, fra i quali il migliore è "La Figlia d'Iorio," dramma di vita abruzzese. I suoi romanzi sono viziati dalla continua insistenza su temi sensuali.

Luigi Pirandello (1867–1936) è famoso soprattutto per il suo romanzo "Il fu Mattia Pascal," e per i suoi drammi di tremenda penetrazione psicologica. *Giovanni Papini*, nato nel 1881, dimostra uno stile schietto e forte nel suo " Un Uomo Finito," di interesse autobiografico. La sua " Vita di Gesú " è stata molto commentata anche all'estero. Le sue poesie sono semplici meditazioni familiari su scene di vita umile e ricordi dell'infanzia. Dei poeti chiamati " crepuscolari " il piú famoso è stato il *Gozzano* (1883–1916). Il *Marinetti* (1878–1945) fondò il movimento *futurista* nella poesia e nell'arte, e cosí facendo preparò le anime all'avvento del Fascismo. Amico suo, ma di ispirazione piú " crepuscolare " che " futurista " è *Aldo Palazzeschi*, nato a Firenze nel 1885, autore di graziose fantasie poetiche. *Ardengo Soffici*, nato nel 1879, è il rappresentate tipico della letteratura italiana dell'era fascista.

Il piú grande nome italiano contemporaneo è quello di *Benedetto Croce*, nato nel 1866, pensatore, filosofo e storico, fondatore della rivista: "La Critica" ed autore dell'"Estetica," della "Logica," e della "Filosofia dello spirito," ecc. Opera di critica letteraria è la sua "Letteratura della Nuova Italia."

Dante

Si narra che il grande poeta Dante era spesso cosí assorto nelle sue meditazioni che non si accorgeva di ciò che succedeva intorno a lui. Un giorno, trovandosi in chiesa, non si scoprí il capo né s'inginocchiò al momento piú sacro della Santa Messa. Alcuni suoi nemici riferirono questa sua negligenza al vescovo, accusandolo di mancanza di rispetto al Sacramento. Chiamato il poeta, il vescovo lo rimproverò, ma Dante si difese bene. "Vuol dire," disse, "che io ero cosí assorto nella contemplazione di Dio che non mi accorgevo nemmeno di ciò che faceva il mio corpo. Invece quelli che vennero a lagnarsi di me non sono certamente gente religiosa, siccome pensavano alla mia persona, invece che alla Santa Messa."

Una volta si trovava alla corte di Venezia, ospite del Doge. A pranzo ognuno aveva dinanzi a sé un pesce grosso, ma davanti a Dante non c'era che uno piccolino. Il poeta, sdegnato per questo trattamento, prese il pesciolino e se lo avvicinò all'orecchio. Il Doge se ne accorse, e gli domandò che cosa ne facesse. Disse Dante: Mio padre è morto in mare ed io ne chiedo notizie al pesciolino." "E che cosa ne dice?" domandò il Doge. "Egli dice" rispose Dante, "che è troppo piccolo, e non se ne ricorda, ma che qui si trovano dei pesci piú grossi di lui, che mi potrebbero dire qualcosa." Il Doge rise di questa arguzia ed ordinò che a Dante fosse dato il pesce piú grosso della cucina.

Un giorno, quando era già noto come autore dell'Inferno, passava per le vie di Verona. Le donne lo guardavano passare, alto, magro e melanconico. "Vedi, vedi," disse una donna alla sua vicina, "Quell'uomo va e viene dall'Inferno quando vuole, e poi ci dice tutto ciò che succede laggiú." "Dici il vero," disse l'altra, "Vedi che ha il viso tutto bruciato dalle fiamme di laggiú, e la barba tutta arsa dal caldo infernale." Dante sentí questa conversazione, sorrise e passò oltre.

Boccaccio

Durante i suoi viaggi Giovanni Boccaccio arrivò a Monte Cassino e trovò il grande monastero benedettino mezzo rovinato. La famosa biblioteca era aperta a tutti i venti: non c'era piú porta, non c'era piú chiave, e l'erba nasceva sulle finestre. A questa scena di desolazione il grande scrittore restò cosí triste che cominciò a piangere l'abbandono di tanti tesori.

Alfieri

Vittorio Alfieri, che aveva tanto scritto nelle sue tragedie contro i tiranni, si dimostrò nondimeno nemico della rivoluzione francese. Quando gli fu chiesto il perché di questo suo atteggiamento, rispose: "Prima avevo conosciuto i grandi tiranni, ma adesso ho conosciuto i piccoli."

Manzoni

Il grande romanziere Manzoni era molto modesto. Una sera, quando entrò nel teatro, il pubblico acclamandolo ruppe in fragorosi applausi. Ma il Manzoni non pensava nemmeno che quegli applausi fossero per sé. Credendo che fossero diretti agli attori cominciò anch'egli ad applaudire finché un suo compagno non gli spiegò il suo errore. Allora arrossí e si sedette tutto confuso.

Breve riassunto del romanzo "I Promessi Sposi" di Alessandro Manzoni

I due promessi sposi sono Lucia e Renzo, giovani contadini di Lecco, sul Lago di Como. Il loro matrimonio è contrastato dagli intrighi del potente feudatario spagnuolo, Don Rodrigo, che spadroneggia in tutto il vicinato ed è innamorato di Lucia. Il prete che deve sposare la giovane coppia si chiama Don Abbondio. È umile e bonario, ma di animo irresoluto, e facilmente spaventato. Don Rodrigo, sapendo questo, gli manda incontro due dei suoi "bravi," fidi servitori senza scrupoli, e questi due, incontratisi con Don Abbondio in un sentiero stretto e solitario in aperta campagna lo minacciano di morte se egli oserà opporsi al malvagio disegno del loro padrone. Riescono a fargli tanta paura che quando i due promessi sposi, pieni di gioia e di speranza, vanno da lui per celebrare il matrimonio, il povero prete, molto imbarazzato, trova mille scuse e ragioni per rimandare la cerimonia. Renzo, il quale, benché rozzo ed inesperto, è pieno di coraggio, riesce finalmente a saper il nome del loro nemico e va da un avvocato per chiedere un consiglio. Ma anche l'avvocato ha paura del Signorotto spagnuolo, e non volendo aiutare il povero giovane lo confonde con un torrente di spiegazioni e citazioni in latino, delle quali Renzo, stordito ed arrabbiato, non capisce niente.

Padre Cristoforo è un monaco che cerca di espiare, con una vita piena di umiltà e di carità, un delitto della sua focosa gioventú, quando ebbe la sfortuna di uccidere un uomo in duello. Viene coraggiosamente in aiuto ai giovani innamorati. Prima di tutto, cerca di persuadere Don Rodrigo a rinunciare al suo amore disonesto per Lucia, poi, vedendo di non riuscire a commuoverlo, si decide ad aiutare i due giovani a fuggire. Lucia si nasconde in un convento a Monza, e Renzo, separandosi mal volentieri dalla sua fidanzata, ma fidandosi dei consigli di Padre Cristoforo, va a Milano. In questa città il giovane, che ha motivi personali per ribellarsi contro gli oppressori della sua patria, prende parte a un moto popolare contro il governo, credendolo responsabile di una carestia che fa morire i cittadini di fame. La rivolta non ha successo, e Renzo si rifugia a Bergamo, dove può vivere sicuro e trovare lavoro. Nel frattempo Don Rodrigo non si dà per vinto. Per mezzo di un intrigo allontana Padre Cristoforo, facendolo trasferire in un monastero molto lontano. Poi prepara i suoi progetti per impossessarsi di Lucia. La Madre Superiora del convento a Monza è una Suora Gertrude, di famiglia aristocratica, monaca non per convinzione ma per forza di circostanze. Per potere avere dell'influenza su di lei Don Rodrigo ora chiede aiuto a un altro feudatario, piú potente di lui, che non viene nemmeno nominato da alcuno dei personaggi del romanzo. Si chiama appunto "l'Innominato." Questo ricco e potente signore riesce a persuadere Gertrude a fare un'azione molto disonesta—cioè a mandare Lucia, che era stata affidata alla sua protezione, a casa di lui. Però, quando Lucia arriva al Castello dell'Innominato, la sua bellezza e la sua innocenza lo commuovono tanto da farlo pentire della sua parte in questo complotto. L'indomani chiede un'intervista col santo Cardinale Borromeo, il quale riesce a convincerlo della malvagità delle sue azioni e della necessità del pentimento e dell'espiazione. Convertito, l'Innominato torna al Castello, libera Lucia e la rimanda a casa sua a Lecco. Ora seguono alcune pagine descrittive di grande efficacia e di macabra bellezza, in cui il Manzoni narra lo scoppio di una peste terribile, e la morte di migliaia di infelici. Anche Don Rodrigo muore miseramente all'ospedale pubblico, abbandonato da tutti i suoi amici e servitori. Nella confusione che segue l'infuriare della peste Renzo torna a Milano, vi ritrova Lucia, e finalmente i due si possono sposare. Don Abbondio stesso, tutto rimbaldanzito per la buona notizia della morte di Don Rodrigo, celebra il matrimonio senza paura di funeste conseguenze per sé, e i due giovani trovano finalmente la felicità da tanto desiderata, e pienamente meritata.

Niccolò Machiavelli, 1469–1527

Mosca Lamberti

Erano in Firenze, intra le altre famiglie potentissime, Buondelmonti e Uberti; appresso a queste erano gli Amidei e i Donati.

Era nella famiglia dei Donati una donna vedova e ricca, la quale aveva una figliuola di bellissimo aspetto. Aveva costei intra sé disegnato a messer Buondelmonte, cavaliere giovine e della famiglia de' Buondelmonti capo, maritarla. Questo suo disegno, o per negligenza o per credere poter essere sempre a tempo, non aveva ancor scoperto a persona, quando il caso fece che a messer Buondelmonte si maritò una fanciulla degli Amidei: di che quella donna fu malissimo contenta; e sperando di potere con la bellezza di sua figliuola, prima che quelle nozze si celebrassero perturbarle, vedendo messer Buondelmonte che solo veniva verso la sua casa, scese da basso e dietro si condusse la figliuola, e nel passare quello se gli fece incontro dicendo:—Io mi rallegro assai dell'aver voi preso moglie, ancora che io vi avessi serbata questa mia figliuola;—e sospinta la porta, gliene fece vedere. Il cavaliere, veduto la bellezza della fanciulla, la quale era rara, e considerato il sangue e la dote non essere inferiore a quella di colei che egli avea tolta, si accese in tanto ardore di averla, che non pensando alla fede data né alla ingiuria che faceva a romperla né ai mali che dalla rotta fede gliene potevano incontrare, disse:—Poiché voi me l'avete serbata, io sarei uno ingrato, essendo ancora a tempo, a rifiutarla;—e senza metter tempo in mezzo celebrò le nozze. Questa cosa come fu intesa riempié di sdegno la famiglia degli Amidei e quella degli Uberti, i quali erano loro per parentado congiunti; e convenuti insieme con molti altri loro parenti conchiusero che questa ingiuria non si poteva senza vergogna tollerare, né con altra vendetta che con la morte di messer Buondelmonte vendicare.

E benché alcuni discorressero i mali che di quella potesse seguire, il Mosca Lamberti disse che chi pensava cose assai non ne conchiudeva mai alcuna, dicendo quella trita e nota sentenza:—Cosa fatta capo ha.* Dettono pertanto il carico di questo omicidio al Mosca, a Stiatta Uberti, a Lambertuccio Amidei, e a Oderigo Fifanti.

Costoro la mattina della Pasqua di Resurrezione si rinchiusero nelle case degli Amidei poste tra il Ponte Vecchio e Santo Stefano e passando messer Buondelmonte il fiume sopra un caval bianco, pensando che fosse cosí facil cosa sdimenticare un'inguria come rinunziare a un parentado, fu

* 'A thing done is a thing done with.'

da loro a pié del ponte sotto una statua di Marte assaltato e morto. Questo omicidio divise tutta la città, e una parte si accostò ai Buondelmonti, e l'altra agli Uberti. E perché queste famiglie erano forti di case e di torri e di uomini, combatterono molti anni insieme senza cacciare l'una l'altra; e le inimicizie loro, ancora che le non si finissero per pace, si componevano per triegue e per questa via, secondo i nuovi accidenti, ora si acquietavano e ora si accendevano.

Istorie Fiorentine

Bianchi e Neri (1300)

Erano in Firenze due famiglie, i Cerchi e i Donati, per ricchezze, nobiltà e uomini potentissime. Intra loro, per essere in Firenze e nel contado vicine, era stato qualche dispiacere, non però si grave che si fosse venuto alle armi, e forse non avrebbero fatti grandi effetti se i maligni umori non fossero da nuove cagioni stati accresciuti. Era intra le prime famiglie di Pistoia quella de' Cancellieri.

Occorse che giuocando Lore di messer Guglielmo e Geri di messer Bertacca, tutti di quella famiglia, e venendo a parole, fu Geri da Lore leggermente ferito. Il caso dispiacque a messer Guglielmo e pensando con la umanità di torre via lo scandalo, lo accrebbe, perché comandò al figliuolo che andasse a casa del padre del ferito e gli domandasse perdono. Ubbidí Lore al padre; non dimeno questo umano atto non addolcí in alcuna parte l'acerbo animo di messer Bertacca; e fatto prendere Lore, per maggior dispregio, dai suoi servitori, sopra una mangiatoia gli fece tagliar la mano, dicendogli:—"Torna da tuo padre, e digli che le ferite con il ferro, e non colle parole si medicano." La crudeltà di questo fatto dispiacque tanto a messer Guglielmo che fece pigliare le armi ai suoi per vendicarlo, e messer Bertacca ancora si armò per difendersi; e non solamente quella famiglia, ma tutta la città di Pistoia si divise.

E perché i Cancellieri erano discesi da messer Cancelliere, che aveva avute due mogli, delle quali l'una si chiamò

Bianca, si nominò ancora l'una delle parti, per quelli che da lei erano discesi, Bianca; e l'altra per torre nome contrario a quella, fu nominata Nera. Seguirono intra costoro in piú tempo molte zuffe con assai morte d'uomini e rovina di case, e non potendo intra loro unirsi, stracchi nel male, e desiderosi o di porre fine alle discordie loro o con la divisione d'altri accrescerle, ne vennero a Firenze, e i Neri per avere familiarità con i Donati furono da messer Corso, capo di quella famiglia, favoriti; donde nacque che i Bianchi per avere appoggio potente che contro ai Donati gli sostenesse, ricorsero a messer Veri de'Cerchi, uomo per ciascuna qualità non punto a messer Corso inferiore.

Questo umore da Pistoia venuto, l'antico odio intra i Cerchi e i Donati accrebbe; ed era già tanto manifesto che i Priori e gli altri buoni cittadini dubitavano ad ogni ora che non si venisse fra loro alle armi, e che da quelli dipoi tutta la città si dividesse. E perciò ricorsero al pontefice pregando che a questi umori mossi quel rimedio, che per loro non vi potevano porre, con la sua autorità vi ponesse.

Mandò il papa per messer Veri e lo gravò a far pace con i Donati; di che Veri mostrò meravigliarsi, dicendo che non aveva alcuna inimicizia con quelli; e perché la pace presuppone la guerra, non sapeva, non essendo intra loro guerra, perché fosse la pace necessaria.

Tornato adunque messer Veri da Roma senza altra conclusione, crebbero in modo gli umori che ogni piccolo accidente, siccome avvenne, gli poteva far traboccare. Era del mese di maggio, nel quale tempo e ne' giorni festivi pubblicamente per Firenze si festeggia. Alcuni giovani pertanto dei Donati insieme con i loro amici a cavallo a veder ballar donne presso a Santa Trinità si fermarono, dove sopraggiunsero alcuni de' Cerchi ancora loro da molti nobili accompagnati; e non conoscendo i Donati, che erano davanti desiderosi ancora loro di vedere, spinsero i cavalli intra loro e gli urtarono; donde i Donati tenendosi offesi strinsero le armi, a' quali i Cerchi gagliardamente risposero; e dopo molte ferite date da ciascuno e ricevute si spartirono.

Questo disordine fu di molto male principio perché tutta la città si divise, cosí quelli di popolo come quelli de' grandi, e le parti presero il nome dai Bianchi e Neri.

Ibid.

Le Armi Mercenarie

Noi abbiamo detto di sopra come a un principe è necessario avere i suoi fondamenti buoni, altrimenti di necessità conviene che rovini. I principali fondamenti che abbiano tutti gli stati, cosí nuovi come vecchi o misti, sono le buone leggi e le buone armi; e perché non possono essere buone leggi dove non sono buone armi, e dove sono buone armi conviene che siano buone leggi, io lascierò indietro il ragionare delle leggi e parlerò delle armi. Dico adunque che l'armi con le quali un principe difende il suo stato, o le sono proprie o le sono mercenarie, o ausiliarie o miste. Le mercenarie e ausiliarie sono inutili e pericolose; e se uno tiene lo stato suo fondato in su le armi mercenarie, non starà mai fermo né sicuro, perché le sono disunite, ambiziose, senza disciplina, infedeli, gagliarde tra gli amici, fra i nemici vili, non hanno timore di Dio, non fede con gli uomini, e tanto si differisce la rovina, quanto si differisce l'assalto; e nella pace sei spogliato da loro, nella guerra dai nemici. La cagione di questo è che non hanno altro amore né altra cagione che le tenga in campo, che un poco di stipendio, il quale non è sufficente a fare che vogliano morire per te. Vogliono bene essere tuoi soldati mentre che tu non fai guerra, ma come la guerra viene, o fuggirsi o andarsene.

La qual cosa dovrei durar poca fatica a persuadere, perché la rovina d'Italia non è ora causata da altro che per essere in spazio di molti anni riposatasi in sulle armi mercenarie. Le quali fecero già per alcuno qualche progresso, e parevano gagliarde infra loro, ma come venne il forestiero, le mostrarono quello ch'elle erano. Ond'è che a Carlo re di Francia fu lecito pigliare Italia col gesso; e chi diceva come di questo ne erano cagione i peccati nostri, diceva il vero ma non erano già quelli che credeva, ma questi ch'io ho narrati.

E perché gli erano peccati di principi, ne hanno patito la pena ancora loro. Io voglio dimostrare meglio la infelicità di queste armi.

I capitani mercenari o sono uomini eccellenti o no; se sono, non te ne puoi fidare, perché sempre aspireranno alla grandezza propria o con l'opprimere te che gli sei padrone, o con l'opprimere altri fuori della tua intenzione; ma se non è il capitano virtuoso, ti rovina per l'ordinario. E se si risponde che qualunque avrà l'arme in mano farà questo medesimo, o mercenario o no, replicherei come le armi hanno ad essere adoperate o da un principe o da una repubblica. Il principe deve andare in persona, e fare lui l'ufficio del capitano; la repubblica ha da mandare i suoi cittadini: e quando ne manda uno che non riesca valente uomo, debbe cambiarlo; e quando sia, tenerlo con le leggi che non passi il segno. E per esperienza si vede i principi soli e le repubbliche armate fare progressi grandissimi, e le armi mercenarie non fare mai se non danno; e con piú difficoltà viene all'ubbidienza di un suo cittadino una repubblica armata di armi proprie, che una armata d'armi esterne. Stettero Roma e Sparta molti secoli armate e libere.

Il Principe: Cap. XII

Alessandro Manzoni, 1785–1873

Il Castello dell'Innominato

Il castello dell'innominato era a cavaliere a una valle angusta e uggiosa, sulla cima d'un poggio che sporge in fuori da un'aspra giogaia di monti, ed è, non si saprebbe dir bene, se congiunto ad essa o separatone, da un mucchio di masse e di dirupi, e da un andirivieni di tane e di precipizi, che si prolungano anche dalle due parti.

Quella che guarda la valle è la sola praticabile; un pendio piuttosto erto, ma uguale e continuato; nelle falde a campi, sparsi qua e là di casucce. Il fondo è un letto di ciottoloni, dove scorre un rigagnolo o torrentaccio, secondo la stagione: allora serviva di confine ai due stati. I gioghi opposti, che formano, per dir cosí, l'altra parete della valle, hanno anch'essi un po' di falda coltivata; il resto è schegge e macigni, erte ripide, senza strada e nude, meno qualche cespuglio ne' fessi e sui ciglioni.

Dall'alto del castellaccio, come l'aquila dal suo nido insanguinato, il selvaggio signore dominava all'intorno tutto lo spazio dove piede d'uomo potesse posarsi, e non vedeva mai nessuno al di sopra di sé, né piú in alto. Dando un'occhiata in giro, scorreva tutto quel recinto, i pendii, il fondo, le strade praticate là dentro. Quella che, a gomiti e a giravolte, saliva al terribile domicilio, si spiegava davanti a chi guardasse di lassú, come un nastro serpeggiante: dalle finestre, dalle feritoie, poteva il signore contare a suo bell'agio i passi di chi veniva, e spianargli l'arme contro, cento volte. E anche d'una grossa compagnia, avrebbe potuto, con quella guarnigione di bravi che teneva lassú, stenderne sul sentiero, o farne ruzzolare al fondo parecchi, prima che uno arrivasse a toccar la cima. Del resto, nonché lassú, ma neppure nella valle, e neppur di passaggio, non ardiva metter piede nessuno che non fosse ben visto dal padrone del castello. Il birro poi che vi fosse lasciato vedere, sarebbe stato trattato come una spia nemica che venga colta in un accampamento. Si raccontavano le storie tragiche degli ultimi che avevano voluto tentar l'impresa; ma eran già storie antiche; e nessuno de' giovani si rammentava d'aver veduto nella valle uno di quella razza, né vivo, né morto.

Tale è la descrizione che l'anonimo fà del luogo: del nome, nulla; anzi, per non metterci sulla strada di scoprirlo, non dice niente del viaggio di don Rodrigo, e lo porta addirittura nel mezzo della valle, appié del poggio, all'imboccatura dell'erto e tortuoso sentiero. Lí c'era una taverna, che si sarebbe anche potuta chiamare un corpo di guardia.

Su una vecchia insegna che pendeva sopra l'uscio era dipinto da tutte e due le parti un sole raggiante; ma la voce pubblica, che talvolta ripete i nomi come le vengono insegnati, talvolta li rifà a modo suo, non chiamava quella taverna che col nome della Malanotte.

Al rumore d'una cavalcatura che s'avvicinava, comparve sulla soglia un ragazzaccio, armato come un saracino; e data un'occhiata, entrò ad informare tre sgherri, che stavan giocando, con certe carte sudicie e piegate in forma di tegoli. Colui che pareva il capo s'alzò, s'affacciò all'uscio, e, riconosciuto un amico del suo padrone, lo salutò rispettosamente. Don Rodrigo, resogli con molto garbo il saluto, domandò se il signore si trovasse al castello; e rispostogli da quel caporalaccio, che credeva di sí, smontò da cavallo, e buttò la briglia al Tiradritto, uno del suo seguito. Si levò lo schioppo, e lo consegnò al Montanarolo, come per isgravarsi d'un peso inutile, e salir piú presto; ma in realtà, perché sapeva bene che su quell'erta non era permesso d'andar con lo schioppo. Si cavò poi di tasca alcune berlinghe, e le diede al Tanabuso, dicendogli: "Voi altri state ad aspettarmi; e intanto starete un po' allegri con questa brava gente." Cavò finalmente alcuni scudi d'oro, e li mise in mano al caporalaccio, assegnandone metà a lui, e metà da dividersi tra i suoi uomini. Finalmente, col Griso, che aveva anche lui posato lo schioppo, cominciò a piedi la salita. Intanto i tre bravi sopraddetti, e lo Squinternotto ch'era il quarto (oh! vedete che bei nomi, da serbarceli con tanta cura), rimasero coi tre dell'innominato, e con quel ragazzo allevato alle forche, a giocare, a trincare, e a raccontarsi a vicenda le loro prodezze.

Un altro bravaccio dell'innominato, che saliva, raggiunse poco dopo don Rodrigo; lo guardò, lo riconobbe, e s'accompagnò con lui ; e gli risparmiò cosí la noia di dire il suo nome, e di rendere altro conto di sé a quanti altri avrebbe incontrati, che non lo conoscessero. Arrivato al castello, e introdotto (lasciando però il Griso alla porta), fu fatto passare per un andirivieni di corridoi bui, e per varie sale, tappezzate di moschetti, di sciabole e di partigiane, e in ognuna delle quali c'era di guardia qualche bravo ; e, dopo avere alquanto aspettato, fu ammesso in quella dove si trovava l'innominato.

Questo gli andò incontro, rendendogli il saluto, e insieme guardandogli le mani e il viso, come faceva per abitudine, e ormai quasi involontariamente, a chiunque venisse da lui, per quanto fosse de' piú vecchi e provati amici. Era grande, bruno, calvo; bianchi i pochi capelli che gli rimanevano; rugosa la faccia: a prima vista, gli si sarebbe dato piú de' sessant'anni che aveva; ma il contegno, le mosse, la durezza risentita de' lineamenti, il lampeggiar sinistro, ma vivo, degli occhi, indicavano una forza di corpo e d'animo, che sarebbe stata straordinaria in un giovane.

Don Rodrigo disse che veniva per consiglio e per aiuto; che trovandosi in un impegno difficile, dal quale il suo onore non gli permetteva di ritirarsi, s'era ricordato delle promesse di quell'uomo che non prometteva mai troppo, né invano; e si fece ad esporre il suo scellerato imbroglio. L'innominato, che ne sapeva già qualche cosa, ma in confuso, stette a sentire con attenzione, e come curioso di simili storie, e per essere in questa mischiato un nome a lui noto e odiosissimo, quello di Fra Cristoforo, nemico aperto de' tiranni, e in parole, e, dove poteva, in opere. Don Rodrigo, sapendo con chi parlava, si mise poi a esagerare le difficoltà dell'impresa; la distanza del luogo, un monastero, la signora. . . . A questo l'innominato, come se un demonio nascosto nel suo cuore gliel avesse comandato, interruppe subitamente, dicendo che prendeva l'impresa sopra di sé. Prese l'appunto del nome della nostra povera Lucia, e licenziò don Rodrigo, dicendo: "Tra poco avrete da me l'avviso di quel che dovrete fare."

I Promessi Sposi: Cap. XX

Il Cardinale e L'Innominato

Il Cardinal Federigo, intanto che spettava l'ora d'andare in chiesa a celebrar gli uffizi divini, stava studiando, come era solito di fare in tutti i ritagli di tempo; quando entrò il cappellano crocifero, con un viso alterato.

"Una strana visita, strana davvero, monsignore illustrissimo!"

"Chi è?" domandò il cardinale.

"Niente meno che il signor. . . ." riprese il cappellano;

e spiccando le sillabe con una gran significazione, proferí quel nome che noi non possiamo scrivere ai nostri lettori. Poi soggiunse: "è qui fuori in persona; e chiede nient'altro che d'esser introdotto da vossignoria illustrissima."

"Lui," disse il cardinale, con un viso animato, chiudendo il libro, e alzandosi da sedere: "venga! venga subito!"

"Ma. . . ." replicò il cappellano, senza muoversi: "vossignoria illustrissima deve sapere chi è costui: quel bandito, quel famoso. . . ."

"E non è una fortuna per un vescovo, che a un tal uomo sia nata la volontà di venirlo a trovare?"

"Ma. . . ." insistette il cappellano: "noi non possiamo mai parlare di certe cose, perché monsignore dice che le son ciance: però, quando viene il caso, mi pare che sia un dovere. . . . Lo zelo fa de' nemici, monsignore; e noi sappiamo positivamente che piú d'un ribaldo ha osato vantarsi che, un giorno o l'altro. . . ."

"E che hanno fatto?" interruppe il cardinale.

"Dico che costui è un appaltatore di delitti, un disperato, che tiene corrispondenza co' disperati piú furiosi, e che può esser mandato. . . ."

"Oh, che disciplina è codesta," interruppe ancora sorridendo Federigo, "che i soldati esortino il generale ad aver paura?" Poi, divenuto serio e pensieroso, riprese: "San Carlo non si sarebbe trovato nel caso di dibattere se dovesse ricevere un tal uomo: sarebbe andato a cercarlo. Fatelo entrar subito: ha già aspettato troppo."

Il cappellano si mosse, dicendo tra sé:—non c'è rimedio: tutti questi santi sono ostinati.

Aperto l'uscio, e affacciatosi alla stanza dov'era il signor e la brigata, vide questa ristretta in una parte, a bisbigliare e a guardar di sott'occhio quello, lasciato solo in un canto. S'avviò verso di lui; e intanto squadrandolo, come poteva, con la coda dell'occhio, andava pensando che diavolo d'armeria poteva esser nascosta sotto quella casacca; e che, veramente, prima d'introdurlo, avrebbe dovuto proporgli almeno . . . ma non si seppe risolvere. Gli s'accostò, e disse: "Monsignore aspetta vossignoria. Si contenti di venir con me." E precedendolo in quella piccola folla, che subito fece ala, dava a destra e a sinistra occhiate, le quali significavano: cosa volete? non lo sapete anche voi altri, che fa sempre a modo suo?

Appena introdotto l'innominato, Federigo gli andò incontro, con un volto premuroso e sereno, e con le braccia aperte, come a una persona desiderata, e fece subito cenno al cappellano che uscisse: il quale obbedí.

I due rimasti stettero alquanto senza parlare, e diversamente sospesi. L'innominato, ch'era stato come portato lí per forza da una smania inesplicabile, piuttosto che condotto da un determinato disegno, ci stava anche come per forza, straziato da due passioni opposte, quel desiderio e quella speranza confusa di trovare un refrigerio al tormento interno, e dall'altra parte una stizza, una vergogna di venir lí come un pentito, come un sottomesso, come un miserabile, a confessarsi in colpa, a implorare un uomo: e non trovava parole, né quasi ne cercava. Però alzando gli occhi in viso a quell'uomo, si sentiva sempre piú penetrare da un sentimento di venerazione imperioso insieme e soave, che, aumentando la fiducia, mitigava il dispetto, e senza prendere l'orgoglio di fronte, l'abbatteva, e, dirò cosí, gl'imponeva silenzio.

Ibid.: Cap. XXIII

Silvio Pellico, 1789–1854

La Sentenza

Alle 9 antimeridiane, Maroncelli ed io fummo fatti entrare in gondola, e ci condussero in città. Approdammo al palazzo del doge, e salimmo alle carceri. Ci misero nella stanza, ove pochi giorni prima era il signor Caporali; ignoro ove questi fosse stato tradotto.

Nove o dieci sbirri sedeano a farci guardia, e noi, passeggiando, aspettavamo l'istante di essere tratti in piazza. L'aspettazione fu lunga. Comparve soltanto a mezzodí l'inquisitore, ad annunziarci che bisognava andare. Il medico si presentò suggerendoci di bere un bicchierino d'acqua di menta; accettammo e fummo grati, non tanto di questa, quanto della profonda compassione che il buon vecchio ci dimostrava.

S'avanzò quindi il capo-sbirro, e ci pose le manette. Seguimmo lui, accompagnati dagli altri sbirri.

Scendemmo la magnifica "scala de' giganti," ci ricordammo del doge Marin Faliero, ivi decapitato, entrammo nel gran portone che dal cortile del palazzo mette sulla piazzetta, e qui giunti voltammo a sinistra verso la laguna. A mezzo della piazzetta era il palco ove dovemmo salire.

Dalla "scala de' giganti" fino a quel palco stavano due file di soldati tedeschi; passammo in mezzo ad esse. Montati là sopra, guardammo intorno, e vedemmo in quell'immenso popolo il terrore. Per varie parti in lontananza schieravansi altri armati. Ci fu detto, esservi i canoni colle micce accese dappertutto.

Ed era quella piazzetta, ove nel settembre 1820, un mese prima del mio arresto, un mendico aveami detto:—Questo luogo è di disgrazia.

Sovvennemi di quel mendico, e pensai:—Chi sa, che in tante migliaia di spettatori non siavi anch'egli, e forse mi ravvisi!

Il capitano tedesco gridò, che ci volgessimo verso il palazzo e guardassimo in alto. Obbedimmo, e vedemmo sulla loggia un curiale con una carta in mano. Era la sentenza. La lesse con voce elevata.

Regnò profondo silenzio sino all'espressione : condannati a morte. Allora s'alzò un generale mormorio di compassione. Successe nuovo silenzio per udire il resto della lettura. Nuovo mormorio s'alzò all'espressione: condannati a carcere duro: Maroncelli per vent'anni, e Pellico per quindici.

Il capitano ci fe' cenno di scendere. Gettammo un'altra volta lo sguardo intorno, e scendemmo. Rientrammo nel cortile, risalimmo lo scalone, tornammo nella stanza donde eravamo stati tratti, ci tolsero le manette; indi fummo ricondotti a San Michele.

Le Mie Prigioni: Cap. LIII

Nobiltà di Cuore

Per dir vero, se la pena era severissima ed atta ad irritare, avevamo nello stesso tempo la rara sorte, che buoni fossero tutti coloro che vedevamo. Essi non potevano alleggerire la nostra condizione se non con benevole e rispettose maniere; ma queste erano usate da tutti. Se v'era qualche ruvidezza nel vecchio Schiller, quanto non era compensata dalla nobiltà del suo cuore! Persino il miserabile Kunda (quel condannato che ci portava il pranzo, e tre volte al giorno l'acqua) voleva che ci accorgessimo che ci compativa. Una mattina spazzava la stanza, colse il momento che Schiller s'era allontanato due passi dalla porta, e m'offerse un pezzo di pan bianco.

Non l'accettai, ma gli strinsi cordialmente la mano.

Quella stretta di mano lo commosse. Ei mi disse in cattivo tedesco (era polacco): "Signore, le si dà ora cosí poco da mangiare, ch'ella sicuramente patisce la fame." Assicurai di no, ma io assicurava l'incredibile. Il medico vedendo che nessuno di noi potea mangiare quella qualità di cibi che ci aveano dato ne' primi giorni, ci mise tutti a quello che chiamano quarto di porzione, cioè al vitto dell'ospedale. Erano tre minestrine leggerissime al giorno, un pezzettino d'arrosto d'agnello da ingoiarsi in un boccone, e forse tre once di pan bianco. Siccome la mia salute s'andava facendo migliore, l'appetito cresceva, e quel quarto era veramente troppo poco. Provai di tornare al cibo dei sani, ma non v'era guadagno a fare, giacché disgustava tanto, ch'io non poteva mangiarlo. Convenne assolutamente ch'io m'attenessi al quarto. Per piú d'un anno conobbi quanto sia il tormento della fame. E questo tormento lo patirono con veemenza anche maggiore alcuni de' miei compagni, che essendo piú robusti di me, erano avezzi a nutrirsi piú abbondantemente. So d'alcuni di loro che accettarono pane e da Schiller e da altre due guardie addette al nostro servizio, e perfino da quel buon uomo di Kunda. "Per la città si dice che a lor signori si dà poco da mangiare," mi disse una volta il barbiere, un giovinotto praticante del nostro chirurgo.

"È verissimo," risposi schiettamente.

Il seguente sabato (ei veniva ogni sabato) volle darmi di soppiatto una grossa pagnotta bianca. Schiller finse di non veder l'offerta.

Io, se avessi ascoltato lo stomaco, l'avrei accettata, ma stetti saldo a rifiutare, affinché quel povero giovine non fosse tentato di ripetere il dono; il che alla lunga gli sarebbe stato gravoso.

Per la stessa ragione, io ricusava le offerte di Schiller. Piú volte mi portò un pezzo di carne lessa, pregandomi che la mangiassi, e protestando che non gli costava niente, che gli era avanzata, che non sapea che farne, che l'avrebbe data davvero ad altri, s'io non la prendeva. Mi sarei gettato a divorarla, ma s'io la prendeva, non avrebb'egli avuto tutti i giorni il desiderio di darmi qualche cosa?

Solo due volte, ch'ei mi recò un piatto di ciliegie, e una volta alcune pere, la vista di quella frutta mi affascinò irresistibilmente. Fui pentito d'averla presa, appunto perché d'allora in poi non cessava piú d'offrirmene.

Ibid.: Cap. LXIV

Gino Capponi, 1792–1876

La Democrazia Fiorentina

Le repubbliche italiane, ed in specie le democratiche (in ciò essenzialmente dissimili da quelle del mondo antico), non ebbero mai coscienza piena ed intera della propria libertà; ma la tenevano come un privilegio, derivato dall'imperatore: questa era la forma del diritto pubblico italiano, che la pace di Costanza aveva fondato, e i giureconsulti professavano; i ghibellini ed i guelfi del pari la consentivano. La fonte d'ogni diritto allora stava nei continuatori dell'antica unità romana, ch'erano il papa e l'imperatore: ma questi era natural nemico della indipendenza municipale; e il papa non volle farsene patrono giuridico, né difensore costante, perché temeva s'indebolisse il principio dell'autorità che il mondo reggeva; e perché le due supreme potestà si consegnavano per tal modo, che una percuotersi non poteva senza offesa dell'altra.

Legalmente il medio evo era monarchico e sacerdotale: i re da principio non avevano, siccome capi di barbari, una consacrazione che fosse tanto universalmente riverita, ma poi bentosto l'ottennero; e quanto valesse il nome regio, appare da ciò, che mentre le forze materiali erano in mano della feudalità, i re giunsero a dominarla con la potenza del nome, e con l'andar del tempo a distruggerla. Da tutto ciò ne seguiva, che quella specie di forza la quale risiede nella estimazione degli altri, si misurasse in ciascuno Stato secondo il grado che gli spettava in quella universale gerarchia, la quale, applicando l'idea romana alla famiglia cristiana, tendeva incessantemente a ricostituirsi nell'unità. Ed allorché le nazioni (qui dell'Italia non parlo) rinvigorite incominciarono a ordinarsi ed a comporsi ciascuna in sé stessa, ed alla unità ecclesiastica ed imperiale sottentrarono le unità nazionali; l'idea gerarchica, dominando sempre per la forza delle tradizioni, generò quelle dispute di precedenza tra' principi e tra gli Stati, le quali non furono tutta invenzione spagnuola, ma ebbero in antico una significazione molto effettiva. Ai Veneziani giovava assai nella opinione degli uomini, l'essere chiamati i signori Veneziani; e oltreciò Venezia, ultimo e quasi miracoloso avanzo del mondo romano, era nata prima che sorgesse il nuovo impero occidentale, al quale perciò non fu soggetta giammai, e in sé stessa riproduceva continuate senza intermissione le forme latine: eppure questa città, marittima e segregata ed in tutto singolare, non ebbe stato in Italia prima del XV° secolo, ma si aggrandí pe' commerci e per le conquiste nell'Oriente. Ed anche Firenze si gloriava d'intitolarsi figlia di Roma, della quale fu colonia; ma nessuna splendida memoria vivente s'annodava a quella origine, e innanzi al mille poco sappiamo di questa città, che allora solamente cominciò a primeggiare in Toscana.

Cresciuta per le arti, fu essenzialmente democratica; al

che trovò minore contrasto, perche le famiglie nobili, a ciò che debba congetturarsi, composte in gran parte d'antichi proprietari del suolo, con poca mistura di feudalità tedesca, si riducevano piú agevolmente al vivere cittadino. Certo è che in Toscana, e massimamente nella parte centrale di essa, può credersi che l'antica razza fosse alterata meno che altrove dalla frequenza de' barbari, e si rinnovasse meno, per la magrezza del suolo (come Tucidide osservò dell'Attica) e per essere il fondo delle valli impaludato dell'Arno. Poi quando Firenze, salita in potenza, cominciò ad ampliare il contado, i signori di castella, che dominavano l'Appennino, divennero tributari della industriosa città, di quel mercato che aveva prima spopolata e poi disfatta la rocca di Fiesole. Firenze dunque raccolse quanto era d'intorno a lei, e ve ne aveva piú che altrove, di schietto sangue italiano; e dimostrò ciò che avanzasse di vita propria e distinta, di vita locale, per cosí dire, e cittadina, in quella nazione, la quale oggimai costretta (come il dantesco Satan) da tutti i pesi del mondo, ambiva tuttora di soprastare al mondo intero per altro genere di dominazione. Ma una città cosifatta dovea di necessità ordinarsi a forma democratica, e ritenere quel suo carattere essenzialmente municipale; perché all'antico popolo null'altro apparteneva fuorché i municipali diritti, retaggio benefico delle istituzioni romane; e perché ogni altra grandigia che ambire potesse a una dominazione piú vasta, o aveva origine forestiera, o per mirare all'universalità, cessava cosí dall'essere nazionale: tedesca era la nobiltà feudale, tedesco l'imperatore, e al papa l'Italia riusciva la piú intrattabile provincia della cristianità. Cosí la Toscana, e in ispecial modo Firenze, meno offesa dalla barbarie che altra qualsiasi parte d'Italia, ricondusse nell'età moderna l'antico genio italiano, ma senza forze né autorità per farlo predominare sulla intera nazione.

Ristretta dentro alle forme municipali e democratiche, fu tutta guelfa per indole: e anticipandosi una libertà che non aveva fermezza, e intenta sempre a conservare tra le provincie d'Italia un falso equilibrio, anch'essa come guelfa, contò trai principali impedimenti di ogni nazionale grandezza vietando in Italia sorgesse un padrone, ch'esser poteva un salvatore. In quelle origini latine del popolo di Firenze (perché ogni antichità etrusca s'avvolge nel buio) stanno le cause che lo mantennero il piú italiano fra tutti, di lingua e d'ingegno, nell'età di mezzo; e a quelle devesi attribuire ciò che vi ebbe di grande, e ciò che di debole, nell'istoria di questo popolo.

Per ciò che spetta al governo di quella repubblica, nessuno vi cerchi, secondo le norme d'oggidí, l'egualità dei diritti, la sicurezza degli averi o delle persone, e la temperata libertà di tutti.

I Fiorentini acquistarono con l'oro e con le armi un piccolo Stato, e con le armi lo tennero; ma per bene amministrarlo, mancavano d'un principio d'autorità che stesse in luogo della forza, e di quell'arte ordinatrice, la quale collega in un corpo solido e tenace le parti diverse, col procurare l'utilità dei molti.

Archivio storico Fiorentino: I

La Fine Della Repubblica Fiorentina

I nuovi destini dell'Italia erano già fatti irrevocabili per la concordia de' potentati: Firenze sola resisteva; in lei viveva l'antico spirito, le antiche forme si conservavano, e contro a lei si voltarono tutte le forze de' nuovi dominatori, insieme congiurati ad estinguere ogni reliquia de' vecchi tempi. E non era in tutto il mondo chi soccorresse a Firenze: il senato di Venezia a mezzo l'assedio s'era accordato con Cesare; e dentro alle mura soldati venali pareva temessero piú che sperassero la vittoria. Il popolo solo sostenne per dieci mesi la vita della repubblica: il popolo disarmato, dissuefatto alla guerra, dissuefatto anche al governo, male d'accordo con li ottimati, i quali non bene intendevano quel combattere senza speranza, ricusò ostinatamente di patteggiare la servitú, e volle onorare la sua ultima caduta, anzi che alleviarla con meno decorosi temperamenti.

La Toscana, fin allora appena tocca dalle guerre, sostenne lunga incursione di eserciti rapidissimi, devastazione di campi, arsione di ville: sacrifici senza frutto, e anche senza lode ne' tempi che sopravvennero. Ma finché durò l'assedio, tutti li occhi e le ansietà, non che d'Italia d'Europa, erano addosso a Firenze; lo spirito guelfo che in lei tutto risedeva, e con lei si estinse, mostrò insino all'ultimo qual fosse la sua natura, e quante glorie caduche, e quante inutili virtú all'Italia partorisse.

Documenti di Storia Italiana: II

Carlo Alberto

Carlo Alberto propugnò la causa d'Italia non per mero calcolo d'ambizione, ma in lui era il sentimento connaturato da' primi anni; ciò gli deve agli occhi nostri perdonare molti falli.

Egli ebbe coscienza piú timorata che netta: nei campi animoso e prodigo di sé stesso, nel governo e nella vita guardingo ed incerto e non senza taccia di doppiezza; delle cose dello stato conoscitore sottile, degli uomini esploratore diffidente e malizioso piú che al principe non si convenga: Iddio gli concesse finire la vita nel proposito dell'espiazione e con la virtú del sacrificio.

Oggi all'Italia non si addice accusare Carlo Alberto, perché ella non fece a pro di sé stessa quanto egli fece per lei: ma bene dovrà il giudizio dell'istoria dare a lui carico ed al Piemonte dell'avere professato pensieri italiani con animo troppo grettamente piemontese; il che infine si riduce all'avere essi partecipato ai comuni nostri vizi, se non piuttosto alle condizioni che lunghi secoli maturarono e la natura e la qualità nostre. Imperocché l'unità, come in Italia è predicata, non è che la maschera degli interessi e delle passioni municipali e provinciali accese sempre contro al vicino; e la provincialità dei Piemontesi non differisce dalle altre se non per essere piú ambiziosa. Certo è che nel primo fervore delle speranze, Carlo Alberto ed il Mazzini si occhieggiavano a vicenda, confidandosi ciascuno d'essi condurre a suo pro quello che l'altro per sé operasse: i dottrinari della unità gettatisi tra le file aiutavano a confonderle.

Scritti Editi ed Inediti: II

Massimo d'Azeglio

Tardi lo conobbi, né molto gli era famigliare, quando una mattina, a mezzo del 1845, mi venne a dire, ch'egli cospirava per l'Italia, ma in un certo modo da rialzarmi l'animo uggito e disgustato ed allibito dai troppi lunghi anni di vaniloqui e di malefatte; fu quel giorno a me tra' piú belli nella povera mia vita.

Era un cospiratore come a lui si addiceva, scoperto, nobile, efficace; e quanto operasse Massimo d'Azeglio, tra il'45 e il '48 noi tutti sappiamo, né può entrare in queste poche pagine affrettate. Si fece in quegli anni come una grande preparazione a quel che doveva essere piú tardi; e furono belli, anzi troppo belli come la prima immagine che non sa per anche essere una cosa.

La prova dei fatti riusciva infelice, e grandi errori ne furono colpa: preghiamo che tutti si consumassero in quegli anni, cosí da lasciarne utile esperienza. Sul fine del 1848, quando pareva ogni cosa andare alla peggio, capitava l'Azeglio in Firenze molto arruffata in quei brutti giorni; ma venne a lui una molto strana voglia: quella di farsi ministro, ministro in Toscana, per esempio, delle armi. Ed a me diceva: "Son qua; ma vedi, non caverete da me nulla se non mi facciate salire a cavallo." E avea nello stinco già la buca della palla che egli era andato a cercare allegramente in Vicenza, ma pare gli desse in quei giorni poca noia.

Divennero i tempi ogni dí piú tristi, e in quelli l'Azeglio guerreggiò sempre ma in altro modo: certi articoli di giornale, che ad ogni tratto mandava fuori, non si contentavano scottare la pelle a chi di ragione, ma ferivano sul vivo:

e gli urli e le imprecazioni contro l'uomo che sino alla morte fu in tutta l'Italia il piú veramente popolare, mostrano il caso che sia da fare d'una certa qualità di false collere e di urli. Ma perché fu egli, e perché fu sempre, veramente popolare? Perché alle tante e svariate doti dell'ingegno stava sotto come fondamento un'anima fatta di quell'antica roccia alpina, che in lui era come la grana finissima d'un marmo splendente; cosí stava egli innanzi a tutti in quella generazione di uomini forti, nei quali fu avvezza l'Italia a guardare fino dai primi anni del secolo nostro. Vennero gli Austriaci, e cadde l'Italia dopo la battaglia di Novara, che tutti allora non ci potevamo accorgere di avere vinta a benefizio d'un tempo vicino. Ma che fosse vinta dobbiamo per molta parte a Massimo d'Azeglio, che resse in quel tempo le sorti del regno subalpino; e quel che facesse in quel primo anno del suo ministero, è grande materia di storia futura.

Maggiori cose dipoi si fecero; ma è certo che non si potevano se a quelle prima non avesse egli acconcio il terreno.

Si accollava la soma piú dura e piú ingrata; ma erano tutti allora d'accordo che egli solo fosse capace a portarla.

Era l'antica Italia che finiva e dava mano a un'altra Italia: e la vita operosa dell'Azeglio insieme finiva, perché uomo intero non v'è se non sia di propria necessità legato ad un certo ordine di tempi, e se egli possa a tutti voltarsi e secondo tutti trasformarsi. Quando ne' principii del '59 giunsero novelle di guerra imminente, era egli in Firenze, e dal quell'annunzio io l'udiva sopraffatto e come atterrito. Ma che faceva egli il giorno dipoi?

Scriveva al Cavour: "Sinora non fummo d'accordo sempre, ora mi ti offro a quel che tu voglia, e sarò in Genova tra poche ore."

I fatti, come onde accavallate, si ammontarono ad altezza portentosa in quello e nel seguente anno: erano cose non che non viste mai, nemmeno pensate dall'antica gente, e appena appena osate sperare da coloro stessi che n'erano autori. Ma niuno piú caldo dell'Azeglio nell'accoglierle, e niuno piú fermo nel proposito di sostenerle con quella saldezza ch'era cosa sua. Cessò dall'oprare, ma pigliò la parte d'alto moralista nei casi politici; e ad ogni occasione usciva fuori scrivendo parole che facili andavano all'intendere di tutti, sempre dignitose, che fare altrimenti non gli sarebbe potuto riuscire, sempre anche severe, quasi gli paresse che a lui sopra ogni altro tale ufficio si appartenesse; e noi tutti concedevamo a lui questo grado, e tutti da lui ascoltavano sentenze che forse da altri non avrebbero sofferte. Imperocché Massimo non era di quelli uomini che sapessero assoggettare la vita a un solo pensiero e a quello dirigerla innanzi senza guardare né intorno a sé né in sé medesimi: era di quelli uomini i quali per mettersi a fare una cosa hanno bisogno di prima sapere come ella risponda oltrecché al pensiero anche al sentire della coscienza, ed a quel concetto del buono e del bello che aveva squisito, egli natura d'artista, temperata da una rigida e vigorosa educazione. Conobbi poche anime naturalmente piú religiose della sua; nel che era gran parte di quella sua forza; e quindi il giudizio ch'egli ha lasciato di sé medesimo nelle sue Memorie, ritenga ciascun dover essere sincero, quanto sia dato ad uomo formare sul conto suo proprio.

Ibid.

Il Secolo è Materiale

Ne' secoli antichi, quando il sentimento ogni cosa dominava e prevaleva sul calcolo, un istinto, consapevole degli arcani del cuore, conduceva gli uomini ad impiegare l'avanzo dei guadagni loro in godimenti morali a tutti liberi ed aperti. Non badavano se i capitali a questo modo impiegati rendessero un frutto certo e materiale per computo di scrivani; avevano essi nella vita pubblica largo compenso d'ogni fatica; a quella intendevano con ogni studio, parevano cercassero gioie piú che pane. Ma gli animi, inalzati da quelle nobili gioie, divenivano strumenti efficacissimi di lavoro largamente produttivo, di portentoso lavoro: le botteghe di Firenze, nate come a caso, e senza scienza economica istituite, empivano il mondo di broccati e di velluti. Le associazioni sorgevano facili e continue, non dalla combinazione artificiata delle imprese, ma dalla confidenza scambievole, dalla famigliarità dei costumi, dagli eccitamenti d'ogni sorta, che avevano i cittadini all'intendersi tra loro e accomunare la vita. I nostri antichi impiegarono due secoli e mezzo e tutto l'avvanzo del denaro pubblico, a innalzare da' fondamenti la mole immensa del Duomo: come la scienza economica suole calcolare, tutto quel tempo e quel denaro dovrebbero dirsi inutilmente gettati.

Considerazioni religiose qui non hanno luogo, dilettazioni artistiche non si contano; qui si vuole di quel capitale un frutto spendibile, si chiede una rendità bella e sonante. Ma io dico, che a solo calcolo di moneta, il popolo di Firenze non mai fece impresa o speculazione che fruttasse tanto. Se poi la proporzione si arrovesci, avrà evidenza piú manifesta: quegli uomini che tante cose fecero, tra' quali tanti sovrani ingegni sursero, non potevano appagarsi che di pensieri magnifici: non potevano della ricchezza volere frutti, i quali non fossero sublimi ed eterni. Un sentir comune volea comuni piaceri; i pubblici monumenti stavano pel cittadino invece de' comodi privati: e tutta la condotta della vita e tutte le spese erano governate da questa norma. Le spese del ricco sempre avevano in sé alcuna cosa di popolare: quest' era uno tra' motivi della superiorità che aveva l'Italia sulle altre nazioni.

Un ricco voleva edificare. Senza parlare de' monumenti sacri, che pure son palazzo del povero, camera de' suoi affetti, teatro delle sue feste, il ricco cittadino apriva una loggia.

Quivi sugli occhi di tutti, le faccende dello Stato e sue, i ritrovi, le conversazioni, fatte piú dignitose e piú liete dalla frequenza del popolo. Anche i poveri godevano quella magnificenza del ricco, non la invidiavano: quella spesa fatta a pubblico benefizio e spettacolo era per tutti un godimento. L'uomo di bel tempo voleva far festa, il nobile celebrare le allegrezze della casa; ed anche queste comuni a tutti: un paio di nozze rallegrava l'intera città.

Il ricco pagava le feste al povero per goderle insieme con lui: i giovani armeggiavano, le donne ballavano sulle piazze all'aria aperta, non al fumo di candele, nell'uggia de' salotti. Ne'primi giorni del maggio que' divertimenti erano continui. Fu già notato assai bene, come l'uomo nella gioia piú che in altro riveli sé stesso, come nella qualità dei pubblici passatempi sia manifestazione certissima degli universali costumi. Quelle usanze caddero, cessò affatto la vita pubblica, le differenze di condizione con ogni studio si rinforzarono: ognuno si concentrò in sé stesso o si ristrinse tra coloro che si dicevano suoi eguali. Come tutta la vita, cosí le feste, e i sollazzi pigliarono aspetto differente da quello di prima: ora abbiamo altri usi e altre maniere di ricrearsi; Stenterello per due crazie educa il popolo; l'Opera a ballo, i signori: questi sono i pubblici spettacoli, questi i passatempi. Le spese del facoltoso non s'impiegano in comuni godimenti, ognuno pensa per sé: il lusso privato, geloso e vergognoso di mostrarsi agli occhi di tutti, si rinchiude nelle case, o si raccoglie addosso alla persona, anch'essa rinchiusa da leggi stranissime di sociale convenienza. Queste erano cose d'accordo co' tempi: ma pensiamo ciò che i tempi tolsero a' godimenti del popolo, innanzi di predicare come sorgenti uniche di felicità non mai piú vista, i nuovi provvedimenti benefici che intendono a sollevarlo.

Ora si cerca in ogni cosa il positivo; il secolo è materiale anche nelle sue passioni. Quel sovrappiú di ricchezza che avanza allo stretto necessario, ora si cerca tritarlo e dividerlo in porzioni, quanto piú eguali ne sia concesso, per farlo godere direttamente al bisognoso. Il pensiero è santo: ma dagli sforzi che noi facciamo perché ognuno goda direttamente, ne segue che ognuno goda separatamente; i vincoli che noi cerchiamo stringere si disciolgono, o piú che mai si rallentano. In ciò, senza volerlo o saperlo, noi seguitiamo il moto impresso dai secoli e dalle istituzioni delle quali ereditammo i vizi e pur ci chiamiamo novatori: noi rinforziamo in molte cose l'opera di quelle istituzioni stesse; eppure noi ci vantiamo di riformarle o distruggerle. Le piú lontane frazioni della società umana tra loro si ravvicinano per la forza del vapore, e per la facilità delle strade ferrate: e le aderenze piú immediate, le affezioni piú potenti, di nazione, di città, Dio faccia non anche di famiglia, ogni giorno si diradano, si fanno piú sterili di grandi effetti sociali.

Noi predichiamo le associazioni; associazioni arimmetiche, senza un sentir comune che le cementi, senza un principio che le consacri. Il lavoro si moltiplica, talvolta s'ingombra; ma è lavoro tutto meccanico, lavoro malinconico, lavoro servo. Badiamo, la servitú del telaio non sia piú dura e sconsolata di quello che fosse la servitú della gleba; e che nonostante la diffusione di alcuni beni materiali, la massa totale della felicità umana non abbia a trovarsi, conto fatto, minore di prima. A questo pericolo non trovo finora che alcun retto calcolo provvegga efficacemente; ma l'istinto umano piú sapiente d'ogni calcolo, io spero provvederà.

Ibid.

Giuseppe Mazzini, 1805–1872

Ai Giovani d'Italia

Non vi sono cinque Italie, quattro Italie, tre Italie.

Non vi è che una Italia. I tiranni stranieri e domestici l'hanno tenuta e la tengono tuttavia serva e smembrata, perché i tiranni non hanno patria; ma qualunque tra voi intendesse a smembrarla redenta o accettasse senza lotta di sangue ch'altri la smembrasse, sarebbe reo di matricidio e non meriterebbe perdono in terra né in cielo. La patria è una come la vita. La patria è la vita del popolo.

Dio ve la diede; gli uomini non possono a modo loro rifarla.

Gli uomini possono, tiranneggiando, impedirle per breve tempo ancora di sorgere; ma non possono far ch'essa sorga libera, eppur diversa da quello ch'essa è.

Dio, che creandola sorrise sovr'essa, le assegnò per confine le due piú sublimi cose ch'ei ponesse in Europa, simboli dell'eterna forza e dell'eterno moto, l'Alpi ed il mare. Sia tre volte maledetto da voi e da quanti verranno dopo voi qualunque presumesse di assegnarle confini diversi.

Dalla cerchia immensa dell'Alpi, simile alla colonna di vertebre che costituisce l'unità della forma umana, scende una catena mirabile di continue giogaie che si stende sin dove il mare la bagna e piú oltre nella divelta Sicilia. E il mare la ricinge quasi d'abbraccio amoroso ovunque l'Alpi non la ricingono: quel mare che i padri dei padri chiamano: Mare nostro.

E come gemme cadute dal suo diadema stanno disseminate intorno ad essa in quel mare Corsica, Sardegna, Sicilia, ed altre minori isole dove natura di suolo e ossatura di monti e lingua e palpito d'anime parlan d'Italia.

Per entro a quei confini tutte le genti passeggiarono l'una dopo l'altra conquistatrici e persecutrici feroci; e non valsero a spegnere quel nome santo d'Italia né l'intima energia della razza che prima la popolò; l'elemento italico piú potente di tutte logorò religioni, favelle, tendenze dei conquistatori e sovrappose ad esse l'impronta della vita italiana.

Scritti editi e inediti: XI

Cos'è Nazione?

(In Nazionalismo e Nazionalità)

Noi miriamo all'uomo; ma all'uomo nel pieno attivo sviluppo di tutte le sue facoltà, di tutte le sue forze, all'uomo intelligente, amante, volente, capace di salire per sé o per gli altri le vie del Progresso, all'uomo centro e interprete del concetto d'armonia che Dio ha infuso nell'universo e incarnazione della Legge Morale. A quest'Uomo che un giorno sarà, è necessario il lungo lavoro dei secoli che si compendia nella Tradizione, deposito sempre crescente delle umane conquiste nel tempo e nello spazio: è necessario l'aiuto di tutti i suoi simili, necessaria l'intima comunione colle facoltà e le forze altrui, necessaria l'associazione, necessario il lavoro concorde e perciò ripartito. La divisione del lavoro è condizione essenziale al lavoro. Riconoscerete voi questo principio per la menoma impresa industriale e lo rifiuterete per l'impresa che abbraccia le generazioni passate e future e il cui fine è la creazione dell'unità dell'umana famiglia nella Legge che deve dirigerla e nell'Amore che la sprona a eseguirla?

Or che altro è La Nazionalità se non la divisione del lavoro nell'Umanita? Non sono i popoli, per voi, come per noi, gli operai dell'Umanità? Non è ciò che noi chiamiamo nazionalità una attitudine speciale, avverata dalla tradizione di un popolo a compiere meglio di un altro un dato ufficio nel lavoro comune?

Sí, finalmente—ed è davvero tristissimo indizio che taluni fra i nostri giovani magnifichino oggi come scoperta d'agitatori stranieri una idea che udirono quaranta anni addietro da labbra italiane—noi vogliamo gli Stati Uniti d'Europa, l'Alleanza repubblicana dei Popoli. Ma l'eterna questione del come, trascurata dagli altri, ci riconduce alla nostra fede. Senza Patria, non è possibile ordinamento alcuno dell'Umanità. Senza Popoli non può esistere Alleanza di Popoli. E questi Popoli devono stringerla leale e durevole, essere liberi ed uguali, avere coscienza di sé, affermare la propria individualità e il proprio principio: essere insomma nazioni.

L'Umanità è il fine: La Nazione, il mezzo: senz'essa potrete adorare, contemplatori oziosi, l'Umanità, non costituirla o tentarlo. Posto davanti all'immenso problema, l'individuo isolato sente la propria debolezza e s'arretra. Quali forze, quali elementi può egli portare in campo a prò dell'ordinamento dell'Umanità? I suoi mezzi, i suoi trenta o quaranta anni di vita attiva sono una goccia nel vasto Oceano dell'Essere. Ei rinuncia quindi sconfortato all'impresa e si limita, se buono, all'esercizio d'una Missione di semplice carità, com'ei può e dove può, o rovina, se tristo, nell'egoismo.

Ma date a quest'uomo una Patria, costituite la solidarietà della di lui opera individuale coll'opera delle numerose generazioni che successivamente la popolano, ponete associati al di lui lavoro venticinque o trenta milioni d'uomini che parlano la stessa lingua, hanno attitudini simili, obbediscono alle stesse tendenze, professano fede nello stesso fine e ricevono dalle condizioni topografiche mezzi e strumenti conformi al lavoro; il problema muta per lui: le di lui forze indefinitamente moltiplicate gli paiono eguali all'impresa: la tradizione nazionale e il proprio intelletto rinvigorito dalla comunione coll'intelletto dei milioni gli rivelano un fine speciale posto sulla via del fine generale e non superiore alle di lui forze e a quelle de' suoi fratelli di patria. Ei sa che il granello di sabbia aggiunto da lui alla grande piramide che ci è commesso d'inalzare dalla terra al cielo posa su milioni di granelli simili e sarà seguito da altri milioni. Una Nazione è, se ordinata a dovere, un opificio consacrato a un ramo di produzione morale, intellettuale, economica, necessario all'insieme.

Queste che a noi sembrano verità elementari tanto da dover quasi arrossire scrivendole, sono nondimeno obbliate oggi come sempre dai fautori d'un impossibile cosmopolitismo opposto al concetto organico della nazione. Prevale troppo frequente la pessima abitudine di non definire la cosa intorno alla quale versa la discussione.

E nondimeno ogni controversia risparmierebbe ai contendenti, se preceduta da una definizione, tempo, fatica ed errori. Il materialismo, condannato a non guardare se non a fatti isolati dall'analisi e incapace di salire ai principî generali che soli possono ordinarli a serie, collocarli in successione nello spazio e nel tempo, e intenderne quindi il significato e il valore, fraintende l'idea della Nazione come fraintende la vita. Balbettando, senza conoscerne il senso, la parola Progresso ed inetti ad afferrare il nesso delle epoche storiche e la distinzione fra i principî che le contrassegnano, i materialisti confondono il nazionalismo dell'Europa feudale e dinastica colla nazionalità dell'Europa repubblicana e paventano conseguenze identiche da due principî radicalmente contrari.

Il nazionalismo dinastico si fondava e si fonda tuttora sull'assoluta negazione di quanto è anima delle nostre attuali credenze. Non esisteva idea di Progresso: i pensatori non conoscevano se non la teoria del moto circolare delle nazioni, del corso e ricorso dei tempi—non idea di Legge Morale suprema su tutti: i re erano intermediari tra Dio e i sudditi, e la Legge era l'arbitrio loro: non idea di popolo: popolo era un'agglomerazione d'uomini nati a servire, a nutrire il fasto signorile e monarchico e vivere di vita materiale come poteva. Quando Luigi XIV disse: "sono io lo Stato," compendiò la dottrina politica di tutti i re che lo avevano preceduto e che lo seguirono. Nazione era dunque un territorio piú o meno vasto, mal definito, smembrato spesso o accresciuto anche pel diritto di successione femminile, creato dalla conquista, mantenuto dalla forza; e forza era l'altrui debolezza; il piú potente e sicuro Stato era quello intorno al quale stavano piccoli e fiacchi vicini. Le guerre erano suscitate dalle ire, dai capricci gelosi, dalla avidità o dalle paure d'un individuo.

Ibid.: XVII

Doveri dell'Uomo

(*Agli Operai italiani*)

Io voglio parlarvi dei vostri doveri. Voglio parlarvi, come il cuore mi detta, delle cose piú sante che noi conosciamo, di Dio, dell'Umanità, della Patria, della Famiglia. Ascoltatemi con amore com'io vi parlerò con amore. La mia parola è parola di convinzione maturata da lunghi anni di dolori e d'osservazioni e di studi. I doveri ch'io vi indicherò, io cerco e cercherò, finch'io viva, adempirli, quanto le mie forze concedono. Posso errare, ma non di cuore. Posso ingannarmi, non ingannarvi. Uditemi dunque fraternamente: giudicate liberamente tra voi medesimi, se vi pare ch'io vi dica la verità: abbandonatemi se vi pare ch'io predichi errore; ma seguitemi, e operate a seconda de'miei insegnamenti, se mi trovate apostolo della verità.

L'errore è sventura da compiangersi; ma conoscere la verità e non uniformarvi le azioni, è delitto che cielo e terra condannano.

Perché vi parlo io dei vostri doveri prima di parlarvi de' vostri diritti? Perché, in una società dove tutti, volontariamente o involontariamente, v'opprimono, dove l'esercizio di tutti i diritti che appartengono all'uomo vi è costantemente rapito, dove tutte le infelicità sono per voi, e ciò che si chiama felicità è per gli uomini dell'altre classi, vi parlo io di sacrificio, e non di conquista, di virtú, di miglioramento morale, d'educazione, e non di ben essere materiale?

È questione che debbo mettere in chiaro prima d'andare innanzi, perché in questo appunto sta la differenza tra la nostra scuola e molt'altre che vanno predicando oggi in Europa; poi perché questa è domanda che sorge facilmente nell'anima irritata dell'operaio che soffre.

Siamo poveri, schiavi, infelici; parlateci di miglioramenti materiali, di libertà, di felicità. Diteci se siamo condannati a sempre soffrire o se dobbiamo alla nostra volta godere. Predicate il Dovere a' nostri padroni, alle classi che ci stanno sopra e che trattando noi come macchine, fanno monopolio dei beni che spettano a tutti.

A noi, parlate di diritti: parlate dei modi di rivendicarceli; parlate della nostra potenza. Lasciate che abbiamo esistenza riconosciuta; ci parlerete allora di doveri e di sagrifizio.

Cosí dicono molti fra' nostri operai, e seguono dottrine ed associazioni corrispondenti al loro desiderio; non dimenticando che una sola cosa, ed è: che il linguaggio invocato da essi s'è tenuto da cinquanta anni in poi, senz'aver fruttato un menomo che di miglioramento materiale alla condizione degli operai. Da cinquanta anni in poi, tutto quanto s'è operato pel progresso e pel bene contro ai governi assoluti o contro l'aristocrazia di sangue, s'è operato in nome dei Diritti dell'Uomo, in nome della libertà come mezzo e del ben essere come scopo alla vita.

Tutti gli atti della Rivoluzione Francese e dell'altre che la seguirono e la imitarono, furono conseguenza d'una Dichiarazione dei Diritti dell'Uomo. Tutti i lavori dei Filosofi, che la prepararono, furono fondati sopra una teoria di libertà, sull'insegnamento dei proprii diritti ad ogni individuo. Tutte le scuole rivoluzionarie predicarono all'uomo, ch'egli è nato per la felicità, che ha diritto di ricercarla con tutti i suoi mezzi, che nessuno ha diritto d'impedirlo in questa ricerca, e ch'egli ha quello di rovesciare gli ostacoli incontrati sul suo cammino.

E gli ostacoli furono rovesciati: la libertà fu conquistata; durò per anni in molti paesi; in alcuni ancor dura. La condizione del popolo ha migliorato? I milioni che vivono alla giornata sul lavoro delle loro braccia, hanno forse acquistato una menoma parte del ben essere sperato, promesso? No; la condizione del popolo non ha migliorato; ha peggiorato anzi e peggiora in quasi tutti i paesi.

In quasi tutti i paesi, la sorte degli uomini di lavoro è diventata piú incerta, piú precaria; le crisi che condannano migliaia d'operai all'inerzia per un certo tempo si son fatte piú frequenti.

L'accrescimento annuo delle emigrazioni di paese in paese, e d'Europei alle altre parti del mondo, e la cifra crescente sempre degli istituti di beneficenza, delle tasse pei poveri, dei provvedimenti per la mendicità, bastano a provarlo. Questi ultimi provano anche che l'attenzione pubblica va piú sempre svegliandosi sui mali del popolo; ma la loro inefficacia a diminuire visibilmente quei mali, dimostra un aumento egualmente progressivo di miseria nelle classi alle quali tentano provvedere.

E nondimeno in questi ultimi cinquant'anni, le sorgenti della ricchezza sociale e la massa dei beni materiali sono andate crescendo.

La produzione ha raddoppiato. Il commercio, attraverso crisi continue, inevitabili nell'assenza assoluta di organizzazione, ha conquistato piú forza d'attività e una sfera piú estesa alle sue operazioni. Le comunicazioni hanno acquistato pressoché dappertutto sicurezza e rapidità, e diminuito quindi, col prezzo del trasporto, il prezzo delle derrate. E d'altra parte, l'idea dei diritti inerenti alla natura umana è oggimai generalmente accettata: accettata a parole e ipocritamente anche da chi cerca, nel fatto, eluderla. Perché dunque la condizione del popolo non ha migliorato?

Perché il consumo dei prodotti, invece di ripartirsi egualmente fra tutti i membri delle società europee, s'è concentrato nelle mani di pochi uomini appartenenti a una nuova aristocrazia?

Perché il nuovo impulso comunicato all'industria e al commercio ha creato, non il ben essere dei piú, ma il lusso d'alcuni?

La risposta è chiara per chi vuol internarsi un po' nelle cose.

Gli uomini sono creature d'educazione, e non operano che a seconda del principio d'educazione che loro è dato. Gli uomini che promossero le rivoluzioni anteriori s'erano fondati sull'idea dei diritti appartenenti all'individuo: le rivoluzioni conquistarono la libertà; libertà individuale, libertà di commercio, libertà in ogni cosa e per tutti.

Ma che mai importavano i diritti riconosciuti a chi non avea mezzo d'esercitarli? Che importava la libertà d'insegnamento a chi non aveva né tempo, né capitali, né credito? La società si componeva, in tutti i paesi dove quei principii furono proclamati, d'un piccolo numero d'individui possessori del terreno, del credito, dei capitali; e di vaste moltitudini d'uomini non aventi che le proprie braccia, forzati a darle, come arnesi di lavoro, a quei primi e a qualunque patto, per vivere: forzati a spendere in fatiche materiali e monotone l'intera giornata: cos'era per essi, costretti a combattere colla fame, la libertà, se non una illusione, un'amara ironia?

Perché nol fosse, sarebbe stato necessario che gli uomini delle classi agiate avessero consentito a ridurre il tempo dell'opera, a crescerne la retribuzione, a procacciare un'educazione uniforme gratuita alle moltitudini, a rendere gl'istrumenti di lavoro accessibili a tutti, a costituire un credito pel lavoratore dotato di facoltà e di buone intenzioni. Or perché lo avrebbero fatto? Non era il ben essere lo scopo supremo della vita? Non erano i beni materiali le cose desiderabili innanzi a tutte? Perché diminuirsene il godimento a vantaggio altrui? S'aiuti dunque chi può. . . .

A questo siamo oggi, grazie alla teoria dei diritti.

Doveri dell'Uomo

Doveri verso la famiglia

La famiglia è la Patria del cuore. V'è un Angelo nella famiglia che rende, con una misteriosa influenza di grazie, di dolcezza e d'amore, il compimento dei doveri meno arido, i dolori meno amari.

Le sole gioie pure e non miste di tristezza che sia dato all'uomo di goder sulla terra, sono, mercé quell'Angelo, le gioie della Famiglia. Chi non ha potuto, per fatalità di circostanze, vivere sotto l'ali dell'Angelo, la vita serena della famiglia, ha un'ombra di mestizia stesa sull'anima, un vuoto che nulla riempie nel cuore, ed io che scrivo per voi queste pagine lo so. Benedite Iddio che creava quell'Angelo, o voi che avete le gioie e le consolazioni della Famiglia. Non le tenete in poco conto, perche vi sembri di poter trovare altrove gioie piú fervide o consolazioni piú rapide ai vostri dolori. La Famiglia ha in sé un elemento di bene raro a trovarsi altrove, la durata. Gli affetti, in essa, vi si estendono intorno lenti, inavvertiti, ma tenaci e durevoli siccome l'ellera intorno alla pianta: vi seguono d'ora in ora: s'immedesimano taciti colla vostra vita. Voi spesso non li discernete, sentite come se un non so che d'intimo, di necessario al vivere vi mancasse.

Voi errate irrequieti e a disagio! potete ancora procacciarvi brevi gioie o conforti; non il conforto supremo, la calma, la calma dell'onda del lago, la calma del sonno della fiducia, del sonno che il bambino dorme sul seno materno.

L'Angelo della Famiglia è la Donna. Madre, sposa, sorella, la Donna è la carezza della vita, la soavità dell'affetto diffusa sulle sue fatiche, un riflesso sull'individuo della Provvidenza amorevole che veglia sull'Umanità. Sono in essa tesori di dolcezza consolatrice che basta ad ammorzare qualunque dolore. Ed essa è inoltre per ciascun di noi l'iniziatrice dell'avvenire. Il primo bacio materno insegna al bambino l'amore. Il primo santo bacio d'amica insegna all'uomo la speranza, la fede nella vita; e l'amore e la fede creano il desiderio del meglio, la potenza di raggiungerlo grado a grado, l'avvenire insomma, il cui simbolo vivente è il bambino, legame tra noi e le generazioni future. Per essa la Famiglia, col suo Mistero divino di riproduzione, accennna all'eternità.

Abbiate dunque, o miei fratelli, sí come santa la Famiglia. Abbiatela come condizione inseparabile della vita, e respingete ogni assalto che potesse venirle mosso da uomini imbevuti di false e brutali filosofie o da incauti, che irritati in vederla sovente nido d'egoismo e di spirito di casta, credono, come il barbaro, che il rimedio al male stia nel sopprimerla.

La Famiglia è concetto di Dio, non vostro. Potenza umana non può sopprimerla. Come la Patria, piú assai che la Patria, la Famiglia è un elemento della vita. Ho detto piú assai che la Patria.

La Patria sacra oggi sparirà forse un giorno quando ogni uomo rifletterà nella propria coscienza la legge morale dell'Umanità. Come ogni elemento della vita umana, essa deve essere aperta al Progresso, migliorare d'epoca in epoca le sue tendenze, le sue aspirazioni; ma nessuno potrà cancellarla.

Ibid.

La Tempesta del Dubbio

Nel gennaio del 1837 io giunsi in Londra. Ma in quelli ultimi mesi, io m'era agguerrito al dolore e fatto davvero tetragono, come dice Dante, ai colpi della fortuna che m'aspettavano.

Non ho mai potuto, per non so quale capriccio della mia mente, ricordare le date di fatti anche gravi, spettanti alla mia vita individuale. Ma s'anch'io fossi condannato a vivere secoli, non dimenticherei mai il finir di quell'anno

1836 e la tempesta per entro i vortici della quale fu presso a sommergersi l'anima mia. E ne accenno qui riluttante, pensando ai molti che dovranno patire quel ch'io patii e ai quali la voce d'un fratello uscito, battuto a sangue, ma ritemprato dalla burrasca, può forse additare la via di salute.

Fu la tempesta del dubbio: tempesta inevitabile credo, una volta almeno nella vita d'ognuno che, votandosi a una grande impresa, serbi cuore e anima amante e palpiti d'uomo, né s'intristisca a nuda e arida formola della mente, come Robespierre. Io aveva l'anima traboccante, e assetata d'affetti, e giovane e capace di gioia come ai giorni confortati dal sorriso materno, e fervida di speranze se non per me, per altrui. Ma in quei mesi fatali, mi s'addensarono intorno a turbine sciagure, delusioni, disinganni amarissimi, tanto ch'io intravvidi in un subito nella scarna sua nudità la vecchiaia dell'anima solitaria e il mondo deserto d'ogni conforto nella battaglia per me. Non era solamente la rovina, per un tempo indefinito, d'ogni speranza italiana, la disperazione dei nostri migliori, la persecuzione che disfacendo il lavoro svizzero ci toglieva anche quel punto vicino all'Italia, l'esaurimento dei mezzi materiali, l'accumularsi d'ogni maniera di difficoltà pressoché insormontabili tra il lavoro iniziato e me; ma il disgregarsi di quell'edifizio morale d'amore e di fede, nel quale soltanto io poteva attingere forze a combattere lo scetticismo ch'io vedea sorgermi innanzi dovunque io guardassi, l'illanguidirsi delle credenze in quei che piú s'erano affratellati con me sulla via che sapevano tutti fin dai primi giorni gremita di triboli, e piú ch'altro, la diffidenza ch'io vedeva crescermi intorno ne' miei piú cari, delle mie intenzioni, delle cagioni che mi sospingevano a una lotta apparentemente ineguale.

Poco m'importava anche allora che l'opinione dei piú mi corresse avversa.

Ma il sentirmi sospettato d'ambizione o d'altro men che nobile impulso dai due o tre esseri sui quali io aveva concentrato tutta la mia potenza d'affetto, mi prostrava l'anima in un senso di profonda disperazione. Or questo mi fu rivelato in quei mesi appunto, nei quali, assalito da tutte le parti, io sentiva piú prepotente il bisogno di ricoverarmi nella comunione di poche anime sorelle che m'intendessero anche tacente; che indovinassero ciò ch'io rinunziando deliberatamente a ogni gioia di vita, soffriva; e soffrissero, sorridendo, con me. Senza scendere a particolari, dico che quelle anime si ritrassero allora da me. Quand'io mi sentii solo nel mondo, solo, fuorché colla povera mia madre, lontana e infelice essa pure per me, m'arretrai atterrito davanti al vuoto. Allora, in quel deserto, mi s'affacciò il dubbio. Forse io errava e il mondo aveva ragione.

Forse l'idea ch'io seguiva era sogno. E fors'io non seguiva una idea, ma la mia idea, l'orgoglio del mio concetto, il desiderio della vittoria piú che l'intento della vittoria, l'egoismo della mente e i freddi calcoli d'un intelletto ambizioso, inaridendo il cuore e rinnegando gli innocenti spontanei suoi moti che accennavano soltanto a una carità praticata modestamente in un piccolo cerchio, a una felicità versata su poche teste e divisa a doveri immediati e di facile compimento. Il giorno in cui quei dubbi mi solcarono l'anima, io mi sentii non solamente supremamente e inesprimibilmente infelice ma come un condannato conscio di colpa e incapace d'espiazione.

I fucilati d'Alessandria, di Genova, di Chambery, mi sorsero innanzi come fantasmi di delitto e rimorso pur troppo sterile,

Io non potea farli rivivere. Quante madri avevano già pianto per me! Quante piangerebbero ancora s'io m'ostinassi nel tentativo di risuscitare a forti fatti, al bisogno d'una Patria comune, la gioventú dell'Italia? E se questa patria non fosse che una illusione? Se l'Italia, esaurita da due epoche di civiltà, fosse oggimai condannata dalla provvidenza a giacere senza nome e missione propria aggiogata a nazioni piú giovani e rigogliose di vita? D'onde traeva io il diritto di decidere sull'avvenire e trascinare centinaia, migliaia d'uomini al sagrifizio di sé e d'ogni cosa piú cara? Non m'allungherò gran fatto ad anatomizzare le conseguenze di questi dubbi su me; dirò soltanto ch'io patii tanto da toccare i confini della follia. Io balzava la notte dai sonni e correva quasi deliro alla mia finestra chiamato, com'io credeva, dalla voce di Jacopo Ruffini. Talora, mi sentiva come sospinto da una forza arcana a visitare, tremante, la stanza vicina, nell'idea ch'io v'avrei trovato persona allora prigioniera o cento miglia lontana. Il menomo incidente, un suono, un accento, mi costringeva alle lagrime. La natura, coperta di neve com'era nei dintorni di Grenchen, mi pareva ravvolta in un lenzuolo di morte sotto il quale m'invitava a giacere. I volti della gente che mi toccava vedere mi sembravano atteggiarsi, mentre mi guardavano, a pietà, piú spesso a rimprovero. Io sentiva disseccarsi entro me ogni sorgente di vita. L'anima incadaveriva. Per poco quella condizione di mente si fosse protratta, io insaniva davvero o moriva travolto nell'egoismo del suicidio.

Mentr'io m'agitava e presso a soccombere sotto quella croce, un amico, a poche stanze da me, rispondeva a una fanciulla che, insospettita del mio stato, lo esortava a rompere la mia solitudine:

Lasciatelo, ei sta cospirando e in quel suo elemento è felice—Ah; come poco indovinano gli uomini le condizioni dell'anima altrui, se non la illuminano, ed è raro, coi getti d'un amore profondo.

Un giorno, io mi destai coll'animo tranquillo, coll'intelletto rasserenato, come chi si sente salvo da un pericolo estremo.

Il primo destarmi fu sempre momento di cupa tristezza per me, come di chi sa di riaffacciarsi a una esistenza piú di dolori che d'altro; e in quei mesi mi compendiava in un subito tutte le ormai insopportabili lotte che avrei dovuto affrontare nella giornata.

Ma quel mattino, la natura pareva sorridermi consolatrice e la luce rinfrescarmi, quasi benedizione, la vita nelle stanche vene.

E il primo pensiero che mi balenò innanzi alla mente fu:

Questa tua è una tentazione dell'egoismo: tu fraintendi la Vita.

Note Autobiografiche: II

Luigi Settembrini, 1813–1879

La Divina Commedia

Se considerate nel Trecento tutti i paesi di Europa che erano mezzo barbari e sotto governi feudali; e se considerate l'Italia, che era centro del Cristianesimo e del sapere tutto religioso, con tante repubbliche prevalenti ad una forte monarchia, e specialmente Firenze col libero governo popolare; voi vedrete le ragioni per le quali il maggior poema dell'arte moderna sorgeva in Italia, e in repubblica, e in Firenze.

La libertà che, abbassando la monarchia, divenne il principio informatore della vita italiana, informava l'arte e le dava forza e grandezza. La Divina Commedia è il poema della libertà, intendete libertà superiore ed ideale, se no, non sarebbe opera d'arte; e ci rappresenta l'idealità d'una vita, di una religione, d'una scienza, a cui si contrappone la vita reale d'Italia e di Firenze, la religione della Chiesa e dei Papi, l'ignoranza e i vizi della moltitudine; per modo che il contrasto è grande, e vi rappresenta l'inno e la satira uniti insieme. La Divina Commedia rappresenta l'Universo che poggia sopra Firenze: non l'universo degl'Indiani che poggia sopra un fiore di loto, che è il nulla, ma sopra Firenze che è la piena realtà della vita. Essa ritrae non il solo mondo ideale, ma l'ideale ed il reale, il cielo e la terra armonizzati insieme: però essa è il primo e massimo poema del nuovo cristianesimo, la prima parola di vita dopo la morte del medio evo, la prima affermazione della libertà dello spirito moderno. . . .

Ma che cosa contiene questo mondo? La vita ed il pensiero: contiene la storia, la religione, e la scienza unite insieme nella suprema armonia dell'arte. Cosí che l'arte in questo poema apparisce come la piú vasta e comprensiva attività dello spirito, ed è simigliante al gran fiume Oceano di Omero che circondava ed abbracciava tutta la terra. Bisogna considerare le parti di questo immenso contenuto ad una ad una, e come sono tutte legate insieme: considerare il poema dall'aspetto storico, dall'aspetto religioso, dall'aspetto scientifico, ed infine nell'aspetto generale artistico. . . .

Il mondo delle anime è creato dalla fantasia, che vi ordina, distingue e dipinge ogni cosa mirabilmente, servendosi delle tradizioni religiose e migliorandole nel disegno e nel colorito. Questo mondo non ha tempo, e però tutto il passato vi è presente, tutte le anime vi sono, cominciando da quella di Adamo sino a quella di Branca d'Oria, che par vivo ma è già morto e giudicato. Il giudizio che si fà di queste anime, a ciascuna delle quali si assegna il suo stato, è il gran giudizio fatto da Dio nella coscienza dell'uomo libero e ragionante, è il giudizio che s'aspettava nel Mille e non venne, ed ora è fatto. Il principale merito del poema non è nella lettera, cioè nella forma fantastica, nella descrizione dell'Inferno, del Purgatorio, e del Paradiso; ma è nell'allegoria, cioè nella sua sostanza, nel giudizio che si profferisce dopo di avere esposto i meriti o i demeriti, dando a ciascuno l'infamia o la gloria.

Questo giudizio si fà nella storia, nella religione, nella scienza, nell'arte stessa, ed è altissimo; fu il gran conforto del poeta, fu quello che gli fe' dolce l'ira e sopportabile la sventura, fu quello che fece condannare il suo poema, ed oggi lo fà ammirare e tener caro. Questo giudizio nasce dalla piena libertà dello spirito, che spazia in una sfera altissima e serena donde talora improvviso discende, ma subito risale.

Ciò non intese il Ginguené quando credé di trovare nella Divina Commedia un'imitazione del Tesoretto del Latini: e non intesero altri che andarono cercando la visione di Frate Alberico, e il Meschino, ed altre opere dalle quali pensarono che Dante avesse imitato. Dante, come prese la lingua dal popolo, cosí prese le tradizioni dei suoi tempi, e le fantasie, e gli errori, e le opinioni che erano comuni, e non inventò egli né l'Inferno né il Purgatorio, né il Paradiso. E però coloro che gli danno lode di aver diviso il suo poema in tre cantiche, l'Inferno, il Purgatorio, ed il Paradiso, che sono tre stati spirituali dopo la morte, corrispondono a tre stati spirituali nella vita, e sono i tre gradi in cui si rivela il pensiero eterno, gli danno un merito che non appartiene a lui, ma al pensiero cristiano.

Egli seppe far sue quelle fantasie e seppe farle piú belle; ma il suo merito maggiore è di aver messo in quelle forme comuni un alto e libero concetto, di aver giudicato il mondo.

Il mondo rappresentato e giudicato dal poeta è assai piú vasto di quello formato dalla tradizione cristiana: esso abbraccia ancora tutto il paganesimo, e la storia certa, e la poesia, e la mitologia, la quale ha valore come simbolo e come idea.

Anzi in questo mondo tutto ha valore come idea; e non pure Minosse, Cerbero, Gerione, Mirra, e Capaneo, ma Sinone, Rifeo, Ulisse, Catone, Cesare, Bruto, Traiano, Giustiniano sono tutti idee, esistono come idee, non importa se abbiano o no avuto corpo e realtà, sono giudicati come idee, sono rappresentati come figure ideali.

Maestro Adamo, Sinone, e la moglie di Putifar uniti insieme paiono cosa strana perché noi li consideriamo nel tempo e nello spazio; ma fatene concetti senza tempo, e vedrete che la stranezza disparisce, che l'unione è logica, perché sono tre aspetti d'una falsità. Mettiamoci nel mondo puro dello spirito, dove il poeta ci conduce, e vedremo che la storia uscendo dello spazio e del tempo, rimane soltanto ideale, e però ha valore quanto la poesia è la mitologia. Questa considerazione ci farà intendere, perché Dante nel suo poema adopera la mitologia; e perché la mitologia nel suo poema piace, ed in altri dispiace come soverchia e senza significato. Il poema descrive a fondo tutto l'universo, e l'universo è piú vasto del Cristianesimo. Il centro poi di questo universo non è Dio, ma il poeta; il centro di questa storia diventata idea è il presente, è Firenze, è la vita del poeta in Firenze: quindi il poema comincia dall'individuo, dal poeta che è nel mezzo degli anni suoi e si trova smarrito, e a un tratto si leva e procede, e percorre l'universo, e si accheta quando ha veduto Iddio che abbraccia e comprende l'universo.

Il suo tempo e la sua Firenze sono il centro della rappresentazione: tutto il resto sta d'intorno: e però i suoi contemporanei, e la sua patria ingrata ma sempre diletta, stanno sempre innanzi alla sua mente, ed ei ce li rappresenta sempre, e nelle tenebre dell'Inferno, e tra i canti del Purgatorio, e negli splendori e nella gioia del Paradiso.

Lezioni di Letteratura

I Promessi Sposi

Il sentimento religioso è cosa umana ed universale ed eterna: il sentimento di questa o di quella religione è cosa particolare e mutabile, e ciascuno tiene falso quello che è diverso dal suo. Ecco perché taluno che non ha le credenze religiose del Manzoni si commuove a leggere il romanzo che spira tutto religione, e ci sente molte bellezze, e lo loda.

E deve lodarlo perche in esso la bellezza dell'arte è piena: c'è sentimento profondo, fantasia che scolpisce, intelligenza potente, parola schietta. Il suo sentimento è cattolico, ma sereno, purissimo, non appannato da neppure una leggiera nuvoletta di dubbio, senza neppure la possibilità del dubbio: però i caratteri dei personaggi sono sicuri, eroicamente religiosi, singolarmente belli, come è singolare quel sentimento. Il solo Don Abbondio ha qualche dubbio, e il Manzoni per suoi scrupoli si pentí di aver creato quel personaggio, il quale pure è popolarissimo, non eroe come gli altri ma uomo, e però il piú vero ed il piú bello di tutti i suoi personaggi. Gli si avvicina Renzo, carattere popolare, schietto, ma non libero, e quando sta per inalberarsi, Fra Cristoforo gli stringe il freno. Questo frate e il Cardinale sono due eroi, come di quelli di Omero che pigliavano agevolmente con la mano un sasso che dieci uomini moderni non potrebbero sollevare; e tra i frati e i cardinali non trovereste chi somigliasse a quelli. L'Innominato ha qualche cosa di scuro, di vago, d'indeterminato nel carattere come nel nome: noi lo conosciamo per l'opinione che si ha di lui, non per fatti che egli operi. Don Rodrigo è figura ignobile ma disegnata e rilevata meglio. Questi personaggi e gli altri ci stanno innanzi come scolpiti, e si vedono ciascuno nella sua intera persona, e si muovono e sentono. Il poeta li forma in pochi tratti, e non s'indugia in particolari inutili.

Come sono gli occhi di Lucia? Non si sa: ella li teneva quasi sempre chinati a terra per pudore. Un altro poeta, e specialmente un francese, quali occhi avrebbe dati a quella fanciulla!

Ma alcuna volta egli s'indugia troppo; e non saprei lodarlo quando mi paragona gli occhi di Fra Cristoforo a due cavalli briosi menati a mano da un cocchiere, e quando a descrivermi la vigna di Renzo imboschita nomina tutte le erbacce conosciute in botanica. Ma Don Rodrigo a tavola, Don Rodrigo nel lazzaretto, Don Rodrigo che sogna, Fra Cristoforo che prende il pane, Ferrer in mezzo al popolo, Renzo presso l'Adda, Federico e l'Innominato che parlano, il carro dei morti di peste e quella madre che vi pone su la sua figliuoletta morta e dice ai monatti di tornare la sera per lei, sono creazioni di arte stupenda. E tra quelle sue creature vi comparisce a quando a quando il Manzoni, che come padre le conosce bene, le ama, le guida, le fa operare, vi spiega quello che sentono, quello che fanno e perché, e paternamente sorride su quel suo piccolo mondo. Quel sorriso è italiano, è intelligenza, è senno, è bontà, è pace interiore dell'anima, è il sorriso delle Grazie cristiane. L'ironia vereconda che giunge ma non tocca la malizia, che conosce tutto il male e non lo dissimula, ma ve ne parla senza sdegno, è indizio di una coscienza sicura, immensamente superiore al male, e a cui il male con tutte le sue forze non può mai sollevarsi e annuvolarla. È una intelligenza che tutto vede perché sta sopra l'atmosfera della terra in mezzo all'etere vivo.

Ma l'intelligenza e la fantasia si squadernano (per dirla come dice Dante) dall'Amore, che nel Manzoni vuol dire sentimento religioso. Questo sentimento domina tutto il poema, dà colori di dolcezza ineffabile ai personaggi buoni, ci fa sentire pietà dei cattivi, e rende l'amore di Renzo e di Lucia senza spasimi, senza smaniose smancerie, una cosa santa di cui si può parlare anche alle fanciulle senza farle arrossire.

Apro a caso il libro al cap. XVII, e trovo un quadretto.

Renzo esce dall'osteria prima di entrare a Bergamo, vede presso alla porta giacenti su la via, che quasi vi dava dentro col piede, due donne, una con un bambino alla mammella, e un uomo, tutti del color della morte. "Tutti e tre tesero la mano verso colui che usciva col pié franco, e con l'aspetto ringagliardito: nessuno parlò: che poteva dir di piú una preghiera? Là c'è la Provvidenza, disse Renzo, e cacciata in fretta la mano in tasca, la spazzò di quei pochi soldi, li pose nella mano che vide piú vicina, e riprese la via." Questa maniera di dipingere, questo stile nasce dal carattere del poeta, il quale sente la legge di carità, e la vuole, e la esegue, e crede di non fare altro che il suo dovere, né concepisce che si possa fare altrimenti, e quindi opera e parla schiettamente. Le ultime parole: "spazzò di quei pochi soldi, li pose nella mano piú vicina," significano tutta la legge della carità, e sono rapide come una buona azione che bisogna fare e scordarsene.

Volete voi imitare lo stile del Manzoni? Dovete avere il suo cuore, la sua fede, la sua persuasione profonda, la sua bontà singolarissima, tutto il suo carattere con quello sguardo intelligente, sorridente, tranquillo. Il suo dire sta appunto nel togliere ogni artifizio, nel parlar popolare senza scendere mai nel triviale e nel plebeo.

Ibid.

L'Ergastolo

Gli ergastolani non hanno altro spazio che le celle e la stretta loggia, dalla quale invidiando guardano il cortile, dove non possono passeggiare, ed il cielo, che è terminato dalle alte mura dell'ergastolo, e che, come un immenso coverchio di piombo, ricopre il triste edifizio e ti pesa sull'anima.

Se passa volando qualche uccello, oh come lo riguardi con invidia, e lo segui col pensiero e con la speranza stanca, e con esso voli alla tua patria, alla tua famiglia, ai tuoi cari, ai giorni di gioia e di amore, che sempre ti tornano a mente per sempre tormentarti. Ma neppure puoi star molto su questa loggia ingombra di masserizie e di uomini, che ti urtano, gridano, cantano, bestemmiano, accendono fuoco, fendono legne: e poi nel cortile non vedi che condannati trascinare penosamente le sonanti catene, taluno d'essi con oscena voce andar gridando: Vendiamo e mangiamo. Spesso vedi lo scanno sul quale ti danno le battiture, spesso la barella con entro cadaveri di uccisi. Il vento ti molesta, il sole ti brucia, la pioggia ti contrista: tutto che vedi o che odi ti addolora, e devi ritirarti nella cella.

Ogni cella ha lo spazio di sedici palmi quadrati e ce ne ha di piú strette: vi stanno nove, dieci uomini e piú in ciascuna.

Sono nere ed affumicate come cucine di villani, di aspetto miserrimo e sozzo; con i letti squallidi e coperti di cenci, che lasciano in mezzo piccolo spazio; con le pareti nere, dalle quali pendono appese a piuoli di legno pignatte, tegami, piattelli, fiaschi, agli, peperoni, fusa, conocchie, naspi, ed altre povere e sudice masserizie: una seggiola è arnese raro, un tavolino rarissimo.

È vietato ogni arnese di ferro e persino i chiodi; le forchette, i cucchiai, le bilance sono di legno: ed invece di coltellaccio per minuzzare il lardo, usano un osso di costola di bue.

Con un'industria incredibile fendono grossi ceppi e tronchi di alberi, mediante piccolissimi cunei di ferro, non permessi ma tollerati, e però da essi nascosti. Chi non vuole il cibo cotto in comune, e che altro non è che fave o pasta, lo cuoce da sé in fornacette di tufo, che si mettono sul davanzale della finestra ed anche su tavole del letto. Pochi fanno comunanza, perché il delitto li rende cupi e solitari: spesso ciascuno accende il suo fuoco, donde esce un fumo densissimo, che ingombra tutta la cella e le vicine, ti spreme le lagrime, e ti fa uscire disperatamente su la loggia, dove trovi altre fornacette accese che fumano: ed invano cerchi un luogo non contristato dal fumo, che esce dalle porte, dalle finestre, da ogni parte. Alle due pareti opposte della stanza è legato uno spago dal quale pende una canna, che dall'altro capo, fesso in su, tiene sospesa una lucerna di latta, la quale con questo ingegno puo portarsi qua e là, e pendere nel mezzo della stanza per dar lume la sera a tutti, che fanno cerchi intorno e filano canape. Tetre sono queste celle il giorno, piú tetre e terribili la notte, la quale in questo luogo comincia mez-z'ora prima del tramonto del sole, quando i condannati sono chiusi nelle celle, dove nell'estate si arde come in fornace, e sempre vi è puzzo. O quanti dolori, quante rimembranze, quante piaghe si rinnovellano a quell'ora terribile! Nel giorno sempre aspetti e sempre speri: ma quando è chiusa la cella ed alzato il ponte levatoio piú non aspetti e non speri, e ti senti venir meno la vita. Allora non odi altro che strani canti di ubbriachi, o grida minacciose che fieramente eccheggiano nel silenzio della notte, come ruggiti di belve chiuse: talvolta odi un rumore sordo ed indistinto di gemiti o di strida, e la mattina vedi cadaveri nella barella. Quando stanco di ozio, d'inerzia e di noia, cerchi un po' di riposo e di solitudine nel duro e strettissimo letto, mentre dimenticando per poco gli orrori del luogo, corri dolcemente col pensiero alla tua donna, ai tuoi figlioletti, al padre, alla madre, ai fratelli, alle persone care all'anima tua, senti il fetido respiro dell'assassino, che ti dorme accanto, e sognando rutta vino e bestemmie. O mio Dio, quante volte ti ho io invocato in quelle ore di angosce inesplicabili! Quante volte con gli occhi aperti nel buio io ho vegliato sino a giorno, fra pensieri tanto crudeli, che io stesso ora mi spavento a ricordarli!

"*Le Ricordanze*"

Giovanni Papini, 1881

Il Mio Libro

Questo vuol essere un libro—la risaglia è prevista—di edificazione. Non già nel senso della beghineria meccanica ma nel senso umano e virile di rifazione delle anime.

Edificare una casa è una grande e santa azione: un dar ricovero contro l'inverno e la notte, un salire in alto. Ma edificare un'anima, costruire con pietre di verità! Quando si parla di "edificare" non vedete che un verbo astratto, consunto dall'abitudine. Edificare nel significato ordinario, vuol dir murare. Chi di voi ha mai pensato a tutto quel che ci vuole per murare, per murar bene, per fare una vera casa, una casa che regga, che stia salda in terra, coperta e costrutta in regola, coi muri maestri a piombo, il tetto che non lasci passar l'acqua? E tutto quello che ci vuole per murare: pietre squadrate, mattoni ben cotti, travi non magagnate, calce di buona fornace, rena fine e non terrosa, cemento che non sia invecchiato e svanito. E mettere a posto ogni cosa, con occhio e pazienza, far combaciare i sassi a uno a uno, non metter tropp'acqua o troppa rena nella calcina, tenere umidi i muri, saper rimboccar le commettiture e piallare a modo gl'intonachi. E la casa sale giorno per giorno al cielo, la casa dell'uomo, la casa dove porterà la sua donna, dove nasceranno i suoi figliuoli, dove potrà ospitare gli amici.

Ma i piú credono che per fare un libro basti avere un'idea eppoi prender tante parole e metterle insieme che faccian figura. Non è vero. Una fornace di tegoli, una cava di sassi non sono una casa. Edificare una casa, edificare un libro, edificare un'anima son lavori che impegnano tutto un uomo, e tutte le sue responsabiltà. Questo libro vorrebbe edificare delle anime cristiane perché questa sembra allo scrittore, in questo tempo, in questo paese, una necessità che non ammette dilazioni. Se riuscirà o no non può dirlo oggi, chi l'ha scritto.

Ma riconosceranno, spera, che questo è un libro, un vero libro, e non un campionario, un aggregato di spezzaticci. Un libro che può essere mediocre e sbagliato ma è costruito: un'opera edificata oltre ché edificante. Un libro col suo disegno e la sua architettura, una vera casa coll'atrio e cogli architravi, coi suoi spartimenti e le sue volte—e anche con qualche apertura sui cieli e sulle campagne.

L'autore di questo libro è, o almeno vorrebbe essere, un artista e non avrebbe potuto dimenticare questa sua qualità proprio in questa occasione. Ma dichiara di non aver voluto fare opera, come dicevan prima, di "bella letteratura" o, come dicono ora, di "pura poesia" perché gli stava piú a cuore, almen questa volta, la verità che la bellezza. Ma se quelle sue virtú, per scarse che siano, di scrittore affezionato all'arte sua, potranno persuadere un'anima sola di piú, sarà piú lieto di prima dei doni che ha ricevuto. La sua inclinazione alla poesia gli ha servito, forse, a rendere piú "attuale," e, in certo modo, piú fresco il richiamo delle cose antiche, che sembrano pietrificate nell'ieratismo delle immagini consacrate.

Per l'uomo d'immaginazione tutto è nuovo e presente.

Ogni stella grande che si muove di notte può essere quella che t'insegna la casa dove nasce un figlio d'Iddio; ogni stalla ha una greppia che può diventare una culla, quando si riempia di fieno asciutto e di paglia pulita; ogni montagna ignuda, infocata di luce nei mattini dorati sopra la valle ancor buia, può esser il Sinai o il Tabor; nei fuochi delle stoppie o delle carbonaie che brillan di sera sulle colline puoi vedere la fiamma che Dio accende per guidarti nel deserto; e la colonna di fumo che sale dal cammino del povero insegna da lontano la strada al bracciante che torna. Il ciuco che porta sul basto la pastora che vien da mungere è lo stesso che cavalca il profeta verso i padiglioni d'Israele, o quello che scese verso Gerusalemme per la festa di Pasqua. La colomba che tuba sull'orlo del tetto di lastre è la medesima che annunziò al patriarca la fine del gastigo o scese sull'acqua del Giordano. Tutto è uguale e onnipresente, per il poeta, e ogni storia è storia sacra.

Storia di Cristo

VOCABULARY

This covers Part I and Sections (A) to (F) of Part II. For Sections (G) and (H) the student will need to refer to a dictionary. Those compiled by Zingarelli and De Lysle are specially recommended.

Verbs marked with a † are conjugated with the auxiliary **è**s*sere* instead of *avere*. The student must remember that all reflexive verbs are conjugated with **è**s*sere*.

Irregular verbs marked as such in this vocabulary are given in a separate list at the end of the Grammar section. In brackets after other verbs are noted any irregular forms, special stresses, or changes of vowel sounds. Tenses which follow the regular rules of conjugation are not given separately. Where three parts of the verb are given, as in: "bere (bevo, bevvi, bevuto), *v.*, to drink," these parts are the present indicative, the past definite, and the past participle. Where only two parts are given, as in: "att**è**ndere (-tesi, -teso), *v.*, to wait," these are the past definite and the past participle; when only one part is given, as in: "accostare (-còsto), *v.*, to draw near," it is the present indicative unless otherwise stated.

Abbreviations used in the Vocabulary

adj., adjective
adv., adverb
adv. exp., adverbial expression
c., common noun
conj., conjunction
exclam., exclamation
f., feminine noun
impers., impersonal
irreg., irregular
lit., literary
m., masculine noun
pl., plural
poet., poetical
prep., preposition
pron., pronoun
r.v., reflexive verb
v., verb

a, ad, *prep.*, to, at
  a fòrza di, by dint of
  all'improvviṡo, suddenly
  a pòco a pòco, little by little
  appòsta, on purpose
  a pro**pò**ṡito, by the way, a propos
  al di là, beyond, on that side
  al di qua, on this side
abbastanza, *adv.*, enough
ab**bat**tere (-battei, -battuto), *v.*, to knock down, to fell, to beat down
abbattimento, *m.*, felling, despondency
abba**zi**a, *f.*, abbey
abbellire (-isco), *v.*, to embellish
abboccato, *adj.*, (of wine) sweet
abbondare, *v.*, to abound
abbreviatura, *f.*, shortening
abdicare (**ab**dico), *v.*, to abdicate
abilità, *f.*, ability
abisso, *m.*, abyss
abitante, *m.*, inhabitant
abito, *m.*, coat, suit
abolire (-isco), *v.*, to abolish
abolizione, *f.*, abolition
abrogare (**a**brogo), *v.*, to cancel, to repeal
abuṡo, *m.*, abuse
accadèmia, *f.*, academy
acca**dè**mico, *adj.*, academic
accadere (-caddi, -caduto), *v.*,† to happen
accanito, *adj.*, dogged
accanto (a), *prep.*, beside
accarezzare (accarèzzo), *v.*, to caress
accènto, *m.*, accent
accentuare (accèntuo), *v.*, to accentuate, to emphasise
acciaie**ri**a, *f.*, steelworks
acciocché, *conj.*, so that
ac**cò**gliere (-còlgo, -còlto), *v.*, to receive
accompagnamento, *m.*, accompaniment
ac**cor**rere (-corsi, -corso), *v.*,† to run (towards)
accòrto, *adj.*, wise
accostare (-còsto), *v.*, to draw near
ac**cre**scere (-crebbi, -cresciuto), *v.*, to increase
aceto, *m.*, vinegar
acqua, *f.*, water
acquistare, *v.*, to buy
acuto, *adj.*, acute, sharp
adattabilità, *f.*, adaptability
adattare, *v.*, to adapt
adatto, *adj.*, suitable
addormentarsi, *r.v.*, to fall asleep
addòsso (a), *prep.*, on top of
adombrare, *v.*, to shadow forth
adontarsi, *r.v.*, to get angry
adoperare (a**dò**pero), *v.*, to adopt, to use
adorare, *v.*, to adore
adornare, *v.*, to adorn
adorno, *adj.*, adorned
adottare (adòtto), *v.*, to adopt
adri**a**tico, *adj.*, Adriatic
adulto, *adj.*, grown-up, adult, mature
a**è**reo, *adj.*, aerial, air-
affamare, *v.*, to starve
affanno, *m.*, passionate desire, anguish
affare, *m.*, affair
affermare (affèrmo), *v.*, to state, to affirm
affètto, *m.*, affection
affettuoso, *adj.*, affectionate
affidare, *v.*, to entrust
affinché, *conj.*, so that
afflusso, *m.*, influx

affrancato, *adj.*, freed
affresco, *m.*, fresco
affrettare, *v.*, to hasten
affrontare, *v.*, to face
affronto, *m.*, insult
agevolare (a**ge**volo), *v.*, to facilitate
ag**giun**gere (-giunsi, -giunto), *v.*, to add
aggiunta, *f.*, addition
agiato, *adj.*, easy, opulent
agile, *adj.*, agile
agosto, *m.*, August
a**gri**colo, *adj.*, agricultural
agricoltore, *m.*, farmer
agricoltura, *f.*, agriculture
agrume, *m.*, citrus fruit
aimè! ahimè! *exclam.*, alas!
aiutare, *v.*, to help
aiuto, *m.*, help
alabastro, *m.*, alabaster
alba, *f.*, dawn
albèrgo, *m.*, hotel
albero, *m.*, tree
albicòcco, *m.*, apricot
alcuno, -a, *pron. or adj.*, some, any
alfa**be**tico, *adj.*, alphabetical
alimento, *m.*, food
alito, *m.*, breath
allarmare, *v.*, to alarm
alleanza, *f.*, alliance
alleato, *m.*, ally
alle**gò**rico, *adj.*, allegorical
alle**gri**a, *f.*, mirth
allegro, *adj.*, merry
allevamento, *m.*, breeding
al**lò**dola, *f.*, sky-lark
alloggiare (allòggio), *v.*, to lodge
allontanare, *v.*, to remove, send away
allora, *adv.*, then
allorché, *conj.*, when
alloro, *m.*, laurel
alluminio, *m.*, aluminium
alma (*poet.*), *f.*, soul
almèno, *adv.*, at least
Alpe, *f.*, Alp
alpèstre, *adj.*, Alpine
alpiniṡmo, *m.*, mountaineering
alto, *adj.*, high, tall
altrimenti, *adv.*, otherwise
altro, -a, *pron. or adj.*, other
altrove, *adv.*, elsewhere
amare, *v.*, to love
amaro, *adj.*, bitter
ambe**du**e, *pron. or adj.*, both
ambizione, *f.*, ambition
ambulante, *adj.*, strolling
amico, *m.*, friend
ammainare (am**ma**ino), *v.*, to furl
ammalarsi, *r.v.*,† to fall ill
ammalato, *adj.*, ill
ammassare, *v.*, to heap up, to amass
ammazzare, *v.*, to kill
amministrazione, *f.*, administration
ammirare, *v.*, to admire
ammirazione, *f.*, admiration
ammucchiare, *v.*, to heap up
amore, *m.*, love
amo**re**vole, *adj.*, loving, affectionate
amoroso, *adj.*, loving
anato**mi**a, *f.*, anatomy
anatomista, *m.*, anatomist
anche, *adv.*, even, also, too
ancora, *adv.*, still, yet, again
andare, *v.* (*irreg.*),† to go
a**nèd**doto, *m.*, anecdote
anèllo, *m.*, ring
angelo, **an**giolo, *m.*, angel
anglicano, *adj.*, Anglican
angolo, *m.*, angle, corner
anguilla, *f.*, eel
anima, *f.*, soul
animale, *m.*, animal

animo, *m.*, mind, courage
annessione, *f.*, annexation
annèsso, *adj.*, annexed
anno (bisestile), *m.*, year (Leap)
annoverare (an**nò**vero), *v.*, to number
an**nu**ale, *adj.*, annual
antico, *adj.*, ancient
antipasto, *m.*, hors d'oeuvre
anzi, *adv.*, nay, even
apo**stò**lico, *adj.*, apostolic
apparènte, *adj.*, apparent
apparire (appaio, apparvi, apparso), *v.*, to appear
appellare (appèllo), *v.*, to call
appellativo, *m.*, nick-name
appena, *adv.*, hardly, as soon as
appié di, *prep.*, at the foot of
applicare (**ap**plico), *v.*, to apply
apportare (appòrto), *v.*, to bring
ap**prèn**dere (-presi, -preso), *v.*, to learn
apprezzare (apprèzzo), *v.*, to appreciate
appropriare (ap**prò**prio), *v.*, to appropriate
approssimare (ap**pròs**simo), *v.*, to approximate
approssimativamente, *adv.*, approximately
aprile, *m.*, April
aprire (ap**rii** *or* apèrsi, apèrto), *v.*, to open
aquila, *f.*, eagle
arabo, *m.*, Arab
aranceto, *m.*, orange-grove
arancia, *f.*, orange
arancio, *m.*, orange-tree
arare, *v.*, to plough
aratore, *m.*, ploughman
architètto, *m.*, architect
architettura, *f.*, architecture
arci**ve**scovo, *m.*, archbishop
arco, *m.*, arch
ardito, *adj.*, daring
arduo, *adj.*, arduous
argènto, *m.*, silver
aria, *f.*, air
arido, *adj.*, dry
aristo**cra**tico, *adj.*, aristocratic
arma, *f.*, arm, weapon
armare, *v.*, to arm
armarsi, *r.v.*, to arm oneself
armata, *f.*, army
armento, *m.*, herd, flock
armistizio, *m.*, armistice
armo**nia**, *f.*, harmony
ar**mo**nico, armonioso, *adj.*, harmonious
arrabbiare, *v.*, to enrage
ar**rèn**dersi (-resi, -reso), *r.v.*,† to surrender
ar**rè**sto, *m.*, arrest
arretrarsi, *r.v.*, to draw back
arricchire (-isco), *v.*, to enrich
arrivare, *v.*,† to arrive
arrogante, *adj.*, arrogant, proud
arrossare, *v.*, to blush
arrostire (-isco), *v.*, to roast, to toast
arruolare (arruòlo), *v.*, to enrol
arte, *f.*, art
ar**ti**colo, *m.*, article
artigiano, *m.*, artisan
artista, *m.*, artist
ar**ti**stico, *adj.*, artistic
ascesa, *f.*, rise, climb
asciutto, *adj.*, dry
ascoltare, *v.*, to listen to
asfalto, *m.*, asphalt
aṡilo, *m.*, refuge, asylum
aṡino, *m.*, ass
aspirazione, *f.*, aspiration
aspro, *adj.*, harsh
assaggiare, *v.*, to taste
assai, *adv.*, enough, very
assalire (-salgo, -sa**lii**, -salito), *v.*, to attack

assassinare, *v.*, to assassinate
assediare (assèdio), *v.*, to besiege
assegnare, *v.*, to assign
assènsa, *f.*, absence
assiduo, *adj.*, assiduous
assimilare (as**si**milo), *v.*, to assimilate
associazione, *f.*, association
assoluto, *adj.*, absolute
assopirsi (-isco), *r.v.*,† to fall asleep
astro (*poet.*), *m.*, star
astro**nò**mico, *adj.*, astronomical
a**strò**nomo, *m.*, astronomer
as**su**mere (assunsi, assunto), *v.*, to assume
assunto, *m.*, task
assurdo, *adj.*, absurd
atmo**sfè**rico, *adj.*, atmospheric
attaccare, *v.*, to attack, to attach
at**tèn**dere (-tesi, -teso), *v.*, to wait, to attend
attènto, *adj.*, attentive
atterrare (attèrro), *v.*, to land
attestare (attèsto), *v.*, to attest
attivo, *adj.*, active
atto, *m.*, act; *adj.*, apt, suitable
attorno (a), *prep.*, around
attraènte, *adj.*, attractive
attravèrso, *prep.*, across
audace, *adj.*, bold
aumentare, *v.*, to increase
a**u**reo, *adj.*, golden
auretta, *f.*, zephyr
auspice, *m.*, augury
austèro, *adj.*, austere
au**stri**aco, *adj.*, Austrian
auto**mò**bile, *m.*, motor-car
au**tò**nomo, *adj.*, autonomous
autorevolezza, *f.*, authenticity
autorità, *f.*, authority
autostrada, *f.*, motor-road
avanti, *adv.*, forward, on; *prep.*, before
avere, *v.* (*irreg.*), to have
avido, *adj.*, greedy, eager
avo, *m.*, grand-parent, forbear
avvenimento, *m.*, event
avvenire, *m.*, future
avvenire (-vèngo, -venni, -venuto), *v.*,† to happen
avvènto, *m.*, happening, arrival
avventuroso, *adj.*, adventurous
avvertire (avvèrto), *v.*, to warn
avvicinare, *v.*, to approach
ażiènda, *f.*, business, affair
azione, *f.*, action
ażżurro, *adj.*, blue

baco, *m.*, grub, worm
ba**di**a, *f.*, abbey, mansion
ba**li**a, *f.*, power
in ba**li**a di, in the power of
baluardo, *m.*, bulwark
bambino, -a, *c.*, child
banda, *f.*, armed band; band (orchestral)
bandièra, *f.*, flag
bar**ba**rico, *adj.*, barbaric
barbaro, *m.*, barbarian; *adj.*, barbarous, barbarian
barbière, *m.*, barber
barca, *f.*, boat
barchetta, *f.*, little boat
ba**ri**tono, *m.*, baritone
ba**rò**metro, *m.*, barometer
barrièra, *f.*, barrier
baśe, *f.*, base, basis
ba**śi**lica, *f.*, basilica, church
basso, *adj.*, low
battaglia, *f.*, battle
battere (battèi, battuto), *v.*, to beat
bat**te**śimo, *m.*, baptism
battistèro, *m.*, baptistery
beato, *adj.*, blessed, blissful

beatrice (*poet.*), *adj.*, that gives blessing, that gives joy
beccaio (lit.), *m.*, butcher
bėga, *f.*, squabble
bellezza, *f.*, beauty
bėllo, *adj.*, beautiful
benché, *conj.*, although
bėnda, *f.*, bandage
bėne, *adv.*, well
  bėni, *m.pl.*, goods
benedettino, *adj.*, Benedictine
benedire (-dico, -dissi, -detto), *v.*, to bless
benedizione, *f.*, blessing
be**ne**fico, *adj.*, beneficent
benigno, *adj.*, kind
bensí, *conj.*, but rather
bere (bevo, bevvi, bevuto), *v.*, to drink
bėstia, *f.*, beast
bever, *v.*, archaic form of "bere," to drink
bevitore, *m.*, drinker
bianco, *adj.*, white
bibliotėca, *f.*, library
bilancia, *f.*, balance
bimbo, -a, *c.*, baby, child
biṡognare, *v.*, to need
biṡȯgna (*impers.*), it is necessary
biṡȯgno, *m.*, need
bistecca, *f.*, beefsteak
biżantino, *adj.*, Byzantine
bocca, *f.*, mouth
Bolla, *f.*, Papal Bull
bollire, *v.*, to boil
bombolone, *m.*, doughnut
bonificare (bo**ni**fico), *v.*, to drain (marshland, etc.)
bor**bȯ**nico, *adj.*, Bourbon
bȯria, *f.*, conceit, boastfulness
bosco, *m.*, wood
bo**ta**nico, *m.*, botanist; *adj.*, botanical
bȯzzolo, *m.*, cocoon
braccialetto, *m.*, bracelet
braccio, *m.* (*pl.*, -a, *f.*), arm
braciolina, *f.*, chop
brando (*poet.*), *m.*, sword
brano, *m.*, extract, scrap
bravo, *adj.*, clever
Bretagna, *f.*, Britain
brėve, *adj.*, short
breżża, *f.*, breeze
brigata, *f.*, troop, band, company
brillare, *v.*, to shine
brioche, *f.*, bun
brȯdo, *m.*, broth
bronżo, *adj.*, bronze
bruciare, *v.*, to burn
brutto, *adj.*, ugly
bucato, *m.*, washing
Bucintȯro, *m.*, Venetian state barge
bue (*pl.* buȯi), *m.*, ox
bu**gi**a, *f.*, falsehood
bugiardo, *m.*, liar; *adj.*, false
buȯno, *adj.*, good
burattino, *m.*, puppet
burro, *m.*, butter

cacciare, *v.*, to expel, to chase out
cadere (caddi, caduto), *v.*,† to fall
caduta, *f.*, fall
calare, *v.*,† to descend
calcio, *m.*, kick, football
caldo, *m.*, heat; *adj.*, hot
calpe**stio**, *m.*, trampling
calza, *f.*, stocking
cambiare, *v.*, to change, to exchange
cambio, *m.*, exchange
camera, *f.*, bedroom, room
camerière, -a, *c.*, waiter, servant
campagna, *f.*, country, campaign

campana, *f.*, bell (of a church)
campo, *m.*, field, camp
canapa, *f.*, hemp
cancellare (cancėllo), *v.*, to cancel
cane, *m.*, dog
canottaggio, *m.*, boating
cantare, *v.*, to sing
cantico, *m.*, canticle
cantière, *m.*, dockyard
canto, *m.*, song
cantore, *m.*, singer
canzonare, *v.*, to tease
canzone, *f.*, song
capacità, *f.*, capacity
capanna, *f.*, hut
capinera, *f.*, tom-tit
capire (-isco), *v.*, to understand
capitale, *f.*, capital
capitano, *m.*, captain
Capitòlio, *m.*, Capitol
capo, *m.*, head, chief, end
cappėlla, *f.*, chapel
cappėllo, *m.*, hat
ca**rat**tere, *m.*, character
caratte**ri**stico, *adj.*, characteristic
caratteriżżare, *v.*, to characterize
carbone, *m.*, (**fò**ssile), coal
(di legno), charcoal
carchi (*poet.*), *adj. pl.*, laden
carciòfo, *m.*, artichoke
carico, *adj.*, laden
carino, *adj.*, dear, attractive
carità, *f.*, charity
carne, *f.*, meat
caro, *adj.*, dear
carro, *m.*, cart
carta, *f.*, paper, charter
casa, *f.*, house
caṡo, *m.*, case, fate
cassa, *f.*, chest, Bank, pay-desk
casta, *f.*, caste
castagna, *f.*, chestnut
castėllo, *m.*, castle
casto, *adj.*, chaste
casuccia, *f.*, cottage
catacomba, *f.*, catacomb
catena, *f.*, chain
cattedrale, *m.*, cathedral
cattivo, *adj.*, bad
cat**tò**lico, *adj.*, catholic
cauṡa, *f.*, cause
cava, *f.*, quarry
cavallo, *m.*, horse
cavatina, *f.*, (*musical*) air
cavolo, *m.*, cabbage
c'è, there is
cèdere (cedètti, ceduto), *v.*, to surrender, to give way
cèlebre, *adj.*, famous
cėlla, *f.*, cell
cembalo, *m.*, spinet
cenere, *f.*, ash
cen**tè**ṡimo, *m.*, centime
centinaio, *m.*, a hundred
cènto, hundred
cèntro, *m.*, centre
centuplo, *adv.*, hundredfold
cera, *f.*, wax
ce**ra**mica, *f.*, china, pottery
cèrca, *f.*, search
cercare (cèrco), *v.*, to look for
cercare a, di, to try
cere**mò**nia, ceri**mò**nia, *f.*, ceremony
cèrto, *adj.*, sure, certain
Certoṡa, *f.*, Carthusian monastery
cessare (cèsso), *v.*, to stop
cessione, *f.*, cession, ceding
cèto, *m.*, rank
che, *pron.*, who, whom, which, that. *exclam.*, what
ché, *conj*,, because
chi, *pron.*, who
chiamare, *v.*, to call
chiarezza, *f.*, clarity
chiaro, *adj.*, clear

chicches**sia**, *pron.*, whoever it is
chiėdere (chiėsi, chiėsto), *v.*, to ask, to beg
chiėṡa, *f.*, church
chilogramma (chilo), *m.*, kilogram
chi**lȯ**metro, *m.*, kilometre
chimico, *m.*, chemist
chiȯma, *f.*, hair, mane
chirurgo, *m.*, surgeon
chiunque, *pron.*, whoever
ci, *pron.*, us; *adv.*, here
cialdone, *m.*, wafer biscuit
ciascheduno, -a, *pron.*, each one
ciascuno, -a, *adj.* or *pron.*, each
cibo, *m.*, food
ciėco, *adj.*, blind
ciėlo, *m.*, sky, heaven
ciglio, *m.* (*pl.* -a, *f.*), brow, eye-brow, eye-lash
ciliėgia, *f.*, cherry
cima, *f.*, top, peak
cimitėro, *m.*, cemetery
cinema, *m.*, cinema
cingere (cinsi, cinto), *v.*, to gird
cinquanta, fifty
cinque, five
ciò, *pron.*, that
cioė, *conj.*, that is
cioccolata, *f.*, chocolate
cipolla, *f.*, onion
circa, *adv.*, about
circondare, *v.*, to surround
circostante, *adj.*, surrounding
circostanza, *f.*, circumstance
città, *f.*, city
cittadino, -a, *c.*, citizen
civetta, *f.*, owl, flirt
civettuȯlo, *adj.*, coquettish
civile, *adj.*, civilized, civilian
civiliżżatore (*f.* -trice), *adj.*, civilizing
civiltà, *f.*, civilization
classico, *adj.*, classical
clavi**cem**balo, *m.*, pianoforte
clėro, *m.*, clergy
clima, *m.*, climate
cȯdice, *m.*, code
cȯgliere (cȯlgo, cȯlsi, cȯlto), *v.*, to gather
colėi, *pron.*, she, her
collana, *f.*, necklace
col**la**udo, *m.*, test, proof
cȯlle, *m.*, hill
collėga, *m.*, colleague
collegare (collėgo), *v.*, to bind, to connect
collezione, *f.*, collection
collina, *f.*, hill
collinoso, *adj.*, hilly
cȯllo, *m.*, neck
colmo, *m.*, limit, fulfilling
colombo, *m.*, dove
colȯnia, *f.*, colony
coloniale, *adj.*, colonial
colonna, *f.*, column
colȯno, *m.*, peasant, farmer
colore, *m.*, colour
coloro, *pron. pl.*, those
colpo, *m.*, blow
  a un colpo, suddenly
coltivare, *v.*, to cultivate
coltivazione, *f.*, cultivation
colto, *adj.*, cultivated
cȯlto, *adj.*, well-bred
coltura, *f.*, cultivation
co**lu**i, *pron.*, he, him
com**bat**tere (-battėi, -battuto), *v.*, to fight
come, *adv.*, how, as
cominciare, *v.*, to begin
commerciale, *adj.*, commercial
commėrcio, *m.*, commerce
com**met**tere (-misi, -messo), *v.*, to commit
commozione, *f.*, commotion, feeling

com**muò**vere (-mossi, -mosso), *v.*, to affect, to move
còmodo, *adj.*, comfortable
compènso, *m.*, reward
compiere (**com**pio *or* compisco, com**pi**i, compito *or* compiuto), *v.*, to achieve, to fulfil
compire, *v.*, =**com**piere
compito, *m.*, task
compito, *adj.*, accomplished
complèto, *adj.*, complete
complòtto, *m.*, plot
comprare, *v.*, to buy
com**por**re (-pongo, -posi, -posto), *v.*, to compose
compositore, *m.*, composer
composizione, *f.*, composition
com**prèn**dere (-presi, -preso), *v.*, to comprehend, to understand
comunanza, *f.*, community
Comune, *m.*, Commune
comune, *adj.*, common
comunicazione, *f.*, communication
con, *prep.*, with
conca, *f.*, shell, hollow
con**cè**dere (-cèssi, -cèsso), *v.*, to concede
conciliazione, *f.*, reconciliation
con**clu**dere (-clusi, -cluso), *v.*, to conclude
concordato, *m.*, treaty, agreement
concòrdia, *f.*, concord
condanna, *f.*, condemnation, sentence
condensatore, *m.*, condenser
condire (-isco), *v.*, to flavour, to mix
condimento, *m.*, flavouring
condizione, *f.*, condition
Condottière, *m.*, leader of mercenary bands
condurre (-duco, -dussi, -dotto), *v.*, to lead
confessore, *m.*, confessor
confidare, *v.*, to trust, to entrust
configurazione, *f.*, shape, character
confirmare, *v.*, to confirm
conforme (a), *adj.*, in conformity (with)
confortare (confòrto), *v.*, to comfort, to exhort
confraternità, *f.*, brotherhood
congiura, *f.*, conspiracy
congiurare, *v.*, to conspire
congiurato, *m.*, conspirator
conoscènza, *f.*, knowledge
co**no**scere (-nobbi, -nosciuto), *v.*, to know
conquista, *f.*, conquest
conquistare, *v.*, to conquer
consegnare, *v.*, to change over
conseguènza, *f.*, consequence
consentire (consènto), *v.*, to consent
consèrva, *f.*, jam, preserves
conservare (-sèrvo), *v.*, to keep
considerare (con**si**dero), *v.*, to consider
consiglio, *m.*, advice, counsel
con**si**mile, *adj.*, similar
consolare, *v.*, to console
cònsole, *m.*, Consul
consuonare (-suòno), *v.*, to harmonize
contadino, -a, *c.*, peasant, farmer
contare, *v.*, to count
contatto, *m.*, contact
contegno, *m.*, behaviour
con**tèn**dere (-tesi, -teso), *v.*, to fight
contenere (-tèngo, -tenni, -tenuto), *v.*, to contain
contesa, *f.*, fight

continènte, *m.*, continent
continuare, *v.*, to continue
continuo, *adj.*, continual
conto, *m.*, bill, account
contrada, *f.*, town, village
contrastare, *v.*, to conflict
contrattacco, *m.*, counter-attack
contrazione, *f.*, contraction, shrinking
contribuire (-isco), *v.*, to contribute
contributo, *m.*, contribution
contro, *prep.*, against
controllare (contròllo), *v.*, to control
contròllo, *m.*, control
convenire (-vèngo, -venni, -venuto), *v.*,† to agree
copèrto, *adj.*, covered
còpia, *f.*, copy
copiare (còpio), *v.*, to copy
còppia, *f.*, couple
coprire (còpro, copèrsi *or* cop**rii**, copèrto), *v.*, to cover
coraggio, *m.*, courage
corale, *adj.*, choral
corallo, *m.*, coral
coricare (**cò**rico), *v.*, to lay down
coricarsi, *r.v.*, to lie down
cornice, *m.*, frame
còrno (*pl.* -a, *f.*), horn
coronare, *v.*, to crown
corona, *f.*, crown
còrpo, *m.*, body
corrènte, *f.*, current
correre (corsi, corso), *v.*,† to run
correspondènte, *m.*, correspondent
corsa, *f.*, race, run
còrso, *adj.*, Corsican
corteṡe, *adj.*, polite
corte**ṡi**a, *f.*, courtesy
corte, *f.*, court
corto, *adj.*, short
còsa, *f.*, thing
cosí, *adv.*, so, thus
cosidetto, *adj.*, so-called
costante, *adj.*, constant
còsta, *f.*, coast
costanza, *f.*, constancy
costituire (-isco), *v.*, to constitute
costituzione, *f.*, constitution
còsto, *m.*, cost
co**strin**gere (-trinsi, -tretto), *v.*, to compel
costruire (-uisco), *v.*, to build
costruzione, *f.*, construction
costume, *m.*, custom
cotesto, *adj.*, this
cotidiano, quotidiano, *adj.*, work-a-day, daily
cotogna, *f.*, quince
cotognata, *f.*, quince-jelly
cotone, *m.*, cotton
còtto, *adj.*, cooked
  c. al forno, baked
  c. sulla gratèlla, grilled
cottura, *f.*, cooking
covare, *v.*, to brood
creare (crèo), *v.*, to create
creazione, *f.*, creation
credènte, *m.*, believer
crèdere (crèdo, credètti *or* credèi, creduto), *v.*, to believe
crema, *f.*, cream, custard
crescere (crebbi, cresciuto), *v.*,† to grow
criṡi, *f.*, crisis
cristiano, *adj.*, Christian
critico, *m.*, critic; *adj.*, critical
crocchio, *m.*, group, knot
crociata, *f.*, crusade
cròllo, *m.*, downfall, collapse
crudele, *adj.*, cruel

crudo, *adj.*, raw
cucinare (**cu**cino), *v.*, to cook
cui, *pron.*, of whom, to whom
culminare (**cul**mino), *v.*, to culminate
cultura, *f.*, culture
culturale, *adj.*, cultural
cuòcere (cuòcio, còssi, còtto), *v.*, to cook
cuòco, *m.*, cook
cuòio, *m.*, leather
cuòre, *m.*, heart
cupola, *f.*, dome
curiale, *adj.*, state, court
curioso, *adj.*, curious
custodire (-isco), *v.*, to guard, to keep

da, *prep.*, from, with, by
dacché, *conj.*, since
dalmata, *adj.*, Dalmatian
Dalmazia, *f.*, Dalmatia
danneggiare, *v.*, to damage
danno, *m.*, loss, damage
dare, *v.* (*irreg.*), to give
datare, *v.*, to date
dattero, *m.*, date
davanti (a), *prep.*, before, in front of
decadènza, *f.*, decadence
decadimento, *m.*, decadence
decènte, *adj.*, decent
de**ci**dere (-cisi, -ciso), *v.*, to decide
decisione, *f.*, decision
decimale, *m.*, decimal
dècimo, *adj.*, tenth
declino, *m.*, decline
decretare, *v.*, to decree
decreto, *m.*, decree
decuplo, *adv.*, tenfold
definire (-isco), *v.*, to define
definito, *adj.*, definite
degno, *adj.*, worthy
deh! *exclam.*, alas!
deliberazione, *f.*, deliberation, decision
delicato, *adj.*, delicate
delineazione, *f.*, delineation
delitto, *m.*, crime
denaro, *m.*, money
dentro (a), *prep.*, inside, within
depoṡitare (de**pò**ṡito), *v.*, to deposit
derivare, *v.*, to derive
derivazione, *f.*, derivation, origin
derubare, *v.*, to rob
de**scri**vere (-scrissi, -scritto), *v.*, to describe
deṡèrto, *m.*, desert; *adj.*, deserted
desi**dè**rio, *m.*, desire
deṡinare (**de**ṡino), *v.*, to lunch
de**ṡio** (*poet.*), *m.*, desire
des**pò**tico, *adj.*, despotic
destare, *v.*, to awake
dettare, *v.*, to dictate
detto, *m.*, saying
devastare, *v.*, to devastate
devastazione, *f.*, devastation
devozione, *f.*, devotion
di, *prep.*, of
dí, *m.*, day
dialetto, *m.*, dialect
di**a**volo, *m.*, devil
di**bat**tito, *m.*, debate
dicèmbre, *m.*, December
dichiarare, *v.*, to declare
diciannòve, nineteen
diciassètte, seventeen
diciòtto, eighteen
dièci, ten
diecina, *f.* (*collective*), ten
dietro (a), *prep. or adv.*, behind
di**fèn**dere (-fesi, -feso), *v.*, to defend
difesa, *f.*, defence
difettare (difètto), *v.*, to lack
difficoltà, *f.*, difficulty

diff**on**dere (-fusi, -fuso), *v.*, to diffuse
diga. *f.*, dyke
digerire (-isco), *v.*, to digest
digià, *adv.*, already
dilaniare, *v.*, to tear to pieces
diligènte, *adj.*, diligent
dimenticare (-**men**tico), *v.*, to forget
diminuzione, *f.*, diminution
dimostrare, *v.*, to show
dinanzi (a), *prep. or adv.*, before
dina**sti**a, *f.*, dynasty
di**na**stico, *adj.*, dynastic
Dio, *m.*, God
di**pin**gere (-pinsi, -pinto), *v.*, to paint
diplo**ma**tico, *adj.*, diplomatic
diploma**zi**a, *f.*, diplomacy
dire, *v.* (*irreg.*), to say, to tell
dirètto, *adj.*, direct, express
direttore, *m.*, director
di**ri**gere (-rèssi, -rètto), *v.*, to direct
dirimpètto (a), *prep.*, opposite
diritto, *m.*, right
disastroso, *adj.*, disastrous
dis**cèn**dere (-scesi, -sceso), *v.*,† to descend
dis**cin**gere (-scinsi, -scinto), *v.*, to ungird
discòrdia, *f.*, discord
disegnare, *v.*, to design
disegno, *m.*, design
diśerzione, *f.*, desertion
disgraziatamente, *adv.*, unfortunately
diśgregare, *v.*, to split up
di**śor**dine, *m.*, disorder
dispaccio, *m.*, despatch
disperare (dispèro), *v.*, to despair
disperazione, *f.*, despair
dispètto, *m.*, spite
a dispètto di, in spite of
dispiacere, *v.* (*irreg.*),* to displease
dispiacere, *m.*, displeasure
disponibilità, *f.*, store, disposal, availability
disputare, *v.*, to dispute
dissènso, *m.*, dissent
distacco, *m.*, separation
di**stin**guere (-stinsi, -stinto), *v.*, to distinguish
distratto, *adj.*, absent-minded
distribuire (-isco), *v.*, to distribute
di**strug**gere (-strussi, -strutto), *v.*, to destroy
dito, *m.*, finger
dittatoriale, *adj.*, dictatorial
diurno, *adj.*, daily
divenire (-vèngo, -venni, -venuto), *v.*,† to become
diventare (-vènto), *v.*,† to become
di**vèr**gersi (-vergètti, -vèrso), *r.v.*, to divide
divèrso, *adj.*, different
di**vi**dere (-visi, -viso), *v.*, to divide
divino, *adj.*, divine
divisione, *f.*, division
divulgazione, *f.*, divulgation
dodi**cè**śimo, *adj.*, twelfth
dòdici, twelve
dòglia (*lit.*), *f.*, sorrow
dolce, *adj.*, sweet
dolcezza, *f.*, sweetness
dolere (dòlgo, dòlsi, doluto), *v.*,† to grieve, to pain
Dolomiti, *m.pl.*, Dolomites
dolore, *m.*, sorrow
domanda, *f.*, question
domandare, *v.*, to ask
do**mè**nica, *f.*, Sunday
domenicano, *adj.*, Dominican
dominare (**dò**mino), *v.*, to dominate

dominio, *m.*, dominion
dònna, *f.*, woman
dono, *m.*, gift
dopo, *prep.*, after; *adv.*, afterwards
dopoguèrra, *m.*, postwar period
doppio, *adj.*, double
dorare (dòro), *v.*, to gild
dormire (dòrmo), *v.*, to sleep
dòte, *f.*, dowry
dove, *adv.*, where
dovere, *v.* (*irreg.*), to be obliged to, to have to, to owe
dovere, *m.*, duty
dovunque, *adv.*, wherever
dożżina, *f.*, dozen
dramma, *m.*, drama
dram**ma**tico, *adj.*, dramatic
dubbio, *m.*, doubt
ducato, *m.*, Duchy
due, two
Duecènto, Dugènto, *m.*, thirteenth century
dunque, *adv.*, then, therefore
duòmo, *m.*, dome, cupola, cathedral
duplice, *adj.*, double, two-fold
durante, *prep.*, during
durare, *v.*, to last
durata, *f.*, length (of time)
duraturo, *adj.*, lasting
duro, *adj.*, hard

e, ed, *conj.*, and
ebbène, *adv.*, well
ecc. (*abbreviated*), et cetera
eccellènte, *adj.*, excellent
ecclesi**a**stico, *adj.*, ecclesiastical
eco**nò**mico, *adj.*, economic, economical
educazione, *f.*, education
effètto, *m.*, effect
efficace, *v.*, efficacious, powerful
effigiare, *v.*, to portray
ef**fi**mero, *adj.*, short-lived
ege**mò**nico, *adj.*, despotic, all-powerful
Egitto, *m.*, Egypt
egiziano, *adj.*, Egyptian
egoiṡmo, *m.*, egoism
egregio, *adj.*, distinguished
e**lèg**gere (elèssi, elètto), *v.*, to elect
elètto, *adj.*, elect, chosen
elettricità, *f.*, electricity
e**lèt**trico, *adj.*, electric
elettrificare (elet**tri**fico), *v.*, to electrify
elettriżżare, *v.*, to electrify
elevato, *adj.*, elevated, lofty
eliminare (e**li**mino), *v.*, to eliminate
èlla; Èlla, *pron.*, she; you (polite)
eloquènte, *adj.*, eloquent
emancipare, *v.*, to emancipate
e**mèr**gere (emèrsi, emèrso), *v.*,† to emerge
e**met**tere (emisi, emesso), *v.*, to emit, to impart
eminènte, *adj.*, eminent
empire (èmpio, em**pii**, empito *or* empiuto), *v.*, to fill
ener**gi**a, *f.*, energy
enorme, *adj.*, enormous
entrare, *v.*,† to enter
entrata, *f.*, entrance
entusiaṡmo, *m.*, enthusiasm
època, *f.*, epoch
eppure, *adv.*, yet
equèstre, *adj.*, equestrian
equivalere (-valgo, -valsi, -valuto *or* -valso), *v.*,† to equal
èrba, *f.*, herb, grass
erède, *c.*, heir
ereditare (e**rè**dito), *v.*, to inherit

èrmo (*poet.*), *adj.*, lonely
eròe, *m.*, hero
e**rò**ico, *adj.*, heroic
eroiṡmo, *m.*, heroism
errare (èrro), *v.*, to err
errore, *m.*, error
erudito, *adj.*, erudite, learned
erudizione, *f.*, erudition, learning
esclamare, *v.*, to exclaim
esclamativo, *adj.*, exclamatory
eṡèmpio, *m.*, example
eṡercitare (e**ṡèr**cito), *v.*, to exercise
e**ṡèr**cito, *m.*, army
eṡigènza, *f.*, need, necessity
eṡiliare, *v.*, to exile
eṡilio, *m.*, exile
eṡistènza, *f.*, existence
e**ṡi**stere, *v.*, to exist
eṡortazione, *f.*, exhortation
e**ṡò**tico, *adj.*, exotic
espansione, *f.*, expansion, generous movement
es**pèl**lere (-pulsi, -pulso), *v.*, to expel
esperiènza, *f.*, experience
esplorare (esplòro), *v.*, to explore
espressione, *f.*, expression
es**pri**mere (-prèssi, -prèsso), *v.*, to express
èssere, *v.*, (*irreg.*),† to be
èst, *m.*, east
estate, *f.*, summer
es**tèn**dere (estesi, esteso), *v.*, to extend
estenuare (estènuo), *v.*, to extenuate
estenzione, *f.*, extension
èstero, *adj.*, foreign
all'**è**stero, abroad
estremo, *adj.*, extreme
èṡule, *m.*, exile
eterno, *adj.*, eternal
Etiòpia, *f.*, Ethiopia
ettogramma (ètto), *m.*, hectogram
Euròpa, *f.*, Europe
europèo, *adj.*, European
evitare (**è**vito), *v.*, to avoid
èvo, *m.*, age, era
evvenimento, *m.*, event
evviva! *exclam.*, Long live!

fabbrica, *f.*, factory
fabbricare (**fab**brico), *v.*, to build, to manufacture
faccia, *f.*, face
facile, *adj.*, easy
facoltà, *f.*, faculty
fagiolo, *m.*, bean
falda, *f.*, slope
fallimento, *m.*, failure, bankruptcy
fallo, *m.*, fault, mistake
fama, *f.*, fame
fame, *f.*, hunger
famiglia, *f.*, family
familiare, *adj.*, familiar
famoso, *adj.*, famous
fanciullezza, *f.*, childhood
fanciullo, -a, *c.*, child
fango, *m.*, mud
fanta**ṡi**a, *f.*, fancy, whim
fan**ta**stico, *adj.*, fantastic
fare, *v.*, (*irreg.*), to do, to make
farfalla, *f.*, butterfly
fastigio, *m.*, splendour
fasto, *m.*, pomp, display of wealth
fataliṡmo, *m.*, fatalism
fatica, *f.*, toil
faticoso, *adj.*, toilsome
fatto, *m.*, deed, fact
i fatti suoi, his own business
fattore, *m.*, bailiff
fatto**ri**a, *f.*, bailiff's house
favore, *m.*, favour

favor**e**vole, *adj.*, favourable
favorire (-isco), *v.*, to favour, to condescend
fazione, *f.*, faction
febbraio, *m.*, February
fecondare, *v.*, to bring to life
fecondo, *adj.*, fruitful
fede, *f.*, faith
fedèle, *adj.*, faithful
felice, *adj.*, happy, fortunate
felicità, *f.*, happiness
fe**nò**meno, *m.*, phenomenon
fermo, *adj.*, firm
feroce, *adj.*, fierce
fèrreo, *adj.*, iron
fèrro, *m.*, iron
ferro**vi**a, *f.*, railway
fèrtile, *adj.*, fertile
fèrvere, *v.* (*defective*), to be busy, to be fervid
fèsta, *f.*, feast, festival
fetta, *f.*, slice
feudaliṡmo, *m.*, feudalism
feuda**ta**rio, *m.*, feudal lord
feudo, *m.*, fief, feud
fia (*poet.*), *v.*, may be, shall be
fiamma, *f.*, flame
fiasco, *m.*, flask, bottle
ficcare, *v.*, to thrust (inside)
fico, *m.*, fig, fig-tree
fidare (di), *v.*, to trust
fièro, *adj.*, proud
figlio, *m.*, son
figura, *f.*, figure
filar**mò**nico, *adj.*, philharmonic
filo, *m.*, thread, wire
fi**lò**logo, *m.*, philologist
filoso**fi**a, *f.*, philosophy
fin da, *conj.*, since
fin d'ora, *adv. exp.*, henceforth
finale, *adj.*, final
finan**zi**ario, *adj.*, financial
finché, *conj.*, as long as, whilst
finché non, *conj.*, until
fine, *f.*, end
finèstra, *f.*, window
finire (-isco), *v.*, to finish
fino a, *prep. or conj.*, until
finta, *f.*, feint, pretence
fiore, *m.*, flower
fiorènte, *adj.*, flowering, flourishing
fiorentino, *adj.*, Florentine
fiorire (-isco), *v.*,† to flower, to flourish
fiòtto, *m.*, wave, flood
Firènze, *m.*, Florence
firma, *f.*, signature
firmare, *v.*, to sign
fiṡica, *f.*, physics
fiṡi**ò**logo, *m.*, physiologist
fisso, *adj.*, fixed
fittizio, *adj.*, fictitious
fiume, *m.*, river
flòrido, *adj.*, florid, flourishing
focaccia, *f.*, cake
fòglia, *f.*, leaf
fondaco, *m.*, foundation, commercial premises
fondare, *v.*, to found
fonte, *f.*, fountain, spring
forestière, *m.*, foreigner; *adj.*, foreign
forma, *f.*, form
formaggio, *m.*, cheese
formare, *v.*, to form
formi**da**bile, *adj.*, formidable
formoso (*poet.*), *adj.*, handsome, beautiful
fornaciaio, *m.*, furnace worker
forno, *m.*, oven
fòro, *m.*, Forum
fòrte, *adj.*, strong
fortezza, *f.*, fort
fortuna, *f.*, fortune
fòrza, *f.*, force
  a fòrza di, by force of, by dint of
  per fòrza, perforce
fossile, *adj.*, fossilized

fra, *prep.*, between, among
fragola, *f.*, strawberry
fragranza, *f.*, fragrance
framėżżo, *prep.*, in the midst of, among
Francesco, *m.*, Francis
franceṡe, *adj.*, French
Francia, *f.*, France
franco, *adj.*, free
frangere (fransi, franto), *v.*, to break
frasca, *f.*, bush
fraṡe, *f.*, phrase
frate, *m.*, brother (in religion)
fratėllo, *m.*, brother
fratricido, *adj.*, fratricidal
frattėmpo, *adv.*, meanwhile
 nel frattėmpo, *adv. exp.*, in the meantime
freddo, *adj.*, cold
frequentare (frequėnto), *v.*, to visit
fresco, *adj.*, fresh
 di fresco, *adv. exp.*, freshly
friggere (frissi, fritto), *v.*, to fry
frittėlla, *f.*, fritter
fronte, *f.*, front, brow
frontièra, *f.*, frontier
frutto, *m.*, fruit
fuggire, *v.*,† to flee
fulgere (fulsi, *no past participle*), to shine
fulgido, *adj.*, shining, bright
funestare, *v.*, to darken, to blight
funėsto, *adj.*, sinister
funzione, *f.*, function
fuòco, *m.*, fire
fuòri (di), *prep. or adv.*, outside, out (of)
furbo, *adj.*, cunning, sly

gaio, *adj.*, gay
gagliardo, *adj.*, gallant, brave
galle**ria**, *f.*, tunnel
gallina, *f.*, hen
gamba, *f.*, leg
ganglio, *m.*, ganglion, knot
gara, *f.*, race, competition
 fare a gara, *v.*, to compete
garantire (-isco), *v.*, to guarantee
gatto, *m.*, cat
gażża, *f.*, magpie
geloso, *adj.*, jealous
gėlso, *m.*, mulberry
generale, *m. or adj.*, general
generare (**gė**nero), *v.*, to beget
generazione, *f.*, generation
gėnere, *m.*, gender, kind
generoso, *adj.*, generous
geniale, *adj.*, brilliant
gėnio, *m.*, genius
gennaio, *m.*, January
genitore, *m.*, parent
Gėnova, *f.*, Genoa
genoveṡe, *adj.*, Genoan
gėnte, *f.*, people
gentile, *adj.*, kind
gentilezza, *f.*, kindness
geogra**fia**, *f.*, geography
geo**gra**fico, *adj.*, geographical
Gerusalėmme, *f.*, Jerusalem
gettare, *v.*, to throw
ghiaia, *f.*, gravel
già, *adv.*, already, formerly
giacché, *conj.*, since, as
giacere, *v.* (*irreg.*),† to lie down, to recline
giallo, *adj.*, yellow
giardino, *m.*, garden
gigante, *adj.*, giant
giganteggiare, *v.*, to loom large
giglio, *m.*, lily
ginòcchio, *m.* (*pl.* -a, *f.*), knee
giornale, *m.*, newspaper
giorno, *m.*, day
gioièllo, *m.*, jewel
giovane, *adj.*, young

giovanòtto, *m.*, youth, lad
giovare (giòvo), *v.*, to serve, to be of use
Giove, *m.*, Jove
giovedí, *m.*, Thursday
gioventú, *f.*, youth
giovinezza, *f.*, youth
girare, *v.*, to turn, to wander about
giú, *adv.*, below, down
giudicare (**giu**dico), *v.*, to judge
giugno, *m.*, June
giungere (giunsi, giunto), *v.*,† to arrive
giuocare (giuòco), *v.*, to play
giuòco, *m.*, game
Giuśèppe, *m.*, Joseph
giustificare (giu**sti**fico), *v.*, to justify
giustizia, *f.*, justice
giustiziare, *v.*, to execute, to put to death
giusto, *adj.*, just, right
glèba, *f.*, glebe land
glicerina, *f.*, glycerine
glòria, *f.*, glory
glorioso, *adj.*, glorious
godere (gòdo, godètti, goduto), *v.*, to enjoy
gola, *f.*, throat
golfo, *m.*, gulf, bay
gorgo**gli**o, *m.*, bubbling
governare (govèrno), *v.*, to rule
govèrno, *m.*, government
graduale, *adj.*, gradual
gramma, *m.*, gram
grande, *adj.*, big, large
grandezza, *f.*, greatness
granduca, *m.*, Grand Duke
granducato, *m.*, Grand Duchy
grano, *m.*, grain, wheat
gratèlla, *f.*, grid, grating
grati**tu**dine, *f.*, gratitude
grato, *adj.*, grateful, pleasing
grattugiare, *v.*, to grate
grave, *adj.*, grave, serious
gravoso, *adj.*, heavy, burdensome
grazie, *f.pl.*, thanks, thank you
Grecia, *f.*, Greece
grèco, *adj.*, Greek
grèmbo, *m.*, lap
gridare, *v.*, to cry
grido, *m.*, cry
grondare, *v.*, to drip
gròsso, *adj.*, big, fat
gruppo, *m.*, group
gruzzolo, *m.*, bundle, bunch, handful
guadagnare, *v.*, to earn
guaio, *m.*, woe, grief
guai! *exclam.*, woe!
guancia, *f.*, cheek
guardare, *v.*, to look at
guardia, *f.*, guard
guèrra, *f.*, war
gusto, *m.*, taste

id**è**a, *f.*, idea
ideale, *adj.*, ideal
identificare (iden**ti**fico), *v.*, to identify
idiòma, *m.*, idiom, speech
idiotiśmo, *m.*, idiom
idolo, *m.*, idol
i**dra**ulico, *adj.*, hydraulic
idro**sta**tico, *adj.*, hydrostatic
ignorante, *adj.*, ignorant
illuminare (il**lu**mino), *v.*, to illuminate
illustrare, *v.*, to illustrate
illustre, *adj.*, illustrious
illuvione, *f.*, flood, inpouring
imbecille, *m.*, imbecile
immaginazione, *f.*, imagination
immènso, *adj.*, immense
im**mer**gersi, *r.v.*, to merge oneself, to steep oneself
im**mò**bile, *adj.*, immovable

immortale, *adj.*, immortal
immune, *adj.*, immune
imparare, *v.*, to learn
impedire (-isco), *v.*, to prevent
imperatrice, *f. adj.*, imperious, imperial
impėro, *m.*, empire
impiegare (impiėgo), *v.*, to use
impiegato, *m.*, employé
imporre (-pongo, -posi, -posto), *v.*, to impose
importante, *adj.*, important
importanza, *f.*, importance
importare (impȯrto), *v.*, to import, to matter
imposizione, *f.*, imposition
impossessarsi (-possėsso) di, *r.v.*, to get possession of
imposta, *f.*, tax, duty
impotėnte, *adj.*, powerless, impotent
impresa, *f.*, undertaking
imprevе**di**bile, *adj.*, unforeseeable, unpredictable
imprigionare, *v.*, to emprison
impronta, *f.*, print, mark
impugnare, *v.*, to wield, to take up (a weapon)
impulso, *m.*, impulse
in, *prep.*, in, into
inaspettatamente, *adv.*, unexpectedly
inasprire, *v.*, to exacerbate, to sharpen
incan**te**vole, *adj.*, enchanting
incanto, *m.*, spell, enchantment
incapace, *adj.*, incapable
incaricare (in**ca**rico), *v.*, to charge, to appoint
incėrto, *adj.*, uncertain
inchinarsi, *r.v.*, to bow
inclinare, *v.*, to incline
incontestato, *adj.*, uncontested
incontrare, *v.*, to meet
incoraggiamento, *m.*, encouragement
incoraggiare, *v.*, to encourage
incoronare, *v.*, to crown
incoronazione, *f.*, coronation
incremento, *m.*, growth, increase
increspare (incrėspo), *v.*, to ruffle, to curl
indefi**ni**bile, *adj.*, indefinable
indicare (**in**dico), *v.*, to indicate
indiėtro, *adv.*, behind
indipendėnte, *adj.*,independent
indipendėnza, *f.*, independence
indirėtto, *adj.*, indirect
individualista, *adj.*, individualistic
individualità, *f.*, individuality
individuo, *m.*, individual
indurre (-duco, -dussi, dotto), *v.*, to induce
in**du**stria, *f.*, industry
industriale, *adj.*, industrial
ineṡau**ri**bile, *adj.*, inexhaustible
inesti**ma**bile, *adj.*, inestimable, priceless
infatti, *adv.*, in fact
infelice, *adj.*, unhappy
inferiore, *adj.*, inferior, lower
infimo, *adj.*, lowest, nethermost
infine, *adv.*, finally
infinità, *f.*, infinity
infinito, *adj.*, infinite
influėnza, *f.*, influence
influenzare (influėnzo), *v.*, to influence
influsso, *m.*, influx
infuocato, *adj.*, fiery
ingannare, *v.*, to deceive
inganno, *m.*, deceit
ingegnėre, *m.*, engineer
ingėgno, *m.*, genius

Inghiltèrra, *f.*, England
ingiurioso, *adj.*, injurious
inglese, *adj.*, English
ingrandimento, *m.*, enlargement, extension
iniziare, *v.*, to initiate
iniziatore, *m.*, initiator, founder
inizio, *m.*, beginning
innanzi, (a), *prep. or adv.*, before
innato, *adj.*, inborn
inno, *m.*, hymn
innume**re**vole, *adj.*, innumerable
inoltre, *adv.*, besides, moreover
inquie**tu**dine, *f.*, anxiety
inquilino, *m.*, tenant
insalata, *f.*, salad
insegna, *f.*, banner
insegnamento, *m.*, teaching
insegnare, *v.*, to teach
insen**si**bile, *adj.*, insensitive
insième, *adv.*, together
insistènte, *adj.*, insistent
in**sor**gere (-sorsi, -sorto), *v.*,† to rise, to rebel
insuperato, *adj.*, unsurpassed
insurrezione, *f.*, insurrection
integrità, *f.*, integrity
intelligènte, *adj.*, intelligent
in**tèn**dere (-tesi, -teso), *v.*, to understand
interessante, *adj.*, interesting
interessare (interèsso), *v.*, to interest
interèsse, *m.*, interest
interiore, *adj.*, interior, inner
intèrno, *adj.*, interior
intèro, *adj.*, whole
interrogativo, *adj.*, interrogative
intervènto, *m.*, intervention
intimo, *adj.*, intimate
intorno (a), *prep. or adv.*, around
intravvedere (-vvidi, -vvisto, *or* -vveduto), *v.*, to catch sight of
in**trin**seco, *adj.*, intrinsic
inutile, *adj.*, useless
inutiliżż**a**bile, *adj.*, unusable
in**va**dere (-vasi, -vaso), *v.*, to invade
invano, *adv.*, in vain
invaṡione, *f.*, invasion
invaṡore, *m.*, invader
invecchiare (-vècchio), *v.*,† to grow old
invece (di), *prep.*, instead (of)
inventivo, *adj.*, inventive
inventore, *m.*, inventor
invernale, *adj.*, wintry
invèrno, *m.*, winter
investigare (-**vè**stigo), *v.*, to investigate
inviare (in**vi**o), *v.*, to send, to despatch
invidia, *f.*, envy
invito, *m.*, invitation
io, *pron.*, I
irònico, *adj.*, ironical
iroso, *adj.*, irate
irresi**sti**bile, *adj.*, irresistible
irrigazione, *f.*, irrigation
irritare (**ir**rito), *v.*, to irritate
ischerzo, scherzo, *m.*, joke
iṡlitta (*see* ṡlitta), *f.*, sledge
iṡocroniṡmo, *m.*, isochronism
iṡola, *f.*, island
iṡolare (**i**ṡolo), *v.*, to isolate
iṡolòtto, *m.*, islet
ispirare, *v.*, to inspire
ispiratore, *m.*, -trice, *f.*, inspirer; *adj.*, inspiring
ispirazione, *f.*, inspiration
istituire (-isco), *v.*, to institute
istituzione, *f.*, institution
istòlo**gi**a, *f.*, science of plant and animal structure

istruzione, *f.*, instruction
Italia, *f.*, Italy

là, *adv.*, there
laborioso, *adj.*, laborious
labbro, *m.* (*pl.* -a, *f.*), lip
lacrima, *f.*, tear
lagnarsi (di), *r.v.*, to complain (of)
lago, *m.*, lake
laguna, *f.*, lagoon
lampada, *f.*, lamp
lana, *f.*, wool
lanciare, *v.*, to launch, to throw
lapis, *m.*, pencil
lapis**laż**żuli, *m.*, lapis lazuli
larghezza, *f.*, width
largo, *adj.*, wide
lasciare, *v.*, to leave
latino, *m.*, Latin
lato, *m.*, side
latte, *m.*, milk
latteo, *adj.*, milky
lattuga, *f.*, lettuce
Laurenziano, *adj.*, Laurentian
lauro, *m.*, laurel
lavare, *v.*, to wash
lavorare, *v.*, to work
lavoratore, *m.*, worker
lavoro, *m.*, work
Lazio, *m.*, Latium
leale, *adj.*, loyal
lega, *f.*, league
legame, *m.*, bond
legato, *m.*, legacy, legate
legge, *f.*, law
leggėnda, *f.*, legend
lėggere, *v.*, to read
leggėro, leggiėro, *adj.*, light
leggia**dri**a, *f.*, grace, beauty
legna, *f.*, firewood
legname, *m.*, wood, timber
legno, *m.*, wood
legume, *m.*, vegetable
lėi; Lėi, *pron. f.*, her; you (polite form)
lembo, *m.*, edge, scrap, strip
lėnto, *adj.*, slow
leone, *m.*, -essa, *f.*, lion, lioness
lesso, *adj.*, boiled
letargo, *m.*, lethargy
lėttera, *f.*, letter
lette**ra**rio, *adj.*, literary
letterato, *m.*, man of letters
letteratura, *f.*, literature
lėtto, *m.*, bed
Levante, *m.*, Levant
levare (lėvo), *v.*, to raise
liberare (**li**bero), *v.*, to free
liberatore, *m.*, liberator
liberazione, *f.*, liberation
libero, *adj.*, free
libertà, *f.*, liberty
libriccino, *m.*, booklet
libro, *m.*, book
lido, *m.*, beach, bathing shore
liėto, *adj.*, glad
ligure, *adj.*, Ligurian
Li**gu**ria, *f.*, Liguria
limone, *m.*, lemon
Lindoro, *m.*, character in "The Barber of Seville"
linea, *f.*, line
lingua, *f.*, language, tongue
linguaggio, *m.*, language, dialect
lino, *m.*, linen, flax
liquido, *m.*, liquid
lirica, *f.*, lyric
liscio, *adj.*, smooth
litro, *m.*, litre
Livorno, *m.*, Leghorn
locale, *adj.*, local
lȯco (*poet.*), *m.*, place
lodare (lȯdo), *v.*, to praise
lȯgico, *adj.*, logical
lȯggia, *f.*, balcony, loggia
Lombar**di**a, *f.*, Lombardy
lombardo, *adj.*, Lombard

lontananza, *f.*, distance
lontano, *adj.*, far, distant
loro; Loro, *pron.*, them; you (polite form)
lòtta, *f.*, struggle
lottare (lòtto), *v.*, to fight
lucchese, *adj.*, Lucchese (of Lucca),
luccicare (**luc**cico), *v.*, to glitter
luglio, *m.*, July
lui, *pron.*, him
lume, *m.*, lamp, light
luminoso, *adj.*, bright
luna, *f.*, moon
lunedí, *m.*, Monday
lunghezza, *f.*, length
lungimirante, *adj.*, far-seeing
lungo, *adj.*, long; *prep.*, along
luògo, *m.*, place
 in luògo di, in place of
lupo, *m.*, wolf
lusso, *m.*, luxury

ma, *conj.*, but
macché! *exclam.*, not at all!
maccheroni, *m.pl.*, macaroni
macchia, *f.*, stain, spot
macchina, *f.*, machine, car, engine
maestro, *m.*, maestro
madre, *f.*, mother
maggio, *m.*, May
maggiore, *adj.*, elder, greater
magico, *adj.*, magic, magical
maglia, *f.*, vest, mail
ma**gna**nimo, *adj.*, great-hearted
ma**gni**fico, *adj.*, magnificent
mai, *adv.*, ever; non mai, never
ma**la**rico, *adj.*, malarial
mala**ri**geno, *adj.*, malarial
malat**ti**a, *f.*, illness
male, *adv.*, ill, badly; *m.*, evil
maledire (-dico, -dissi, -detto), *v.*, to curse
ma**lè**ssere, *m.*, discomfort
malgrado, *prep.*, in spite of
maltrattare, *v.*, to illtreat
malvolentièri, *adv.*, unwillingly
mancanza, *f.*, lack
mancare, *v.*,† to lack
mancia, *f.*, gratuity, tip
mandare, *v.*, to send
mandorla, *f.*, almond
mangiare, *v.*, to eat
manièra, *f.*, manner, way
 di manièra che, so that
mano (*pl.* **-a**), *f.*, hand
 a mano, by hand
 man mano (che), gradually (as)
manoscritto, *m.*, manuscript
mantèllo, *m.*, cloak
mantenere (-tèngo, -tenni, -tenuto), *v.*, to maintain
manto, *m.*, cloak
Mantova, *f.*, Mantua
manufatto, *adj.*, manufactured
mare, *m.*, sea
maresciallo, *m.*, marshal
marinaio, *m.*, sailor
marinaro, *adj.*, sea-faring, maritime
maritozzo, *m.*, bun
ma**rit**timo, *adj.*, maritime
marmo, *m.*, marble
martedí, *m.*, Tuesday
martire, *m.*, martyr
marzo, *m.*, March
maschera, *f.*, mask
maschio, *adj.*, male
massiccio, *adj.*, massive
massimo, *adj.*, maximum
ma**tè**ria, *f.*, subject, material
mattina, *f.*, morning
mec**ca**nico, *adj.*, mechanical
me**dè**simo, *adj.*, same
mediante, *prep.*, by means of

mèdico, *m.*, doctor
Me**di**ceo, *adj.*, Medicean
Mèdici, *m.*, name of a famous Florentine family
medievale, *adj.*, medieval
mèdio, *adj.*, middle, medium
meditare (**mè**dito), *v.*, to meditate
mediter**ra**neo, *adj.*, Mediterranean
mèglio, *adv.*, better
mela, *f.*, apple
melanzana, *f.*, egg-plant
melo, *m.*, apple-tree
melograno, *m.*, pomegranate
membro, *m.*, member
mèmore, *adj.*, mindful
me**mò**ria, *f.*, memory
menare, *v.*, to bring
mèno, *adv.*, less; *pron.*, less, fewer
da mèno, *adv. exp.*, inferior
mentire (-isco), *v.*, to lie
mentre, *adv.*, while, meanwhile
meraviglioso, *adj.*, wonderful
mercantile, *adj.*, mercantile
mèrce (*pl.* mèrci), *f.*, ware (goods, wares)
mercé (*poet.*), *f.*, mercy, reward; *prep.*, thanks to
mercoledí, *m.*, Wednesday
merènda, *f.*, lunch, picnic
meridionale, *adj.*, southern
meriggio, *m.*, noon
meritare (**mè**rito), *v.*, to deserve
mèrito, *m.*, merit
merletti, *m.pl.*, lace
mese, *m.*, month
messesi (*from* **met**tersi)
mèsto, *adj.*, mournful
metal**lur**gico, *adj.*, metallurgical
mètodo, *m.*, method
mètro, *m.*, metre
me**trò**poli, *f.*, metropolis
mettere (misi, messo), *v.*, to put
mettersi, *v.*, to put oneself
mèżżanòtte, *f.*, midnight
mèżżo, *m.*, half, means
per mèżżo di, by means of
mèżżogiorno, *m.*, midday
metà, *f.*, half
meta, *f.*, goal
midollo, *m.*, marrow
miètere, *v.*, to reap
mietitura, *f.*, reaping
migliaio, *m.*, thousand
miglio, *m.*, mile
miglio, *m.*, millet
migliore, *adj.*, better
mila (*see* mille)
milione, *m.*, million
militare, *adj.*, military
milizia, *f.*, militia
mille, *m.* (*pl.*, mila, *f.*), thousand
mil**lè**ṡimo, *adj.*, thousandth
minacciare, *v.*, to threaten
minaccia, *f.*, threat
minchione, *m.*, fool
minerale, *adj.*, mineral
mine**ra**rio, *adj.*, mineral
minèstra, *f.*, soup
minestrone, *m.*, stew
minièra, *f.*, mine
minimo, *adj. or pron.*, minimum
minore, *adj.*, lesser, younger
mio, *adj.*, my
mi**ṡè**ria, *f.*, poverty
missione, *f.*, mission
miṡura, *f.*, measure
miṡurare, *v.*, to measure
mite, *adj.*, mild
modèrno, *adj.*, modern
mòdo, *m.*, way
di mòdo che, so that
moglie, *f.*, wife

mòlle, *adj.*, soft, wet
molto, *adv.* much, very; *pron.*, much, many
momento, *m.*, moment
mònaco, *m.*, monk
monarca, *m.*, monarch
mona**rchi**a, *f.*, monarchy
mondiale, *adj.*, world-wide
mondo, *m.*, world
monèta, *f.*, coin
montagna, *f.*, mountain
monte, *m.*, mountain
montuoso, *adj.*, mountainous
monumento, *m.*, monument
morale, *adj.*, moral
moribondo, *adj.*, dying
morire, *v.* (*irreg.*),† to die
mormorare (**mor**moro), *v.*, to murmur
mortadèlla, *f.*, Bologna sausage
mòrte, *f.*, death
mòrto, *adj.*, dead
mo**ṡa**ico, *m.*, mosaic
moschette**ri**a, *f.*, musketry
mostrare, *v.*, to show
mostro, *m.*, monster
motivo, *m.*, motive
a motivo di, because of
mòto, *m.*, movement
mugnaio, *m.*, miller
munire (-isco), *v.*, to fortify, to furnish
muòvere (mossi, mosso), *v.*, to move
muro, *m.* (*pl.* -i, *m.*, *also* -a, *f.*), wall
muscolare, *adj.*, muscular
muscolo, *m.*, muscle
muṡica, *f.*, music
muṡicale, *adj.*, musical
mutamento, *m.*, change

napoleònico, *adj.*, Napoleonic
napoletano, *adj.*, Neapolitan
Napoli, *f.*, Naples
nascere, *v.* (*irreg.*),† to be born
nascita, *f.*, birth
nascituro, *adj.*, to be born
na**scon**dere (-scosi, -scosto), *v.*, to hide
di nascosto, furtively
Natale, *m.*, Christmas
na**ti**o, nativo, *adj.*, native
natura, *f.*, nature
naturale, *adj.*, natural
navale, *adj.*, naval
nave, *f.*, ship
navigante, *m.*, sea-farer
naviglio, *m.*, ship, shipping
nazionale, *adj.*, national
nazione, *f.*, nation
ne, *pron.*, of it, *etc.*
né, *adv.*, neither
neces**sa**rio, *adj.*, necessary
necessità, *f.*, necessity
negare, *v.*, to deny
ne**gli**gere (-glessi, -glètto), *v.*, to neglect
negòzio, *m.*, shop
nemico, *m.*, enemy
nemmèno, *adv.*, not even
neppure, *adv.*, not even
nèspolo, *m.*, Japanese apple
nessuno, *adj.*, no; *pron.*, nobody
netto, *adj.*, clear, decided
neuma, *m.*, note (*musical*)
neutralità, *f.*, neutrality
neve, *f.*, snow
nido, *m.*, nest
niènte, *pron.*, nothing
nipote, *c.*, nephew, niece, grandchild
nizzardo, *adj.*, inhabitant of Nice
nòbile, *adj.*, noble
nobilitare (no**bi**lito), *v.*, to ennoble
noi, *pron.*, we, us
nòia, *f.*, boredom

noioso, *adj.*, boring
nome, *m.*, name
nomenclatura, *f.*, nomenclature
nominare (**nò**mino), *v.*, to nominate
nondimèno, *adv.*, nevertheless
nòno, *adj.*, ninth
nonostante, *prep.*, in spite of
nonostante ciò, nevertheless
nòrd, *m.*, north
nòrdico, *adj.*, northern
nostal**gi**a, *f.*, homesickness, longing
nòstro, *adj.*, our
nòta, *f.*, note
notare (nòto), *v.*, to note
no**te**vole, *adj.*, notable
notizia, *f.*, news
nòtte, *f.*, night
novanta, ninety
nòve, nine
Novecènto, *m.*, twentieth century
novèmbre, *m.*, November
nòzze, *f.pl.*, wedding, nuptials
nulla, *pron.*, nothing
numeroso, *adj.*, numerous
nuotare (nuòto), *v.*, to swim
nuòto, *m.*, swimming
nuòva (*lit.*), *f.*, news, tidings
nuòvo, *adj.*, new
nutrice, *f.*, nurse
nutrire (nutro *or* nutrisco), *v.*, to nourish
nuziale, *adj.*, nuptial

o, od, *conj.*, or
obbediènza, *f.*, obedience
òca, *f.*, goose
occasione, *f.*, occasion
òcchio, *m.*, eye
occidènte, *m.*, west
oc**cor**rere, *v.*,† to be needed, to be necessary
occupazione, *f.*, occupation
o**ce**ano, *m.*, ocean
occupare (**òc**cupo), *v.*, to occupy
odiare (òdio), *v.*, to hate
òde (*see* udire), *v.*
òdio, *m.*, hatred
odore, *m.*, smell
offrire (òffro, of**fri**i *or* offèrsi, offèrto), *v.*, to offer
oggètto, *m.*, object
òggi, *m.*, to-day
oggidí, *adv.*, nowadays
ogni, *adj.*, every
ognora, *adv.*, still
ognuno, *pron.*, everyone
oligar**chi**a, *f.*, oligarchy
òlio, *m.*, oil
oliva, *f.*, olive
oliveto, *m.*, olive grove
olmo, *m.*, elm
oltre (a), *prep.*, besides
oltreché, *adv.*, besides, moreover
omaggio, *m.*, homage
ombra, *f.*, shade
onda, *f.*, wave
onde (*poet.*), *adv.*, whence
ondeggiare, *v.*, to wave, to ripple
onestà, *f.*, honesty
onorare, *v.*, to honour
onore, *m.*, honour
onta, *f.*, shame
ad onta di, in spite of
òpera, *f.*, opera, work
operaio, *m.*, workman
operare (**ò**pero), *v.*, to operate, to work
opinione, *f.*, opinion
opporre (-pongo, -posi, -posto), *v.*, to oppose
opportunità, *f.*, opportunity
oppoṡizione, *f.*, opposition

op**pri**mere (-prėssi, -prėsso), *v.*, to oppress
oppure, *conj.*, or
ora, *f.*, hour
ora, *adv.*, now
oramai, *adv.*, by now
ordinare (**or**dino), *v.*, to order
ordi**na**rio, *adj.*, ordinary
per l'ordi**na**rio, *adv. exp.*, usually
ordine, *m.*, order
orecchio, *m.*, ear
or**ga**nico, *adj.*, organic
organo, *m.*, organ
orgoglio, *m.*, pride
orgoglioso, *adj.*, proud
oriėnte, *m.*, east, orient
originale, *adj.*, original
o**ri**gine, *m.*, origin
orma, *f.*, footprint, track
ormai, *adv.*, by now
ornamento, *m.*, ornament
ȯro, *m.*, gold
orologio, *m.*, clock, watch
or**ri**bile, *adj.*, horrible
ȯrto, *m.*, kitchen garden, orchard
oscillazione, *f.*, oscillation
oscurità, *f.*, darkness, obscurity
oscuro, *adj.*, dark
ȯspite, *m.*, guest, host
os**sė**quio, *m.*, homage, reverence
osservare, *v.*, to observe
osservazione, *f.*, observation, remark
os**sia**, *conj.*, or
ȯsso, *m.* (*pl.* -a, *f.*), bone
ȯste, *m.*, host
oste**ri**a, *f.*, hostelry, inn
ostinato, *adj.*, obstinate
ostrica, *f.*, oyster
ottanta, eighty
ottavo, *adj.*, eighth
ottenere (-tėngo, -tenni, -tenuto), *v.*, to obtain
ȯttimo, *adj.*, best, excellent
ȯtto, eight
Ottocėnto, *m.*, nineteenth century
ottobre, *m.*, October
ȯve (*lit.*), *adv.*, where
ȯvest, *m.*, west
ovile, *m.*, sheep-fold

pace, *f.*, peace
Padova, *f.*, Padua
padre, *m.*, father
padrone, *m.*, master, owner
paeṡaggio, *m.*, countryside
paeṡe, *m.*, country; town
pagare, *v.*, to pay
pagina, *f.*, page
paglia, *f.*, straw
paia, **pai**ano, paio, **pai**ono (*see* parere)
paio, *m.* (*pl.*, -a, *f.*), pair
palazzo, *m.*, palace
palazzȯtto, *m.*, mansion
Palio, *m.*, match, race
palla, *f.*, ball
pallido, *adj.*, pale
palmeto, *m.*, palm grove
palpito, *m.*, throb
palude, *f.*, marsh
paludoso, *adj.*, marshy
pane, *m.*, bread
panettone, *m.*, bun loaf
panfȯrte, *m.*, almond cake
panna, *f.*, cream
panna montata, whipped cream
panno, *m.*, cloth
i panni (*colloquial*), clothes
Papa, *m.*, Pope
Paradiṡo, *m.*, Paradise
parecchio, *pron.*, much; *adj.*, several
parėnte, *c.*, relation

pa**rèn**teśi, *f.*, parenthesis, bracket
parere, *v.* (*irreg.*),† to appear
parlare, *v.*, to speak
parmigiano, *adj.*, Parmesan, from Parma
paròla, *f.*, word
parrócchia, *f.*, parish
parte, *f.*, part
Partenopèo, *adj.*,Parthenopean
particolare, *adj.*, particular; *m.*, detail
particolarità, *f.*, peculiarity
partire, *v.*,† to depart
partita, *f.*, game of cards
partito, *m.*, party (*political*)
passare, *v.*,† to pass
Pasqua, *f.*, Easter
passato, *m.* *or* *adj.*, past
passeggièro, *adj.*, passing; *m.*, passenger
passione, *f.*, passion
passito, *m.*, sweet wine
pasta, *f.*, paste, pastry
pasto, *m.*, meal
pastore, *m.*, shepherd
patata, *f.*, potato
pa**tè**tico, *adj.*, pathetic
patinaggio, *m.*, skating
patire (-isco), *v.*, to suffer
patria, *f.*, country, native land
patri**mò**nio, *m.*, inheritance
patriòtta, *m.*, patriot
patri**òt**tico, *adj.*, patriotic
patto, *m.*, pact
paventare, (-vènto), (*lit.*) *v.*, to fear
pècora, *f.*, sheep
pecorino, *m.*, sheep's milk cheese
pèggio, *adv.*, worse
pena, *f.*, penalty
pendènte, *adj.*, sloping
pendice, *f.*, slope
pendolo, *m.*, pendulum
pe**ni**śola, *f.*, peninsula
penoso, *adj.*, painful
pensare (pènso), *v.*, to think
pensatore, *m.*, thinker
pensièro, *m.*, thought
pensieroso, *adj.*, thoughtful
pensione, *f.*, pension, boarding-house
pentirsi (di) (pènto), *r.v.*, to repent
pèntola, *f.*, pot, saucepan
pe**nul**timo, *adj.*, last but one
pepe, *m.*, pepper
pèr, *prep.*, through, for, by
pèr eś. (=pèr eśèmpio), e.g. (=for example)
percentuale, *m.*, percentage
perché, *adv.*, because, why
perciò, *adv.*, therefore
per**cuò**tere (-còssi, -còsso), *v.*, to shake
pèrdere (pèrsi *or* perdètti, pèrso *or* perduto), *v.*, to lose
pèrdita, *f.*, loss
perdonare, *v.*, to pardon
perdono, *m.*, pardon
perènne, *adj.*, perennial
perfètto, *adj.*, perfect
perfezionare, *v.*, to perfect
perfino, *adv.*, even
pericoloso, *adj.*, dangerous
pe**ri**odo, *m.*, period
però, *adv.*, however
perorare (**pè**roro), *v.*, to plead
perpetuare (perpètuo), *v.*, to perpetuate
persecuzione, *f.*, persecution
persuadere (-suaśi, -suaśo), *v.*, to persuade
pèsca, *f.*, peach
pesca, *f.*, fishing
pescare, *v.*, to fish
pescatore, *m.*, fisherman
pesce, *m.*, fish
peso, *m.*, weight

pèssimo, *adj.*, very bad
pèste, *f.*, plague
petròlio, *m.*, petrol
pètto, *m.*, breast
pèzzo, *m.*, piece, bit
piacere, *m.*, pleasure
per piacere, if you please
piacere *v.*, (*irreg.*),† to please
piana, *f.*, plain
piangere (piansi, pianto), *v.*, to weep
piano, *adj.*, plain, smooth
pianura, *f.*, plain
pianta, *f.*, plant
piatto, *m.*, plate; *adj.*, flat, squat
piazza, *f.*, square
piccino, *adj.*, tiny
piccolo, *adj.*, little
Piemonte, *m.*, Piedmont
pièno, *adj.*, full
pietà, *f.*, piety, group of statuary
pigliare, *v.*, to take
pila, *f.*, (electric) battery, pier (of bridge, etc.)
pilòta, *m.*, pilot
pio, *adj.*, pious
piòggia, *f.*, rain
piombo, *m.*, lead
pionière, *m.*, pioneer
pisano, *adj.*, Pisan
piṡèllo, *m.*, pea
pittore, *m.*, painter
pittoresco, *adj.*, picturesque
pittura, *f.*, painting
piú, *adv.*, more
piuma, *f.*, feather
piuttòsto, *adv.*, rather, sooner
placare, *v.*, to placate
placido, *adj.*, placid
plastico, *adj.*, plastic
plebiscito, *m.*, plebiscite
plurale, *m.*, plural
Pò, *m.*, Po
pòco, *pron.*, little
pòco a pòco, *adv. exp.*, little by little
poe**ṡi**a, *f.*, poetry
poèta, *m.*, poet
po**è**tico, *adj.*, poetical
pòi, *adv.*, then
poiché, *conj.*, since
po**li**tico, *adj.*, political
Polonia, *f.*, Poland
pomodòro, *m.*, tomato
pompa, *f.*, pomp, pump
ponte, *m.*, bridge
Pon**te**fice, *m.*, Pontiff, Pope
pontificio, *adj.*, pontifical
popolano, *m.*, plebeian
popolare, *adj.*, popular
popolazione, *f.*, population
popolino, *m.*, populace
pòpolo, *m.*, people
poppa, *f.*, poop
pòrco, *m.*, pig
porre (pongo, posi, posto), *v.*, to put
pòrta, *f.*, door
portare (pòrto), *v.*, to carry
portata, *f.*, range, reach
porticato, *m.*, porch
pòrto, *m.*, port
Portogallo, *m.*, Portugal
poṡizione, *f.*, position
possanza, *f.*, power
possedere (possèggo, possedètti *or* possedèi, posseduto), *v.*, to possess
possèsso, *m.*, possession
pos**si**bile, *adj.*, possible
posto, *m.*, place
potènte, *adj.*, powerful
potènza, *f.*, power
potere, *m.*, power
potere, *v.* (*irreg.*), to be able
pòvero, *adj.*, poor
povertà, *f.*, poverty
pranżo, *m.*, dinner

pratica, *f.*, practice, function
praticare (**pra**tico) *v.*, to practise, to frequent
prato, *m.*, meadow
pre**cè**dere (precedètti, preceduto), *v.*, to precede
precètto, *m.*, precept
precipitare (pre**ci**pito), *v.*, to rush, to precipitate
precipitoso, *adj.*, steep
precišare, *v.*, to state precisely, to define
precorritore, *m.*, -trice, *f.*, fore-runner; *adj.*, prophetic, premonitory
prèda, *f.*, prey
predicare (**prè**dico), *v.*, to preach
predominio, *m.*, predominance
preferire (-isco), *v.*, to prefer
pregare (prègo), *v.*, to pray
preghièra, *f.*, prayer
prègio, *m.*, gift, quality
preminènza, *f.*, pre-eminence
prèmio, *m.*, prize, reward
prèndere (presi, preso), *v.*, to take
preoccupare (-**ò**ccupo), *v.*, to preoccupy, to worry
preponderante, *adj.*, preponderant
prepotènte, *adj.*, arrogant; *m.*, bully
prerogativa, *f.*, prerogative
prešentare (prešènto), *v.*, to present
prešènza, *f.*, presence
presidiare, *v.*, to garrison, to preside
prèsso, *prep.*, with, near
prestare (prèsto), *v.*, to lend
prèsto, *adv.*, soon
prète, *m.*, priest
pre**tèn**dere (pretesi, preteso), *v.*, to claim
pretèsta, *f.*, Vestal robes
prevalentemente, *adv.*, prevalently, for the most part
prevedere, *v.* (*irreg.*, *see* vedere), to foresee
prezioso, *adj.*, precious
prèzzo, *m.*, price
prigione, *f.*, prison
prigionièro, *m.*, prisoner
prima (che, di), *prep.* *or* *adv.*, before, first
primavèra, *f.*, Spring
primitivo, *adj.*, primitive
primo, *adj.*, first
primordiale, *adj.*, primitive
principale, *adj.*, principal
principe, *m.*, prince
principio, *m.*, beginning, principle
privato, *adj.*, private
privilegio, *m.*, privilege
privo, *adj.*, deprived
problèma, *m.*, problem
proclama, *m.*, proclamation
proclamare, *v.*, to proclaim
pro**com**bere (*poet.*), *v.*,† to fall (in battle)
prodotto, *m.*, product
produrre (-duco, -dussi, -dotto), *v.*, to produce
profano, *adj.*, profane
profèta, *m.*, prophet
profilassi, *f.*, prevention (*medical*)
profferire (-ferisco, -fe**ri**i *or* fèrsi, -fèrto), *v.*, to offer
profitto, *m.*, advantage, profit
profondo, *adj.*, deep, profound
pròfugo, *m.*, fugitive
profumo, *m.*, perfume
progètto, *m.*, project, plan
progrèsso, *m.*, progress
pro**li**fico, *adj.*, prolific
promon**tò**rio, *m.*, promontory

pro**muò**vere (-mòssi, -mòsso), *v.*, to promote
pronome, *m.*, pronoun
prontezza, *f.*, readiness, promptitude
pronunciare, *v.*, to pronounce
pronunzia, *f.*, pronunciation
propoṡizione, *f.*, proposal, proposition
proprietà, *f.*, propriety
pròprio, *pron.*, own; *adj.*, own, proper
pròṡa, *f.*, prose
prosciutto, *m.*, ham
pròsperare (**prò**spero), *v.*, to prosper
pròspero, *adj.*, prosperous
pro**tèg**gere (-tèssi, -tètto), *v.*, to protect
pro**tèn**dere (-tesi, teso), *v.*, to stretch forth
protettore, *m.*, protector
protezione, *f.*, protection
pròva, *f.*, proof, test
proveniènte, *adj.*, deriving, coming (from)
provenzale, *adj.*, Provencal
provèrbio, *m.*, proverb
provincia, *f.*, province
provinciale, *adj.*, provincial
Provvidènza, *f.*, Providence
prudènte, *adj.*, prudent
prudènza, *f.*, prudence
pubblico, *adj.*, public
pugnare, (*lit.*) *v.*, to fight
pugno, *m.*, fist, handful
pungere (punsi, punto), *v.*, to sting
punta, *f.*, point, tip
punto, *m.*, point, full stop
pur, pure, *adv.*, yet, still, nevertheless
purché, *conj.*, provided that
purezza, *f.*, purity
puro, *adj.*, pure
purtroppo, *adv.*, unfortunately
puzzare, *v.*, to stink

qua, *adv.*, here
quadrato, *adj.*, square
quadrifonte, *adj.*, foursquare
quadro, *m.*, picture
quadruplo, *adj.*, quadruple, fourfold
qualche, *adj.*, some, any
qualcheduno, *pron.*, someone
qualchevòlta, *adv.*, sometimes
qualcuno, *pron.*, someone
quale, *pron. or adj.*, which
qualità, *f.*, quality
qual**si**asi, *adj.*, any, whatever
qualunque, *adj.*, any, whatever
quando, *adv.*, when
quand'anche, *adv.*, even if
quanto, *pron.*, how much
in quanto, inasmuch as
quaranta, forty
quarto, *adj.*, fourth; *m.*, quarter
quaṡi, *adv.*, almost
quat**tor**dici, fourteen
quattrino, *m.*, penny, copper coin
quattro, four
Quattrocènto, *m.*, fifteenth century
quattrocen**ti**stico, *adj.*, of the 15th century
quello, *adj. or pron.*, that
questo, *adj. or pron.*, this
qui, *adv.*, here
quièto, *adj.*, quiet, still
quindi, *adv.*, then, hence
quindici, fifteen
quintale, *m.*, quintal
quinto, *adj.*, fifth
quintuplo, *adj.*, fivefold
quivi, *adv.*, there, here

racc**ò**gliere (-còlgo, -còlsi, -còlto), *v.*, to gather
raccomandare, *v.*, to recommend
radere (rasi, raso), *v.*, to shave
radice, *f.*, root
rado, *adj.*, rare, scanty
di rado, *adv. exp.*, seldom
raggio, *m.*, ray
ragionamento, *m.*, reasoning
ragione, *f.*, reason
a ragione di, by reason of
rai (*poet. for* raggi), *m.pl.*, rays
rallegrare, *v.*, to brighten, to cheer
rallegrarsi, *r.v.*, to feel happy
rammentare (-mènto), *v.*, to remind
rammentarsi, *r.v.*, to remember
ramo, *m.*, branch
rana, *f.*, frog
rancore, *m.*, rancour
rapido, *adj.*, rapid
rappreṡentare (-preṡènto), *v.*, to represent
rasciugare, asciugare (*past participle* -asciutto), *v.*, to dry
rassegnarsi, *r.v.*, to resign oneself
raviòlo, *m.*, a kind of savoury pastry
rav**vòl**gere (-vòlsi, -vòlto), *v.*, to turn, to wrap
razza, *f.*, race
re, *m.*, king
reale, *adj.*, royal
realiżżare, *v.*, to realise
recantazione, *f.*, recantation
recare (rèco), *v.*, to bring
recènte, *adj.*, recent
di recènte, *adv. exp.*, recently
recitazione, *f.*, recitation
redentore, *m.*, redeemer
regalo, *m.*, present
Reggènte, *m.*, Regent
regime, *m.*, regime, government
regina, *f.*, queen
règio, *adj.*, royal
regionale, *adj.*, regional
regione, *f.*, region
regnare, *v.*, to reign
regno, *m.*, reign, kingdom
reintegrato, *adj.*, reintroduced
reintrodurre (-duco, -dussi, -dotto), *v.*, to re-introduce
religione, *f.*, religion
religioso, *adj.*, religious
rèmo, *m.*, oar
remòto, *adj.*, remote
rèndere (resi, reso), *v.*, to render
re**pub**blica, *f.*, republic
residènza, *f.*, residence
resistènza, *f.*, resistence
re**si**stere, *v.*, to resist
re**spin**gere (-spinsi, -spinto), *v.*, to repulse
respon**sa**bile, *adj.*, responsible
responsabilità, *f.*, responsibility
restare (rèsto), *v.*,† to stay
restaurare (re**sta**uro), *v.*, to restore
re**sta**uro, *m.*, restoration (*art*)
re**sti**o, *adj.*, restive, rebellious
rèsto, *m.*, rest
del rèsto, *adv. exp.*, moreover
restrizione, *f.*, restriction
rialzarsi, *r.v.*, to get up again, to rise again
riavvicinare (-vicino), *v.*, to draw near again
ribellare (-bèllo), *v.*, to rebel
ricamo, *m.*, embroidery
ricchezza, *f.*, wealth
ricco, *adj.*, rich

ricerca, *f.*, search, research
ricetta, *f.*, recipe
ricevere (-cevètti *or* -cevèi, -cevuto), *v.*, to receive
richiamare, *v.*, to recall
rico**no**scere (*irreg.*, *see* co**no**scere), *v.*, to recognise
riconoscimento, *m.*, recognition
ricoprire (-còpro, -cop**rii** *or* -copèrsi, -copèrto), *v.*, to cover
ricordare (ricòrdo), *v.*, to remind, to remember
ricordarsi (mi ricòrdo), *r.v.*, to remember
ricòrdo, *m.*, memory
ricorrènza, *f.*, anniversary
ricostituire (-uisco), *v.*, to reconstitute
ricostruire (-struisco, -struii, -struito *or* -strutto), *v.*, to rebuild
ricòtta, *f.*, cream cheese
ricoverare (ri**cò**vero), *v.*, to shelter
ridiventare (ridivènto), *v.*, to become again
ridurre (-dussi, -dotto), *v.*, to reduce
riedificare (-e**di**fico), *v.*, to rebuild
riempire (-èmpio, -em**pii**, -empito), *v.*, to fill
rievocare (-**è**voco), *v.*, to evoke
riforma, *f.*, reform
rifiutare, *v.*, to refuse
rifiuto, *m.*, refusal
rifugiarsi, *r.v.*, to flee
rigare, *v.*, to line, to streak
rigenerare (-**gè**nero), *v.*, to regenerate
riguardare, *v.*, to regard
riguardo, *m.*, regard
in riguardo a, with regard to

rimanere (-mango, -masi, -masto), *v.*,† to remain
rimediare (-mèdio), *v.*, to remedy
rimproverare (-**prò**vero), *v.*, to rebuke
Rinascènza, *f.*, Rinascimento, *m.*, Renaissance
rioccupare (-**ò**ccupo), *v.*, to re-occupy
riordinamento, *m.*, riordinazione, *f.*, re-ordering
riparlare, *v.*, to speak again
ripensare (-pènso), *v.*, to think over
ripido, *adj.*, steep
ripiegamento, *m.*, retreat, withdrawal
ripièno, *m.*; stuffing, *adj.*, stuffed, full
riposare (-pòso), *v.*, to rest
ripòso, *m.*, rest
ri**prèn**dere (-presi, -preso), *v.*, to take back, to recover
ripresa, *f.*, revival
riproduzione, *f.*, reproduction
riscaldare, *v.*, to warm
rischiarare, *v.*, to enlighten
ris**cuò**tere (-scòssi, -scòsso), *v.*, to shake
risentire (-sènto), *v.*, to feel, to show
ri**siè**dere (*irreg.*, *see* sedere), *v.*, to reside
riso, *m.*, rice
riso, *m.*, (*pl.*, -a, *f.*), laughter
ri**sor**gere (-sorsi, -sorto), *v.*,† to rise again
Risorgimento, *m.*, national uprising for Italian independence
risorsa, *f.*, resource
rispettare (-spètto), *v.*, to respect
rispètto, *m.*, respect

ri**spon**dere (-sposi, -sposto), *v.*, to reply
risposta, *f.*, reply
ristabilire (-isco), *v.*, to re-establish
ristorante, *m.*, restaurant
risultato, *m.*, result
risurrezione, *f.*, resurrection
riśvegliare, *v.*, to awaken
ritirare, *v.*, to retire, to retreat
ritornare, *v.*,† to return
ritorno, *m.*, return
ritrasferire (-ferisco, -ferii *or* -fėrsi, -fėrto), *v.*, to re-transfer
ritrattazione, *f.*, recantation
ritratto, *m.*, portrait
ritto, *adj.*, upright
rituffare, *v.*, to plunge again
riunire (-isco), *v.*, to reunite
riuscire, *v.* (*irreg.*),† to succeed
riva, *f.*, bank, shore
rivalità, *f.*, rivalry
rivedere (-vidi, -veduto, -visto), *v.*, to review, to see again
rivelare, *v.*, to reveal
rivestire (-vėsto), *v.*, to reclothe
rivièra, *f.*, riviera, bank, shore
rivòlta, *f.*, revolt
rivoluzionare, *v.*, to revolutionize
rivoluzione, *f.*, revolution
ròba, *f.*, stuff, material, property
Roma, *f.*, Rome
ro**ma**nico, *adj.*, Romanesque
romanżière, *m.*, novelist
romanżo, *m.*, novel
rompere (ruppi, rotto), *v.*, to break
rondine, *f.*, swallow
rosso, *adj.*, red
roteazione, *f.*, rotation
rovina, *f.*, ruin
Rumenia, *f.*, Roumania
rużżare, *v.*, to romp

sabato, *m.*, Saturday
saccheggio, *m.*, sack, plunder
sacco, *m.*, sack, bag
sacro, *adj.*, sacred
saggezza, *f.*, wisdom
saggio, *adj.*, wise
sala, *f.*, room, hall
salame, *m.*, sausage
saldo, *adj.*, safe, whole
sale, *m.*, salt
salvare, *v.*, to save
salire (salgo, sa**li**i, salito), *v.*,† to rise, to ascend
salmo**di**a, *f.*, psalmody
salsa, *f.*, sauce, gravy
salutare, *v.*, to greet
salute, *f.*, health
salvaguardare, *v.*, to safeguard
salvo, *adj.*, safe; *adv.*, save
san, santo; *m.*, saint; *adj.*, holy, saintly
sangue, *m.*, blood
sano, *adj.*, whole, healthy
sapere, *v.*, (*irreg.*), to know
sapore, *m.*, taste, flavour
Sardegna, *f.*, Sardinia
sardina, *f.*, sardine
sardo, *adj.*, Sardinian
sasso, *m.*, stone
satellito, *m.*, satellite
Savòia, *f.*, Savoy
śbadato, *adj.*, careless
śbarcare, *v.*, to disembark
śbarco, *m.*, disembarkation
śbattere, *v.*, to beat
śbigottire (-isco), *v.*, to bewilder
śboccare, *v.*, to flow out (of a river)
scacciare, *v.*, to chase away
scala, *f.*, stairway, ladder

scaltrezza, *f.*, cunning, shrewdness
scambio, *m.*, exchange
scatola, *f.*, box
scavare, *v.*, to excavate, to dig out
scegliere (scelgo, scelsi, scelto), *v.*, to choose
scelta, *f.*, choice
scemo, *adj.*, foolish
scėna, *f.*, scene
sce**na**rio, *m.*, scenery
scėndere (scesi, sceso), *v.*,† to descend
scėnico, *adj.*, scenic
scetticismo, *m.*, scepticism
scėttico, *adj.*, sceptical
schiavo, *m.*, slave
schiėra, *f.*, band, troop
schiȯppo, *m.*, gun
sciagura, *f.*, misfortune
sciarada, *f.*, charade
sciare, *v.*, to ski
scien**ti**fico, *adj.*, scientific
sciėnza, *f.*, science
scienziato, *m.*, scientist
scimmia, *f.*, monkey
scindere (scissi, scisso), *v.*, to divide, to cut, to split up
sciȯgliere (sciȯlgo, sciȯlsi, sciȯlto), *v.*, to loosen, to dissolve
sciupare, *v.*, to spoil, to waste
scodėlla, *f.*, bowl
scȯglio, *m.*, cliff
scolaro, *m.*, scholar, pupil
scolpire (-isco), *v.*, to carve, to sculpture
scomparire (-paio, -parvi, -parso), *v.*,† to disappear
sco**mu**nica, *f.*, excommunication
sconcertare (-cėrto), *v.*, to disconcert
scon**fig**gere (-fissi, -fitto), *v.*, to defeat
sconosciuto, *adj.*, unknown
scȯpo, *m.*, aim, scope
scoppiare (scȯppio), *v.*,† to burst
scoprire (scȯpro, sco**pri**i *or* scopėrsi, scopėrto), *v.*, to discover, to uncover
scorso, *adj.*, last
scorticare (**scȯr**tico), *v.*, to skin
scrittȯio, *m.*, writing room, writing desk
scrittore, *m.*, writer
scrivere (scrissi, scritto), *v.*, to write
scrollare (scrȯllo), *v.*, to shake (the head), to shrug
scrollata, *f.*, shrug
scrovegno, *adj.*, belonging to Scrovegni family
scrupolo, *m.*, scruple
scultore, *m.*, sculptor
scultura, *f.*, sculpture
scuȯla, *f.*, school
scuȯtere (scȯssi, scȯsso), *v.*, to shake
scuṡare, *v.*, to excuse
scuṡarsi, *r.v.*, to apologize
ṡdegno, *m.*, disdain
ṡdraiare, *v.*, to lay down
ṡdraiarsi, *r.v.*, to lie down
se, *conj.*, if
sé, *pron.*, oneself, himself, herself, itself
sebbėne, *adv.*, although
sėcolo, *m.*, century
secondo, *adj.*, second; *prep.*, according to
sėde, *f.*, seat, see (*ecclesiastical*)
sedere (siėdo *or* sėggo, sedėtti *or* sedėi, seduto), *v.*, to sit, to seat
sedici, sixteen

segare, *v.*, to saw
segnalare, *v.*, to signal
segnare, *v.*, to sign, to mark
segno, *m.*, mark
segre**ta**rio, *m.*, secretary
segreto, *m.* *or* *adj.*, secret
seguace, *m.*, follower
seguitare (**se**guito), *v.*, to follow
seguire, *v.*, to follow
seguito, *m.*, train, following
    in **se**guito, *adj.*, following
sėi, six
Sėicėnto, *m.*, seventeenth century
sel**va**tico, *adj.*, wild
sembrare, *v.*, to seem
seme, *m.*, seed
seminare, *v.*, to sow
semplice, *adj.*, simple
sėmpre, *adv.*, always
senape, *m.*, mustard
senese, *adj.*, Sienese
sen**si**bile, *adj.*, sensitive
sėnso, *m.*, sense
sentimento, *m.*, sentiment, feeling
sentire (sėnto, *present participle*, senziėnte), *v.*, to feel, to hear
senza, *prep.*, without
sera, *f.*, evening
serbare (sėrbo), *v.*, to keep
serenata, *f.*, serenade
sėrie, *f.*, series
serrare (sėrro), *v.*, to lock up
servaggio, *m.*, servitude
servire (sėrvo), *v.*, to serve
servitú, *f.*, servitude, domestic staff
servizio, *m.*, service
sėrvo, -a, *c.*, servant
sessanta, sixty
sėsto, *adj.*, sixth
seta, *f.*, silk
sete, *f.*, thirst
settanta, seventy
sėtte, seven
Sėttecėnto, *m.*, eighteenth century
settėmbre, *m.*, September
settentrionale, *adj.*, northern
settentrione, *m.*, north
sėttimo, *adj.*, seventh
sfasciamento, *m.*, loosening, disintegration
sfasciare, *v.*, to unwrap, to unbind
sfidare, *v.*, to challenge
sfiducia, *f.*, distrust
ṡgridare, *v.*, to scold
sicché, *conj.*, so that
Sicilia, *f.*, Sicily
sicurezza, *f.*, security
sicuro, *adj.*, sure
side**rur**gico, *adj.*, iron
sigaretta, *f.*, cigarette
sigaro, *m.*, cigar
significare (si**gni**fico), *v.*, to mean
signore, *m.*, gentleman, sir
signo**ri**a, *f.*, mastery, lordship
silenzioso, *adj.*, silent
sillaba, *f.*, syllable
simboleggiare (-lėggio), *v.*, to symbolize
simile, *adj.*, such, similar; *pron.*, like
sim**pa**tico, *adj.*, nice, likeable
simulacro, *m.*, portrait, image
sincėro, *adj.*, sincere
singolare, *adj.*, single, singular
sintassi, *f.*, syntax
sistėma, *m.*, system
situare (situo), *v.*, to situate
ṡlancio, *m.*, impulse, urge
ṡlitta, *f.*, sledge
ṡmettere (ṡmiṡi, ṡmesso), *v.*, to stop
ṡnėllo, *adj.*, slim
soave, *adj.*, sweet

società, *f.*, society
soddisfare (*irreg.*, *see* fare), *v.*, to satisfy
sofà, *m.*, sofa
soffocare (**sòf**foco), *v.*, to suffocate
soffrire (sòffro, sof**frii** *or* soffèrsi, soffèrto), *v.*, to suffer
soggiorno, *m.*, stay, sojourn
sognare, *v.*, to dream
sogno, *m.*, dream
soldato, *m.*, soldier
soldato di ventura, mercenary
solare, *adj.*, solar
sòldo, *m.*, penny, copper coin (5 centimes)
sole, *m.*, sun
solennità, *f.*, solemnity
solènne, *adj.*, solemn
sòlido, *adj.*, solid
solere, *v.* (*irreg.*),† to be accustomed
soli**ta**rio, *adj.*, solitary
soli**tu**dine, *f.*, solitude
solo, *adj.*, alone
soltanto, *adv.*, only
somministrare (-**mi**nistro), *v.*, to administer, to feed
sommòssa, *f.*, uprising
sonare, suonare (suòno; sonai, sonato), *v.*, to ring, to sound
sonno, *m.*, sleep
sonòro, *adj.*, noisy, sonorous
sopportare (soppòrto), *v.*, to support, to endure
sop**pri**mere (-prèssi, -prèsso), *v.*, to suppress
sopra, *prep.* *or* *adv.*, above
soprattutto, *adv.*, above all
sopravivvènza, *f.*, survival
sorèlla, *f.*, sister
sorgere (sorsi, sorto), *v.*,† to arise
sor**prèn**dere (-presi, -preso), *v.*, to surprise
sorpresa, *f.*, surprise
sor**ri**dere (-risi, -riso), *v.*, to smile
sorriso, *m.*, smile
sòrte, *f.*, fate
sortita, *f.*, exit, sortie
sospirare, *v.*, to sigh
sostenitore, *m.*, supporter
sostituzione, *f.*, substitution
sottile, *adj.*, subtle, thin
sotto, *prep.* *or* *adv.*, beneath, below
sotto**met**tere (-misi, -messo), *v.*, to subject
sotto**met**tersi (-misi, -messo), *r.v.*, to submit
sottomissione, *f.*, submission, subjection
sottoporre (-pongo, -posi, -posto), *v.*, to propose, to submit
sottovoce, *adv.*, in a low tone
sovrano, *adj.* *or* *m.*, sovereign
spada, *f.*, sword
Spagna, *f.*, Spain
spagnuòlo, *adj.*, Spanish
spalla, *f.*, shoulder
sparire (-isco), *v.*,† to disappear
spaventare, *v.*, to frighten
specchiare, *v.*, to mirror
specchio, *m.*, mirror
speciale, *adj.*, special
specialità, *f.*, speciality
spècie, *f.*, species, kind
spe**ci**fico, *adj.*, specific
spedizione, *f.*, expedition
spègnere (spengo, spensi, spento), *v.*, to put out, to extinguish
speranza, *f.*, hope
sperare (spèro), *v.*, to hope
spèrdere (sperdètti *or* spèrsi, sperduto *or* spèrso), *v.*, to lose

sperimentale, *adj.*, experimental
sperimentare, *v.*, to experiment, to practise
spesa, *f.*, expense
spesso, *adv.*, often
spet**ta**colo, *m.*, spectacle
spicciolo, *adj.*, small, fragmentary
    gli **spic**cioli, small change
spiėde, *m.*, spit
spiegare (spiėgo), *v.*, to explain, to unfold
spilla, *f.*, pin, brooch
spingere (spinsi, spinto), *v.*, to push
spirare, *v.*, to breathe (one's last)
spirito, *m.*, spirit, wit
spiritoso, *adj.*, witty
splėndere, *v.*, to shine
splendore, *m.*, splendour
spogliare (spȯglio), *v.*, to disrobe, to despoil
sponda, *f.*, bank, shore
spontaneità, *f.*, spontaneity
spoṡalizio, *m.*, wedding
spoṡare (spȯṡo), *v.*, to marry
spro**pȯ**ṡito, *m.*, absurdity
spuma, *f.*, foam
spumante, *adj.*, foaming, frothy, fizzy
spuntare, *v.*, to dawn
squiṡito, *adj.*, exquisite
stabile, *adj.*, fixed, stable
stabilire (-isco), *v.*, to establish
stabilità, *f.*, stability
stagione, *f.*, season
stampa, *f.*, print, press
stanco, *adj.*, tired
stanza, *f.*, room
stare, *v.* (*irreg.*),† to be, to stand
    stare per, to be about to
stasera, *adv.*, this evening
statale, *adj.*, state
staterėllo, *m.*, little state
stato, *m.*, state
statua, *f.*, statue
statuto, *m.*, statute
stazione balneare, *f.*, bathing resort
stėlla, *f.*, star
stėrile, *adj.*, barren
stesso, *adj.*, same; *pron.*, self
stile, *m.*, style
stivale, *m.*, boot
stȯffa, *f.*, stuff
stȯmaco, *m.*, stomach
stȯria, *f.*, story, history
stȯrico, *adj.*, historical; *m.*, historian
strada, *f.*, road
strage, *f.*, slaughter
straniėro, *m.*, foreigner; *adj.*, foreign
strano, *adj.*, strange
stra**te**gico, *adj.*, strategic
stretta, *f.*, strait
stretto, *adj.*, narrow
    essere alle strette, to be hard up
stridėnte, *adj.*, strident
strido, *m.* (*pl.*, -a, *f.*), cry, scream
stringere (strinsi, stretto), *v.*, to squeeze
striscia, *f.*, strip
struggersi (strussi, strutto), *r.v.*, to be consumed
struttura, *f.*, structure
studiare, *v.*, to study
studio, *m.*, study, studio
studioso, *adj.*, studious
stupėndo, *adj.*, stupendous
stupire (-isco), *v.*, to amaze
su, *prep.*, on; *adv.*, up
subire (-isco), *v.*, to endure
subito, *adv.*, at once

succèdere (-cèssi *or* -cedètti, -cèsso *or* -ceduto), *v.*,† to succeed (to a throne), to happen
succèsso, *m.*, success
sudare, *v.*, to sweat
sudore, *m.*, sweat
sughero, *m.*, cork
sugo, *m.*, gravy, juice
suo; Suo, *adj.*, his, her; your (polite form)
suòlo, *m.*, soil
suonare (*see* sonare), *v.*
supèrbo, *adj.*, proud
superficie, *f.*,
superiore, *adj.*, superior, upper
superiorità, *f.*, superiority
supporre (-pongo, -posi, -posto), *v.*, to suppose
supremazia, *f.*, supremacy
suprèmo, *adj.*, supreme, final
sussurro, *m.*, whisper, murmur
ṡvanire (-isco), *v.*,† to vanish
ṡvegliare (ṡveglio), *v.*, to awaken
ṡviluppare, *v.*, to develop
ṡviluppo, *m.*, development
ṡvincolare (**ṡvin**colo), *v.*, to unbind, to free
Ṡvizzera, *f.*, Switzerland

tabacco, *m.*, tobacco
tagliare, *v.*, to cut
tagliatore, *m.* (wood)cutter
tale, *pron. or adj.*, such
Tamigi, *m.*, Thames
tanto, *pron. or adj.*, so much, so many
tardare, *v.*, to delay
tardi, *adv.*, late
tartaruga, *f.*, tortoise
tartufo, *m.*, truffle
tasca, *f.*, pocket
tassa, *f.*, tax
tavola, *f.*, table
teatro, *m.*, theatre
tedesco, *adj.*, German
tegame, *m.*, frying-pan
telegrafia, *f.*, telegraphy
tele**gra**fico, *adj.*, telegraphic
telescòpio, *m.*, telescope
tèma, *m.*, theme, subject
temere, *v.*, to fear
tèmpio, *m.*, temple
tèmpo, *m.*, time
tènebra, *f.*, shadow
tenere (tèngo, tenni, tenuto), *v.*, to hold
tentare (tènto), *v.*, to try
tentativo, *m.*, attempt
te**ò**logo, *m.*, theologian
tèpido, **tiè**pido, *adj.*, warm
ter**mò**metro, *m.*, thermometer
tèrra, *f.*, earth
terrazza, *f.*, terrace, balcony
terremòto, *m.*, earthquake
terrenò, *adj.*, earthy; *m.*, ground
terri**tò**rio, *m.*, territory
terrore, *m.*, terror
tèrzo, *adj.*, third
teṡoro, *m.*, treasure
tèssere, *v.*, to weave
tessuto, *m.*, fabric, tissue
tèsta, *f.*, head
tèsto, *m.*, text, text-book
tetto, *m.*, roof
Tevere, *m.*, Tiber
tingere (tinsi, tinto), *v.*, to dye
tipo, *m.*, type
tiran**nia**, *f.*, tyranny
tiranno, *m.*, tyrant
tirare, *v.*, to draw, (of the wind) to blow
tirrèno, *adj.*, Tyrrhenian
titolo, *m.*, title
toccare, *v.*, to touch
tocco, *m.*, touch, stroke of one o'clock

tomba, *f.*, tomb
tonalità, *f.*, tonality
tondo, *adj.*, round; *m.*, round plaque
tonfo, *m.*, thud
tonnellata, *f.*, ton
tonno, *m.*, tunny
tópo, *m.*, mouse
Torino, *m.*, Turin
tormentare, *v.*, to torment, to trouble
tornare, *v.*,† to return
tóro, *m.*, bull
torre, *f.*, tower
torrente, *m.*, torrent
tortura, *f.*, torture
tośare, *v.*, to shear
Toscana, *f.*, Tuscany
toscano, *adj.*, Tuscan
tra, *prep.*, between, among
tracciare, *v.*, to trace
tracòllo, *m.*, collapse, downfall
tradire (-isco), *v.*, to betray
tradizionale, *adj.*, traditional
traffico, *m.*, traffic
tra**lu**cere (traluco, tralussi, *no past participle*), *v.*, to shine (through), to glimmer
tramandare, *v.*, to hand down
tramontare, *v.*, to set (of the sun, etc.)
tramonto, *m.*, sunset, setting (of a star, etc.)
tranquillo, *adj.*, tranquil
trarre, *v.* (*irreg.*), to draw, to drag
trasferire (-ferisco, -fe**ri**i *or* -fèrsi, -fèrto), *v.*, to transfer
tras**met**tere (-misi, -messo), *v.*, to transmit
trattare, *v.*, to treat
trattato, *m.*, treaty
trattenere (-téngo, -tenni, -tenuto), *v.*, to hold (back), to entertain
tratto, *m.*, trait
tutto d'un tratto, *adv. exp.*, all at once
tratto**ri**a, *f.*, country inn
traversare (-vèrso), *v.*, to cross
tre, three
Trecènto, *m.*, fourteenth century
trecen**ti**stico, *adj.*, of the 14th century
tredici, thirteen
tredi**cè**śimo, *adj.*, thirteenth
tremare, *v.*, to tremble
tremendo, *adj.*, tremendous
tremolare (**trè**molo), *v.*, to throb, to quiver
treno, *m.*, train
trenta, thirty
tribú, *f.*, tribe
tribunale, *m.*, tribunal, law-court
tricolore, *m.*, tricolour
trina, *f.*, lace
trionfale, *adj.*, triumphal
trionfare, *v.*, to triumph
trionfo, *m.*, triumph
triplice, *adj.*, triple
triplo, *adj.*, threefold
triste, *adj.*, sad
tròppo, *adj. or pron.*, too much, too many
tròppo, *adv.*, too, too much
trovare (tròvo), *v.*, to find
truppa, *f.*, troop
tuo, *adj.*, thy; *pron.*, thine
turiśmo, *m.*, tourist traffic
turista, *m.*, tourist
tutèla, *f.*, guardianship
tutta**vi**a, *adv.*, nevertheless
tutto, *adj. or pron.*, all
tuttora, *adv.*, still, even now

ubbidiènza, *f.*, obedience
uccellare, *m.*, bird preserve, covert

uccėllo, *m.*, bird
udire, *v.* (*irreg.*), to hear
uc**ci**dere (uccisi, ucciso), *v.*, to kill
ufficiale, *adj.*, official; *m.*, officer, official
ufficio, *m.*, office
uguale, *adj.*, equal
ulivo, *m.*, olive-tree
ultimo, *adj.*, last
umanità, *f.*, humanity
umile, *adj.*, humble
umore, *m.*, humour
un**dė**cimo, *adj.*, eleventh
undi**cė**ṡimo, *adj.*, eleventh
undici, eleven
unico, *adj.*, only
unificazione, *f.*, unification
unione, *f.*, union
unire (-isco), *v.*, to unite
unità, *f.*, unity
universale, *adj.*, universal
univėrso, *m.*, universe
uno, *adj.*, one
uȯmo (*pl.* **uȯ**mini), *m.*, man
uȯvo, *m.*, (*pl.* -a, *f.*), egg
urna, *f.*, urn
uṡare, *v.*, to use
uscio, *m.* door
uscire, *v.* (*irreg.*),† to go out
usignuȯlo, *m.*, nightingale
uṡo, *m.*, use
uṡurpatore, *m.*, usurper
uva, *f.pl.*, grapes

vagare, *v.*, to wander
vagheggiare, *v.*, to long for
vago, *adj.*, vague, beautiful
valere, *v.* (*irreg.*),† to be worth
valere la pena, to be worth while
valido, *adj.*, valid
valigia, *f.*, suitcase
valle, *f.*, valley
valoroso, *adj.*, brave, valiant
vantare, *v.*, to boast
vapore, *m.*, steam
varcare, *v.*, to cross (frontier, etc.)
variare (**va**rio), *v.*, to vary
varietà, *f.*, variety
vario, *adj.*, varied, various
vaṡetto, *m.*, little vase
vassallo, *m.*, vassal
vasto, *adj.*, vast
Vaticano, *m.*, Vatican
vėcchio, *adj.*, old
vedere, *v.* (*irreg.*), to see
vegetale, *adj.*, vegetable
vegliare, *v.*, to watch
vela, *f.*, sail
ve**li**volo, *m.*, aeroplane
vendere, *v.*, to sell
vendetta, *f.*, revenge
vendita, *f.*, sale
venditore, *m.*, vendor, salesman
venerazione, *f.*, veneration
Vėneto, *m.*, Venetian province, Venetian dialect
Venėzia, *f.*, Venice
ve**ne**fico, *adj.*, harmful, poisonous
venerdí, *m.*, Friday
veneziano, *adj.*, Venetian
venire (vėngo, venni, venuto), *v.*,† to come
venti, twenty
ventina, *f.*, score
vėnto, *m.*, wind
ventura, *f.*, chance, fortune
verde, *adj.*, green
vergogna, *f.*, shame
vergognare, *v.*; vergognarsi, *r.v.*, to be ashamed
verificare (ve**ri**fico), *v.*, to verify
vero, *adj.*, true, real
verone, *m.*, balcony
versione, *f.*, version
vėrso, *m.*, line of poetry; *prep.*, towards

vescovo, *m.*, bishop
vėspero, *adj.*, evening, vesper
Vėspro, *m.*, Vespers
Vestale, *adj.*, Vestal
vėste, *f.*, robe
vestigio, *m.* (*pl.* -a, *f.*), vestige, remains
Veṡuvio, *m.*, Vesuvius
vetro, *m.*, glass
vetta, *f.*, summit
vi, *pron.*, you; *adv.*, there
via, *f.*, road, way
viaggiare, *v.*, to travel
viaggio, *m.*, journey, voyage
vicino, *adj.*, near
vicissi**tu**dine, *f.*, vicissitude
vigore, *m.*, vigour
vili**pėn**dere (-pesi, -peso), *v.*, to vilify, to slander
villa, *f.*, country house
villaggio, *m.*, village
viltà, *f.*, cowardice
vincere (vinsi, vinto), *v.*, to win, to conquer
vincitore, *m.*, -trice, *f.*, conqueror
vino, *m.*, wine
violare (**vi**olo), *v.*, to violate
violėnto, *adj.*, violent
virgola, *f.*, comma
virile, *adj.*, virile, manly
virtú, *f.*, virtue
viscere, *f.*, bowel
viṡita, *f.*, visit
viṡitare (**vi**ṡito), *v.*, to visit
vita, *f.*, life
vitale, *adj.*, vital
vitėllo, *m.*, calf
vittima, *f.*, victim
vit**tȯ**ria, *f.*, victory
Vit**tȯ**rio, *m.*, Victor
viva! *exclam.*, Long live!
vivere (vissi, vissuto), *v.*,† to live
vivo, *adj.*, alive
voce, *f.*, voice
voga, *f.*, fashion
voglioso, *adj.*, willing, eager
voi, *pron.*, you
volentiėri, *adv.*, willingly
volere, *v.*, to want
  volere dire, *v.*, to mean
volgare, *adj.*, vulgar, popular
volgarità, *f.*, vulgarity
volontà, *f.*, will
volon**ta**rio, *m.*, volunteer; *adj.*, voluntary
vȯlta, *f.*, turn, time
vȯlta, *f.*, vault, roof
voltare (vȯlto), *v.*, to turn
vȯstro, *adj.*, your
votazione, *f.*, vote, voting
vulcano, *m.*, volcano

żanżara, *f.*, mosquito
zappa, *f.*, spade
żėffiro, *m.*, zephyr
zia, *f.*, aunt
żinco, *m.*, zinc
zio, *m.*, uncle
zitto, *adj.*, silent
zȯlfo, *m.*, sulphur
zȯna, *f.*, zone
żo**ȯ**logo, *m.*, zoologist
zucca, *f.*, pumpkin
żucchero, *m.*, sugar
zucchettino, *m.*; zucchina, *f.*, little marrow
zuppa, *f.*, soup